W9-BYN-721

ullstein

Das Buch

Jesse Berg hatte von Geburt an keine Chance. Dafür hat er es weit gebracht. Heute ist er Arzt, seine kleine Tochter Isa liebt ihn innig, und seine Scheidung ging erstaunlich fair über die Bühne. Nur über seine Jugend spricht er nicht. Zu viel ist passiert, zu viel möchte er vergessen – die Vergangenheit soll ruhen. Doch als seine Tochter entführt wird, bleibt Jesse keine Wahl. Er kehrt zurück ins Heim Adlershof, hinter dessen Mauern ein düsteres Geheimnis begraben ist. Ein Geheimnis, das ihn in seiner Jugend beinah das Leben gekostet hätte – und das auch heute noch den Tod bringt. Isa hat nur eine Chance: Jesse muss sie finden.

Der Autor

Marc Raabe, 1968 geboren, ist Geschäftsführer und Gesellschafter einer Fernsehproduktion. Seine beiden Romane *Schnitt* und *Schock* waren viele Wochen auf der Bestsellerliste. Marc Raabe ist mit einer Psychologin verheiratet und lebt mit seiner Familie in Köln.

www.marcraabe.de

www.facebook.com/marcraabe.autor

Marc Raabe

HEIMWEH

Psychothriller

Ullstein

Besuchen Sie uns im Internet:
www.ullstein-taschenbuch.de

Ungekürzte Ausgabe im Ullstein Taschenbuch
1. Auflage Januar 2017
3. Auflage 2017
© Ullstein Buchverlage GmbH, Berlin 2015
Umschlaggestaltung: zero-media.net, München, nach einer
Vorlage von Cornelia Niere, München
Titelabbildung: Artwork Cornelia Niere,
unter Verwendung eines Bildes von Mika Shysh / shutterstock
Satz: Pinkuin Satz und Datentechnik, Berlin
Gesetzt aus der Kepler Std.
Druck und Bindearbeiten: CPI books GmbH, Leck
ISBN 978-3-548-28878-9

Für meine Raaben

Ich ist ein anderer.

Arthur Rimbaud

Prolog

Noch war reichlich Luft zum Atmen da.

»Der schwarze Jaguar« lag aufgeschlagen neben seinem Bett, darüber ein abgegriffenes Batman-Heft. Was man mit dreizehn eben so las. Das Licht war längst aus. Im Schlaf hob und senkte sich die Bettdecke wie eine sanfte Dünung.

Die Luft zum Atmen blieb ihm von einer Sekunde auf die andere weg.

Im letzten Augenblick, bevor er wach wurde, träumte er zu ertrinken. Es war ein Traum, den er oft hatte.

Als kleines Kind war er in der Dämmerung am Rand des nahen Sees in das noch dünne Eis eingebrochen. Puderweißer Neuschnee hatte alles bedeckt, unschuldig und trügerisch. Die Berge standen scharf und klar vor einem leergefegten Himmel. Das Eis brach plötzlich. Schwarzes Wasser umschloss ihn wie eine Faust, schlug über seinem Kopf zusammen. Seine dicke Jacke sog sich voll und wurde schwer wie eine Weste aus Blei. Starr vor Schock war er dem nahen finsteren Grund entgegengesunken.

Gerettet hatte ihn damals seine Mutter, buchstäblich in letzter Sekunde, doch in manchen Träumen wurde aus ihrer Hand eine kräftige Männerhand, mit einer sichelförmigen Narbe auf dem Handrücken, die ihn packte wie ein kleines Kätzchen.

Seitdem mied er Wasser, sofern es tiefer war als bis zur Hüfte.

Aber hier in seinem Zimmer war kein Wasser.

Er lag in seinem Bett.

Jemand drückte ihm ein Kissen ins Gesicht.

Verzweifelt rang er um Luft, bekam jedoch nur den Baumwollstoff in den Mund. Der Holm einer Feder bohrte sich durch die Kissenfüllung und stach ihm in die Lippe, seine Nase wurde eingedrückt, und sein Körper schrie nach Sauerstoff. In heller Panik versuchte er, sich unter dem Kissen herauszuwinden, ruderte wild mit den Armen und spürte, wie sich jemand rittlings mit seinem ganzen Gewicht auf ihn setzte. Seine Lungen schienen zu platzen, er ballte die Fäuste und schlug um sich.

Jäh ließ der Druck nach.

Er riss sich das Kissen vom Gesicht. Schnappte nach Luft, dass die Lungen brannten. Im fahlen Mondlicht erkannte er kaum mehr als einen Schattenriss vor der kalt schimmernden Tapete: Eine Gestalt mit einem insektenartigen, unförmigen Kopf, die auf ihm saß und sich krümmte. Vor Schreck vergaß er für einen Moment, sich zu wehren. Die Gestalt richtete sich auf, atmete zischend. Ein Schatten wie aus Batmans Gotham City. Ihr Kopf war seltsam glatt und anstelle von Augen starrten ihn zwei faustgroße runde Glasscheiben an, in denen sich sein eigenes bleiches Gesicht spiegelte. Da wo Mund und Nase hätten sein müssen, ragte ein schwarzes Oval heraus.

Er wollte schreien, doch die Gestalt kam ihm zuvor. Von links hieb ihm eine Faust gegen die Schläfe. Helle Sterne flirrten, dann kam ein zweiter Schlag. Sein Bewusstsein verlosch mit einem Funken, als wäre eine Sicherung herausgesprungen.

Eine Weile war nichts.

Schwarzfilm.

Er wachte auf, weil der Boden bebte. Nein, zitterte. Er lag gekrümmt wie ein Embryo. Sein Kopf dröhnte und seine Rippen schmerzten. Hin und wieder gab es ein, zwei harte Erschütterungen. Er versuchte, Hände und Füße zu bewegen, aber ohne Erfolg, sie waren gefesselt. Über ihm war eine Plane gespannt, und wenn er versuchte, sich zu strecken, stieß er gegen Begren-

zungen. Er jetzt merkte er, dass er fror; er war nackt bis auf die Unterhose. Fahrtwind zog durch die Ritzen, und es roch nach Auspuffgasen – dem Motorgeräusch nach von einem Mofa, hoch und sirrend wie eine Kreissäge.

Er kniff die Augen zu, flüchtete sich kurz in die Phantasie, das alles sei nur ein Alptraum.

Eben noch hatte er doch friedlich in seinem Bett geschlafen!

»Wach auf, bitte wach auf«, flehte er leise.

Seine eigene Stimme holte ihn zurück in die Realität.

Es war kein Traum.

Es gab kein Aufwachen.

Seine Kehle wurde eng. Er atmete gegen die Furcht an. Er war dreizehn! Da ergab man sich nicht einfach. Damals, unter dem Eis, da hatte er aufgegeben, ja.

Aber das würde ihm nie wieder passieren.

Obwohl seine Handgelenke vor dem Bauch verschnürt waren, tastete er, so gut es ging, an den Planken um sich entlang. Offenbar lag er in einem niedrigen Anhänger. Die Plane über ihm war straff, vermutlich hatte sie Ösen und war außen mit einem Seil festgezurrt. Aus der Planke vor ihm ragte ein Haken, vielleicht um Ladung anzugurten.

Er sah nach dem Knoten zwischen seinen Handgelenken, konnte aber in der Dunkelheit kaum etwas erkennen. Doch wenn er die Hände gegeneinander verdrehte, spürte er den Knubbel, dick und wulstig, wie mehrere Knoten übereinander. Früher, erinnerte er sich, hatte er seine Schuhe mit einem Doppelknoten geschnürt und, wenn er ihn am Abend nicht mehr aufbekam, den Knoten mit einer Gabel aufgestochen.

Er hob die Hände zum Haken und drückte den Knoten in das spitze Ende. Vorsichtig rüttelte er mit den Händen, löste den Knoten wieder vom Haken und drückte ihn erneut hinein. Er begann zu schwitzen, trotz der Zugluft bedeckte ein feuchter Film seine Haut. Der Knoten lockerte sich mehr und mehr.

Plötzlich begann der Anhänger zu holpern, wie auf einem

Feldweg mit Buckeln und Schlaglöchern. Die Ladefläche stieß hart gegen seinen Körper. Aus dem Sirren der Kreissäge wurde ein dunkleres Knattern, das schließlich ganz verstummte.

Ein Ständer klappte herunter.

Es roch nach feuchter Erde, Harz und Tannen.

Das Seil schnurrte aus den Ösen der Plane, dann wurde die Abdeckung beiseitegeworfen. Bäume zeichneten sich vor einem zerrissenen Himmel ab. Der Insektenkopf beugte sich über ihn.

»Raus da.« Die Stimme klang seltsam hohl und blechern. Und sie war jung, ein Teenager wie er. Ein Junge.

»Ich kann nicht«, antwortete er und deutete mit dem Kinn auf seine zusammengebundenen Füße.

Wortlos löste der Junge die Fußfesseln, band jedoch seine Beine so, dass er zwar laufen können würde, aber nur mit kleinen Schritten. Dann trat er zurück und sah ihm dabei zu, wie er sich aus dem Anhänger quälte und dabei stürzt. Keuchend richtete er sich auf.

Der Mond trat für einen Augenblick zwischen den Wolkenfetzen hervor. Unvollständig, aber scharf geschnitten. Der Junge hielt ein Messer in der Faust, die Klinge schimmerte im Mondlicht.

»Da lang«, sagte der Junge.

»Was ... was hast du mit mir vor?«

»Sie!«

»Was?«

»Du musst ›Sie‹ sagen.«

Er schluckte. »Was haben Sie mit mir vor?«

»Halt den Mund und geh.«

Er stieß ihn vor sich her. Laub raschelte unter seinen nackten Füßen; Steinchen und harte Zweige stachen in seine Sohlen. Der Atem des Jungen zischte leise durch die Maske. Es gab keinen Weg, nur einen kurzen Zickzackkurs zwischen den Bäumen. In der Ferne meinte er, einen Wasserfall rauschen zu hören. Er verdrehte die Hände, kehrte die Fingerspitzen nach innen und zerrte an dem Knoten. Nur noch ein kleines Stück, dann würde sich das Seil lösen. Sein Herz schlug wild. Wenn nur das Messer nicht gewesen wäre!

Dann sah er die Grube. Sie war plötzlich direkt vor ihm, ein gähnendes schwarzes Loch im Waldboden, rechteckig wie ein Grab.

Er blieb wie angewurzelt stehen.

»Rein da«, sagte der Junge.

»Sie wollen mich umbringen.«

»Für mich bist du schon lange tot.«

»Wie meinst ... wie meinen Sie das?«

Der Junge hinter ihm schwieg.

Verzweifelt ruckte er mit den Armen. Die Fesseln schnitten ihm ins Fleisch, und der Knoten zog sich wieder zu. Das konnte doch nicht wahr sein! Aber saß das Seil nicht trotzdem lockerer? »Bitte ... lassen Sie mich gehen«, flüsterte er.

»Nein«, sagte der Junge schroff.

Für einen letzten Versuch machte er seine rechte Hand ganz dünn, zerrte sie mit Gewalt durch die Schlinge. Es brannte wie Feuer, als ihm das Seil die Haut abrieb. Dann war seine Hand plötzlich frei. Er wirbelte herum, mit geballter Faust, und traf den anderen in den Bauch. Keuchend taumelte der Junge rückwärts, das Messer fiel zu Boden. Hastig bückte er sich, hob es auf. Der Griff war heiß von der Hand des anderen. Oder war das seine eigene Hand, die so brannte?

»Bleib wo du bist«, zischte er.

Der Junge stand gebückt am Stamm des nächsten Baumes, keine drei Schritte entfernt, die Insektenaugen lauernd auf ihn gerichtet.

Er bückte sich, schnitt mit zitternden Fingern das Seil zwischen seinen Füßen durch.

In diesem Moment stürzte sich der Junge auf ihn. Sie gingen beide zu Boden und rangen um das Messer. Der Mond beleuchtete ihre Hände – und plötzlich erstarrte er. Diese Hände, die kannte er! Das waren doch –

Im nächsten Augenblick entwand ihm der Junge das Messer. Instinktiv drehte er sich weg, wollte aufspringen, davonlaufen, da traf ihn ein heißer, überwältigender Schmerz im Rücken. Er schrie. Alle Kraft wich aus seinem Körper. Bäuchlings fiel er auf die Erde, direkt neben der Grube. Er spürte einen Stiefel an seinem Becken, wurde beiseitegeschoben wie ein nutzloser Sack. Wehrlos rollte er über die Kante der Grube und fiel hinunter. Sein Kopf schlug hart auf einen Stein. Regungslos blieb er liegen.

Eine Weile war es still. Es kam ihm vor, als wäre er taub, eingesperrt, getrennt von seinem Körper, in dem der Schmerz wütete. Die Bäume über ihm waren Wolken aus schwarzen Blättern. Eine Stimme schien vom Himmel direkt in seinen Kopf zu flüstern.

»Ma?«, wisperte er.

Doch sie gab keine Antwort.

»Maaa!«

Verschwommen sah er die Gestalt am Rand der Grube auftauchen. Ein riesiges schwarzes Insekt mit einer Schaufel in der Hand. Schon prasselte die erste Schippe Erde auf sein Gesicht, begrub den Himmel und das letzte Stück Hoffnung.

32 Jahre später

Kapitel 1

Berlin – Samstag, 5. Januar 2013, 03:18 Uhr

Jesse fuhr aus dem Traum empor und saß kerzengerade in seinem Bett.

Dunkelheit umgab ihn. Er schwitzte.

Es dauerte einen Moment, bis er begriff, dass er kein Junge mehr war, sondern fünfundvierzig Jahre alt. Noch immer meinte er die Erde zu schmecken. Gott, es war wieder so verdammt nah, so real gewesen. Die alte Narbe auf seinem Rücken juckte, als hätte jemand daran gekratzt. Nur der Schrei, den er gehört hatte, passte nicht in seinen Traum. Es war der Schrei eines Mädchens gewesen.

Mit einem ungutem Gefühl warf er die Decke beiseite, stellte die Füße auf den Boden und stand auf.

Kaltes Laminat. Frische Luft an seiner feuchten Stirn. Der Boden war trocken, fest und hell. Immer und immer wieder hatte er diesen Traum. Er begann damit, dass der Insektenmann Erde auf ihn schaufelte, und er endete, kurz bevor er in seinem Grab erstickte. Mehr nicht. Es gab kein Wo und Wann, nichts davor und nichts danach. Nur eine Variante, einen Traum, in dem er in einem eisigen See ertrank.

Der Schrei des Mädchens ließ ihm keine Ruhe.

Er drückte die Klinke seiner Schlafzimmertür herunter, eilte durch den Flur, vorbei an den letzten Umzugskartons, die er immer noch nicht ausgepackt hatte, und stolperte über seine Arzttasche, die stets gepackt bei der Garderobe stand. Fluchend schob er sie mit dem Fuß beiseite. Auf dem Boden sah er den farbigen Lichtschein, der durch den Türspalt fiel. Mit drei langen Schritten war er beim Kinderzimmer.

»Isa?«, flüsterte er.

Sie saß kerzengerade aufgerichtet im Bett, den Blick starr geradeaus auf das gegenüberliegende Fenster gerichtet, die blonden Haare wild verstrubbelt.

»Isa!«

»Pssst«, flüsterte sie, ohne sich zu rühren. »Papa, da ist jemand.«

Jesse sah zum Fenster hinüber. »Da drüben?«

»Wo denn sonst«, flüsterte Isabelle, mit so viel Empörung in ihrer Stimme, wie sie nur konnte. Erwachsene waren manchmal schrecklich begriffsstutzig.

Jesse seufzte leise und ging zum Fenster. »Wie sah er denn aus?«

»Er hatte eine dunkle Mähne und wilde Augen.«

»Wilde Augen?«

Isa nickte. »Er hat mich angesehen.«

Jesse öffnete das Fenster. Frische Luft drang ihm entgegen. Er lehnte sich über das Fensterbrett nach draußen und sah die Straße nach links und rechts hinunter. »Kein Monster weit und breit. Magst du herkommen und selbst nachschauen?«

Isa schüttelte den Kopf. Ihre blonden Haare flogen hin und her. »Das war kein Monster.«

Jesse lächelte. »Was war es denn?«

»Weiß nicht. So was Ähnliches wie ein Monster«, flüsterte sie.

Jesse nickte, verschloss sorgfältig das Fenster, ging zu ihr hinüber und setzte sich auf die Bettkante.

Isabelle rutschte etwas beiseite und gab ein Stück des verknitterten Lakens frei. Jesse schmunzelte, hob die Beine ins Bett und legte sich neben seine achtjährige Tochter.

Wortlos rollte Isa sich ein, drückte ihren Kopf in seine

Achselhöhle und atmete seufzend ein und aus, als hätte sie eine Weile nicht Luft holen dürfen. Jesse spürte ihren jagenden Herzschlag unter den dünnen Rippen.

»Papa?«

»Hmm.«

»Nicht gehen, wenn ich einschlafe, ja?«

»Hmm«, brummte Jesse müde. Das warme Bett und die Gegenwart seiner Tochter ließen auch den Nachhall seines eigenen Alptraums verklingen. Seit er denken konnte, jagte ihn dieser Traum vor sich her, und er hasste es, aufzuwachen und sich vergewissern zu müssen, dass er weder ertrank noch unter einer Schicht aus Erde begraben lag. Mitunter, wenn der Traum länger war und anders begann, konnte er sich selbst beobachten, als würde er neben sich stehen und sein Spiegelbild betrachten: einen kleinen Jungen, der am Ufer eines gefrorenen Sees spielte. Manchmal sprachen sie sogar miteinander. Von Jesse zu Jesse.

Was davon eine echte Erinnerung war und was Hirngespinst, das wusste er nicht. Seit seinem Unfall im Alter von dreizehn Jahren war seine Erinnerung abgeschnitten. In seinem Leben gab es, in Bezug auf den Unfall, ein *Davor* und ein *Danach*. Das *Davor* war in Dunkelheit gehüllt, bis auf die Dinge, die ihm die anderen im Heim erzählt hatten. Nach und nach hatte er sich Teile seines Lebens notdürftig aus Versatzstücken rekonstruiert, soweit es eben möglich war. Sein Vater sei Kapitän gewesen, hatten sie ihm erzählt. Von seiner Mutter dagegen wusste niemand etwas. Und längst nicht alles, was er über sich erzählt bekam, gefiel ihm. Manches beschämte ihn sogar.

Für einen Moment fragte er sich, wer hier eigentlich wen brauchte. Isa ihn – oder er Isa? Ihre Haarspitzen kitzelten an seiner Wange und rochen nach Tannennadeln und feuchter Erde, eben nach allem, was der Tagesausflug hergegeben hatte. Nur gut, dass Sandra jetzt nicht hier war.

Wenn es nach Isas Mutter ging, hatten Kinderhaare nach Shampoo und nicht nach Wald zu riechen. Wald war für Sandra seit ihrer gemeinsamen Jugend im Heim Adlershof ein Synonym für Gefängnis. Städte dagegen bedeuteten für sie Freiheit. Für Jesse war es genau andersherum.

»Hast du eigentlich die Zähne geputzt?«

Isa gab keine Antwort. Sie atmete verdächtig gleichmäßig, so wie sie es immer tat, wenn sie sich schlafend stellte.

»He«, raunte er ihr ins Ohr und kitzelte sie behutsam an der Hüfte. Seine Tochter kicherte und wand sich. »Ich mach ja viel mit, junge Dame, aber das läuft nicht. Ab ins Bad. Zähne putzen.«

»Och Papa! Ich bin soo müde.«

»Klar. Ich auch«, gähnte Jesse.

»Ich kann die Zähne auch morgen putzen.«

»Oder nächste Woche, hm?«

»Da bin ich bei Mama. Da muss ich sowieso immer tausendmal putzen.«

»Dann kommst du ja bei mir mit dreimal ganz gut weg. Also los jetzt!«

Wütend warf Isa die Decke zurück und kletterte über Jesse aus dem Bett, nicht ohne ihm einen kräftigen Knuff zu verpassen. Rasch wich er aus, um die alte Narbe auf seinem Rücken zu schützen, so dass Isa ihn zwischen die Rippen traf. »Au!« Jesse grinste. »Soll ich mitkommen?«

»Nö«, stieß Isa hervor. Trotzig patschten ihre nackten Füße auf dem Boden Richtung Bad. Einen Moment später flog die Badezimmertür krachend zu.

Jesse seufzte schläfrig. Sein Blick glitt über die Wände des Kinderzimmers, des bisher einzigen Zimmers in der Wohnung, das er fertig eingerichtet hatte. Die kleine Lampe mit rotierendem Schirm warf bunte leuchtende Fische auf die Tapete, die langsam durch den Raum schwebten. Er hatte sie Isa vor sechs Monaten geschenkt, kurz nach der Trennung von Sandra, als sie zum ersten Mal bei ihm in seiner neuen Wohnung übernachtet hatte. Einmal hatte Isa ihn mitten in der Nacht geweckt. Die Fische wären tot. Er hatte ihnen wieder Leben eingehaucht, indem er die Glühbirne wechselte.

Jesse fielen die Augen zu.

Als er sie wieder aufschlug, war ihm kühl. Das Bett neben ihm war leer. Die Wohnung still.

»Isa?«

Keine Antwort.

Er schwang die Beine aus dem Bett und fröstelte. Mit raschen Schritten ging er zum Badezimmer. Kein Lichtstreifen unter der Tür. Kein Geräusch.

Als er die Tür öffnete, strich ihm kalte Luft entgegen. Das Bad war dunkel und leer, nur die Hofbeleuchtung warf einen fahlen Lichtschimmer durch das Milchglasfenster. Er strich mit dem Daumen über Isas Zahnbürste. Trocken.

Ein leises Schlagen, wie von Holz auf Holz, ließ ihn herumfahren. Das Fenster klapperte im Rahmen, der Hebelgriff stand quer. Hatte *er* das Fenster offen gelassen? Isa doch wohl kaum, besonders nach der Sache mit dem Monster – oder was auch immer sie zu sehen gemeint hatte.

Jesse versuchte ruhig zu bleiben, zog das Fenster auf und sah hinaus. Die Nacht war klar und wolkenlos, der Hof grau und verlassen. »Isa?«

Stille.

Warum, verdammt, war das Fenster offen? Ein eisernes Band schien seine Brust einzuschnüren. Jesse drehte sich um, eilte in den Flur, riss die Tür zum Wohnzimmer auf, drückte den Lichtschalter und blinzelte.

Keine Isa.

Er versuchte die Panik zu unterdrücken, doch sein Herz hämmerte.

Weiter zur Küche. Tür auf, Licht an.

Er blieb im Türrahmen stehen und stieß die Luft aus. Die Spannung wich mit einem Seufzer aus seinem Körper, und ihm wurde schwindelig vor Erleichterung.

Da war sie.

Auf dem Boden neben dem Tisch, mit dem Rücken an den Heizkörper gelehnt, das Kinn auf die Brust gesunken. Ihre Mundwinkel waren braun verschmiert. Neben Isa auf dem Fußboden stand ein offenes, restentleertes Nutella-Glas, aus dem ein Löffel ragte. Ihr kleiner Brustkorb hob und senkte sich friedlich im Rhythmus ihres Atems.

Jesse setzte sich behutsam ganz dicht neben sie an die warme Heizung. Ihr schmaler Schulterknochen lag spitz an seinem Oberarm. In der Glasscheibe der Küchentür spiegelten sich ihre Gestalten wie miteinander verwachsen. Er selbst mit seinen raspelkurzen blonden Haaren, inzwischen mit leichten Geheimratsecken, braunen Augen, schwarzem T-Shirt und nackten Beinen, und Isa, die Haare ebenso blond wie er, mit dem gleichen charakteristischen Wirbel wie er. Einmal mehr fragte sich Jesse, womit er sie verdient hatte. Dass Sandra ihm vieles nicht verzieh, allem voran seine Abwesenheit, das In-sich-gefangen-Sein, seine Unruhe und seine einsamen Entscheidungen, das war eins. Doch er hatte immer befürchtet, dass es Isa genauso ging. Dass sie Sandras Sicht übernehmen würde. Von all seinen Ängsten, die er mit sich herumschleppte, war das inzwischen seine größte: Vielleicht hatte er sie wirklich nicht verdient.

Jesse seufzte.

So sehr er Großstädte hasste, für Isa wäre er sogar nach New York gezogen. So gesehen war Sandras Entscheidung, nach der Trennung nach Berlin zu gehen, wohl nur die zweitschlimmste Wahl.

Kapitel 2

Zornig pfiff der Wind um den Westflügel. Als stemmte er sich gegen die hässlichen Geschichten, die sich hinter diesen Mauern abgespielt haben, dachte Artur Messner. Ja, er hasste dieses Gemäuer. Und ja, er brauchte es. Würde ihn jemand nach seiner Definition von Heimat fragen, er würde mit diesen beiden Sätzen antworten. Aber ihn fragte ja niemand mehr.

Irgendwann würden sie ihn hier raustragen müssen, in seinem samtroten Ohrensessel. Im Sitzen ruckelte und drehte er das schwere Möbel noch etwas näher ans Gaubenfenster und blickte hinaus, nur um ja nicht nach links hinter sich ins dämmrige Zimmer sehen zu müssen. Nicht etwa, weil er die Einrichtung scheußlich fand. Auf seine alten Tage arrangierte man sich. Ein zerschlissener Orientteppich, wellige Tapete, eine improvisierte Küchenzeile aus den Siebzigern und auf dem Kühlschrank ein zu kleiner Fernseher.

Nein, es lag an dem Paket, das auf seinem Esstisch lag. Das Paket wollte er nicht sehen. Am liebsten hätte er es aus dem Fenster geworfen.

Ein Kranz aus Frostblumen rahmte den Blick über die wogenden Baumwipfel bis zum gefrorenen Rissersee. Gedämpfte Rufe schallten in regelmäßigen Abständen herauf und durch die langen Flure des Gebäudes. Charly war bereits zum dritten Mal ausgerissen, und sie suchten immer

23

noch fieberhaft nach ihr. Früher oder später würden sie die Polizei informieren müssen, und Artur wusste nur zu gut, wie unangenehm das jedes Mal war.

Artur Messner war vierundsiebzig, und er bereute vieles in seinem Leben, unter anderem seine Ehe. Sechs Jahre nach der Hochzeit hatte seine Frau Hannelore beim traditionellen Neujahrsspringen der Vierschanzentournee in Garmisch eine Affäre mit einem kanadischen Skispringer gehabt. Nicht die erste Affäre. Hannelore war nicht zurechtgekommen mit dem, wie sie sagte, ›schwermütigen Leben‹, das Artur ihr bot. Zwei Monate später war sie Hals über Kopf nach Kanada gereist und nicht zurückgekehrt. Ihren gemeinsamen Sohn hatte sie bei Artur gelassen, mit den Worten, Richard sei ohnehin wie er.

Doch nichts schmerzte Artur mehr, als dass er vor sieben Jahren die Internats- und Heimleitung von Adlershof an seinen Sohn Richard übertragen hatte. Wenn nur das verfluchte Rheuma nicht gewesen wäre. Die fast dreißig Jahre mit Schmerzen und hochdosiertem Kortison forderten ihren Tribut; sein Körper war abgeschliffen und mürbe.

Und jetzt lag da dieses Paket.

Gott! Selbst ohne sich umzudrehen hatte er es vor Augen, wie es auf dem Tisch thronte, ihn anstarrte. Seine lieblose Ehe, sein bitteres Ende als Direktor, seine ständigen quälenden Schmerzen, das alles war nichts gegen dieses Paket.

Er schaute stur zum See. Die hinter den Gipfeln des Wettersteingebirges verschwindende Sonne warf einen wachsenden kalten Schatten. Der Schnee färbte sich blau, alles andere schwarz. Artur fragte sich, warum er das Paket nicht einfach wegwarf, oder es vergrub, irgendwo da unten am Hang, so weit ihn seine alten Füße trugen. Doch wie sollte er es vergraben, wenn er noch nicht einmal wagte, es anzufassen? Dieses verdammte Paket machte etwas aus ihm, was er auf keinen Fall sein wollte: ein Feigling.

Es war mittags mit der Post gekommen. Philippa hatte es ihm hochgebracht, mit seinem Essen – sofern man diesen spartanischen Diät-Mist auf dem Teller überhaupt Essen nennen konnte.

Das Paket war in Packpapier gewickelt, glatt, braun und in etwa so groß wie ein halber Schuhkarton. Philippa hatte gelächelt, als sie es ihm auf den Tisch in der Zimmermitte gelegt hatte, auf ihre schmallippige Art, als wollte sie eine Freundlichkeit ausdrücken, die ihr im Laufe ihrer neunund-dreißig Lebensjahre eigentlich abhandengekommen war. Obwohl Artur Philippa nicht besonders mochte, war ihre Einstellung eine der wenigen Entscheidungen seines Soh-nes, die er nachvollziehen konnte. Gutes Personal für ein Heim zu finden, war schwierig genug. Gutes Personal, das nicht zerbrach, noch schwieriger.

Als Philippa das Zimmer verließ, hatte er die Wahl: zuerst das Paket oder zuerst das Essen. Wäre es nach der Neugier-de gegangen, hätte er sich für das Paket entschieden. Pakete kamen selten für ihn. Dennoch entschied er sich zunächst für das Essen.

Später, beim Öffnen des Pakets, zitterten seine Finger regelrecht. Er schob es auf den Tremor, wollte sich nicht eingestehen, wie aufgeregt er war. Zum einen vor Freude, zum anderen, weil ihn das Paket irgendwie beunruhigte. Schließlich erwartete er ja keine Post und auch keine Ge-schenke. Bei den ehemaligen Heim- und Internatskindern war er nicht unbedingt gut gelitten. In einem Anflug von Wehmut dachte er an Weihnachten und die Geburtstage seiner Kindheit. Gott, wie lange war es her, dass ihm jemand etwas geschenkt hatte?

Das Papier raschelte, als er es löste. Es stand kein Ab-sender darauf, nur sein Name, Artur Messner, geschrieben in eckigen Druckbuchstaben, und seine Postadresse. Unter dem Papier kam ein Karton zum Vorschein. Als er den

Pappdeckel öffnete, fand er eine weiße Tupperdose darin, unscheinbar und blickdicht. Vielleicht etwas zu essen, dachte Artur.

Mit dem Daumen lupfte er den Deckel und fuhr erschrocken zurück. Was für ein widerwärtiger Gestank! Für einen Moment überlegte er, die Dose einfach in den Müll zu werfen. Doch seine Neugier war stärker.

Also öffnete er den Deckel.

Im Innern lag eine abgetrennte Männerhand, aufgedunsen und blassgrün.

Ihm wurde übel.

Dennoch konnte er den Blick nicht abwenden. Auf dem großen, vom Alter gezeichneten Handrücken war deutlich eine markante sichelförmige Verbrennung zu erkennen. Artur stiegen Tränen in die Augen, er versuchte sie wegzublinzeln, doch die Bilder kamen wie von selbst und kreisten ihn ein. Es mochte ja sein, dass er inzwischen alles Mögliche vergaß, doch was die Vergangenheit betraf, hatte er ein Gedächtnis wie ein Elefant. Die letzte Begegnung mit dem Mann, dem diese Hand gehörte, war keine, an die er sich gerne erinnerte. Er hatte Wilbert eiskalt abgewiesen. Aus Vorsicht, hätte er damals gesagt. Aus Angst, wusste er heute. Wäre Wilbert nur ein Schulkamerad gewesen, hätte er es vielleicht verdrängen können. Aber wenn man nachts zusammen die gesperrte Olympiabobbahn am See hinunterraste und gemeinsam Motorräder stahl, dann war das mehr als Kameradschaft.

Hastig schloss er die Dose.

Wer um Gottes willen tat so etwas? Und warum?

Den Rest des Tages verbrachte er zwischen Erinnern und Grübeln in seinem roten Ohrensessel. Ein Schrillen ließ ihn schließlich hochschrecken. Mit steifen Fingern griff er neben sich und hob den schweren Bakelithörer seines Telefons ans Ohr. Er war froh, das alte Ding noch zu haben.

Die neueren Telefone wogen nichts mehr und hatten viel zu kleine Tasten. »Messner«, meldete er sich.

»*Artur* Messner?« Die Stimme war männlich und klang dumpf, als ob jemand durch ein Taschentuch sprach. Das Alter des Anrufers war schwer zu schätzen. Vielleicht dreißig. Vielleicht auch fünfzig.

»Ja. Wer ist denn da?«

»Haben Sie das Paket bekommen?«

Arturs Hand begann zu zittern. Er presste den Bakelithörer fester ans Ohr. »Wer sind Sie? Haben *Sie* das Paket geschickt?« Gott! Wie hilflos er klang. Früher einmal Direktor. Jetzt alter Tattergreis! Seine Souveränität zu verlieren war ein schleichender Prozess; sie verloren zu haben eine plötzliche und schmerzhafte Erkenntnis.

»Also *haben* Sie es bekommen«, stellte der Mann fest. »Und wohl auch geöffnet.«

»Wer sind Sie? Was wollen Sie von mir?«

»Im Moment will ich nur wissen, wo Jesse ist.«

»Jesse?« Und was um Himmels willen sollte dieses *im Moment* heißen? »Was wollen Sie von Jesse?«

»Sagen Sie mir einfach, wo ich ihn finde.« Irgendetwas an der Stimme des Mannes kam Artur entfernt bekannt vor, aber er konnte es nicht greifen. Seine Tonlage war ruhig und stand in einem irritierenden Kontrast zu dem grausigen Inhalt des Pakets, was die Sache nur noch unwirklicher machte. Der Mann schien es gar nicht für nötig zu halten, ihm zu drohen, und das war ein schlechtes Zeichen, denn so verhielt sich nach Arturs Erfahrung nur jemand, der noch längst nicht am Ende seiner Mittel war. »Ich hab doch keine Ahnung«, meinte Artur. »Ich weiß nicht, wo Jesse ist.« Kruzifix! Früher hatte er wirklich besser gelogen.

»Darf ich das als Einladung verstehen?«

»Ich ... äh, Einladung?«

»Zu einem persönlichen Gespräch. Manchmal spricht es

sich leichter, wenn man sich dabei in die Augen schaut«, er hielt kurz inne, »und sich die Hand gegeben hat.«

Arturs Magen krampfte sich zusammen. *Die Hand gegeben?* Hatte er das wirklich gesagt? Artur hatte nie zu den Menschen gehört, die ihre rechte Hand für einen anderen hergeben würden. Auch nicht für Jesse. Kurz vor Ende des Zweiten Weltkriegs, Artur war noch ein kleiner Junge gewesen, hatte er zusehen müssen, wie sein Vater und sein älterer Bruder Werner von einem Sturmbannführer der Waffen-SS erschossen worden waren. Seine Mutter hatte dem SS-Mann schließlich verraten, was er wissen wollte – und damit Arturs und ihr Leben gerettet.

»Ich ... äh, bin nicht sicher, ob die Adresse noch stimmt, es ist einige Zeit –«

»Geben Sie mir einfach die Adresse.«

Kapitel 3

»Auf geht's, Prinzessin.« Jesse hielt die Tür des Volvos auf, zauberte – von woher auch immer – ein müdes Lächeln auf seine Lippen und deutete eine Verbeugung an. »Die Königinmutter wartet.«

Isa blinzelte und quittierte seine Bemerkung mit einer Schnute. Was ihre Brummigkeit am frühen Morgen anging, war sie laut Sandra ›ganz der Papa‹. Zudem war dieser Morgen in mehrfacher Hinsicht ein fieser Kaltstart. Es reichte schon, dass Montag war. Erschwerend kamen die Faktoren ›keine Nuss-Nougat-Creme mehr‹, ›Zwischenstopp bei Mama‹ und ›Englischtest‹ hinzu. Isas Laune war nahe der Außentemperatur, und die lag bei elf Grad minus. Adrian, ein sibirisches Tiefdruckgebiet, überzog Deutschland mit einer Schneedecke von der Ostsee bis zu den Alpen.

Müde stieg Isa vom Rücksitz, den steifen Kragen ihrer dunkelblauen Marinejacke hochgeschlagen bis zu den Ohren. Einzelne Schneeflocken trudelten vom farblosen Himmel und verfingen sich in ihrem seidigen blonden Haar. Sie hatte darauf bestanden, ihren Rock mit dem roten Schottenkaro anzuziehen. Jesses Hinweis, es sei Winter, hatte sie beantwortet, indem sie eine dunkelblaue Strumpfhose darunterzog, von der sie die Fußspitzen abgeschnitten hatte. Hauptsache, sie konnte mit den Zehen das Lammfell in den Ugg-Stiefeln spüren.

Ihre Schritte knirschten im frischen Schnee, und eine Wolke Colgate-Duft streifte Jesse, als sie an ihm vorbeistapfte. Hatte sie die Zahnpasta etwa gegessen, statt sich die Zähne zu putzen? Er verkniff sich eine entsprechende Bemerkung. In dreißig Minuten begann sein Dienst in der Kinderambulanz des St.-Joseph-Krankenhauses, und er wollte keinen Streit zum Abschied.

Er griff nach Isas Tasche und folgte ihr zur Haustür. Auf dem mit Ziegeln gemauerten Erdgeschoss des Mehrfamilienhauses thronten fünf Etagen aus grau angelaufenem Stein, mit Altbaufenstern und eleganten Schmuckelementen. Das schwarze viktorianische Gitter vor der Eingangstür aus Eiche versprühte den Charme eines Londoner Upperclass-Viertels, auch wenn Berlin-Wilmersdorf beileibe nicht mit Chelsea oder Mayfair mithalten konnte. Dennoch hatte Leon Stein, Sandras neuer Freund, wohl genau das im Sinn gehabt, als er die Wohnung in der Hildegardstraße gemietet hatte. Leon war einige Jahre Choreograph im Londoner West End gewesen, besaß die athletisch-blasierte Mimik einer Tanzdiva, ein nahezu aufgebrauchtes Vermögen – und er war fast nie da.

Isa hatte bereits geklingelt und stand in der offenen Tür des Mehrfamilienhauses.

Im dritten Stock wartete Sandra, ihre blonden Haare zum Pferdeschwanz gebunden, das feine, etwas spitze Gesicht erhitzt von ihren ersten morgendlichen Tanz- und Dehnübungen. Ihre früher strahlend blauen Augen wirkten angestrengt und wie immer etwas traurig. Ein Blick, den Jesse von den meisten Heimkindern kannte. Auch von sich selbst.

Isa umarmte Jesse zum Abschied mit aller Kraft, die in ihren Armen steckte. »Tschüs, Blaumann«, murmelte sie. Er lächelte. Wie so oft trug er, bis auf seine Boots, Blau. Die winterfeste Jacke mit Kapuze und Fellkragen war dunkelblau, Schal und Jeans etwas heller. Zum ersten Mal hatte Isa seine Vorliebe für Blau mit vier festgestellt. Seitdem hieß er bei jeder Begrüßung und bei jedem Abschied Blaumann.

Mit einem leisen »Morgen, Mum« huschte Isa in die Wohnung, stellte ihre schmuddeligen Uggs demonstrativ ordentlich unter die Garderobe und flitzte über das geweißte Parkett in ihr Zimmer.

»Morgen, junge Dame.« Sandra blickte ihr nach, hob die Brauen und warf Jesse einen scharfen Blick zu. Natürlich. Nackte Zehen und keine Mütze! Und er war sicher, das mit der Zahnpasta hatte Sandra ebenfalls gerochen.

»Sag mal«, begann Sandra, »hast du meine Nachricht bekommen?«

»Welche Nachricht?«

»Ach, schon gut.« In ihrer Stimme war ein seltsamer Unterton. War sie gereizt? Oder nervös?

»Was wolltest du denn?«

»Gehst du überhaupt noch an dein Festnetz?«

Jesse zuckte mit den Achseln. Tatsächlich war sein Festnetztelefon meist auf lautlos gestellt, und den Anrufbeantworter benutzte er eigentlich nur als eine Art elektronischen Pförtner. Er entschied erst, ob er abhob, wenn er die Stimme des anderen hörte. Das pflichtschuldige Beantworten von Nachrichten lag ihm nicht, wofür Sandra jedes Verständnis fehlte. »Warum rufst du nicht auf dem Handy an?«, fragte er.

»Du hast keine Mailbox …«

… und ich habe keine Lust, dir so lange hinterherzutelefonieren, bis du dich bequemst ranzugehen, setzte Jesse den Satz in Gedanken fort. »Sag mir doch einfach, was du wolltest.«

»Wie gesagt: Ist schon in Ordnung. Hat sich erledigt.«

Es gab eine kleine Pause. Das Spiel aus schlechtem Gewissen und Zurückweisung entfaltete die übliche Wirkung bei ihm, und er begann sich zu ärgern.

Hinter Sandra tauchte Isas Kopf im Türspalt des Kinderzimmers auf. »Kommst du heute Abend nicht, Papa?«

»Heute Abend?« Jesse sah verwirrt von Isa zu Sandra.

Seine Noch-Frau rieb ihren rechten Zeigefinger mit der linken Hand. Das tat sie immer, wenn sie verlegen war.

»*Ich* hab die Nachricht gehört«, grinste Isa und goss, ohne es zu ahnen, Öl ins Feuer. Ihre Mutter warf ihr einen entsprechenden Blick über die Schulter zu, worauf Isas Kopf postwendend verschwand.

»Brauchst du Hilfe?«, fragte Jesse.

»Hilfe? Wie wär's mit *Unterstützung*?«

»Wenn du jemanden brauchst, der auf Isa aufpasst …«

Sie zögerte. Schwankte zwischen Ärger und – ja, was eigentlich? »Ab wann bist du denn weg?«, fragte Jesse.

»18 Uhr.«

»Spricht was dagegen, dass ich meine Tochter sehe? Ist Leon da?«

»Nö«, kam es gut gelaunt aus dem Kinderzimmer. »Der ist in Chicago.«

»Ich sehe mir ein kleines Tanzstudio an, vielleicht kann ich es mieten und Unterricht geben«, sagte Sandra widerstrebend.

Ein Tanzstudio. Das war es also. »Und Leon tourt durch die Weltgeschichte und schafft das Geld ran?«

»Lass das«, meinte Sandra tonlos.

»Na, so oft, wie er nicht da ist …«

»Sagt wer?«, fragte Sandra. »Mister Ärzte-ohne-Grenzen?«

»Mister Tanzen-ohne-Grenzen scheinst du seine Abwesenheit jedenfalls viel weniger übelzunehmen.«

Sandra wollte etwas entgegnen, hielt jedoch inne und schloss kurz die Lider. Als sie ihn wieder ansah, lächelte sie. Ein meilenweit entferntes Lächeln. Unecht, auf Sicherheit bedacht. »Lass Leon bitte aus dem Spiel. Ich will mir keine Sorgen um ihn machen müssen.«

»Sorgen? Um Leon?«

Sie sah ihn stumm an. Rieb wieder ihren Finger.

»Ich bitte dich!«, meinte Jesse. »Das ist nicht dein Ernst, oder?«

Ihr Blick war Antwort genug. Himmel, woher nahm sie das nur plötzlich? »Das mit Markus damals«, sagte Jesse, »das war etwas anderes. Und das weißt du ganz genau.«

»Da sagt *er* etwas anderes.«

Jesse war das Präsens nicht entgangen: *sagt* statt *sagte*. »Hast du mit ihm gesprochen?«

Sandra schwieg.

Er seufzte und schluckte seine Verärgerung hinunter. »Und Jule hast du vermutlich auch schon gefragt, ob sie Zeit hat.«

»Jule kann nicht. Sie arbeitet. Aber nicht schlimm, wie gesagt: Isa kommt auch alleine klar.«

Jesse sah auf die Uhr. 18 Uhr war eigentlich zu früh, aber er wollte Isa gerne sehen. Andererseits war die Kombination ›Sandra auf heißen Kohlen‹ und ›Jesse zu spät‹ heikel. »Ich bin gegen 18 Uhr da, plus/minus zehn Minuten«, sagte er.

Sandra schaute alles andere als glücklich drein.

»Bestimmt«, sagte er.

»Okay«, seufzte sie. »Ach, sag mal, warst du eigentlich in letzter Zeit mal in Adlershof?«

Jesse sah sie überrascht an. »Nein. Wie kommst du darauf?«

»Schon gut.«

»Also, bis heute Abend«, sagte er.

»Ja. Bis nachher.« Ihre Stimme war jetzt weicher. Einer der wenigen Vorteile der Trennung. Der Ärger verflog schneller. Die Triggerpunkte waren allesamt noch da, aber sie waren bemühter miteinander.

Der Volvo S60 sprang mit einem spröden elektronischen Geräusch an. Den alten Volvo-Kombi hatte Jesse bei der Trennung Sandra überlassen. Und den S60, den er überstürzt am nächsten Tag bei einem Gebrauchtwagenhändler gekauft hatte, hasste er schon wenige Wochen später. Zu viel Elektronik, zu sportlich, zu was-auch-immer. Nur das Soundsystem mochte er, besonders weil Isa immer diesen begeisterten Gesichtsausdruck bekam, wenn er aufdrehte.

Er schob den Regler hoch, ließ das Beifahrerfenster herab. Eisige Luft strömte in den Wagen. Billy Idols *White Wedding* dröhnte in seinen Ohren. *There is nothing fair in this world, baby. There is nothing safe in this world.*

Sorgen. Um Leon. Was für ein Blödsinn.

Einzelne Schneeflocken tanzten in sein Gesichtsfeld. Für einen Moment meinte er, Markus wie eine Projektion auf der Windschutzscheibe zu sehen. Die untersetzte Gestalt, den viereckigen Schädel mit den dunklen, messerscharf gescheitelten Haaren, die so wenig zu ihm passten wie seine aufgesetzte Kultiviertheit und seine angebliche Vorliebe fürs Tanzen. Er hatte sich immer bewegt wie ein Besen, der einen Knick in der Mitte hatte.

Die alte Narbe auf Jesses Rücken juckte wieder, wie meistens, wenn er an Markus und den Unfall dachte. Wenn es denn überhaupt ein Unfall gewesen war. Nach wie vor fiel es ihm schwer, daran zu glauben.

It's a nice day – to start again ... Billy Idols Stimme brach zu einem Schrei. Irgendwie zynisch, dachte er. Für einen Neustart war es weiß Gott zu spät. Das Einzige, was ihm blieb, war jeden Tag aufs Neue im Job aufzugehen. Seit der Trennung fühlte er sich heimatloser denn je.

Neustart.

Ja, den hatte er gehabt, damals, nach dem Unfall. Fokale retrograde Amnesie. Einmal den Stecker ziehen, alles vergessen und wieder neu hochfahren. Wenn ein Mensch aus seinen Erfahrungen und Erinnerungen bestand, dann war er im Alter von dreizehn Jahren gelöscht worden. Bis auf die Gene und so grundlegende Dinge wie Sprechen, Laufen, Rechnen, Fahrradfahren, aber auch das Unvermögen, richtig schwimmen zu können. Andere hatten ihm erzählen müssen, wer er war. Er hatte sich selbst aus Einzelteilen wieder zusammengesetzt. Und bis heute hatte er das schale Gefühl, nicht genau zu wissen, wer *ich* ist.

Er ließ das Fenster hochsurren. Setzte den Blinker. Der beste Ort, um all das zu vergessen, war die Ambulanz des St. Joseph. Oder ein Tag im Wald mit Isa.

Kapitel 4

Irgendetwas stimmte nicht mit diesem Mädchen, so viel stand fest. Wie eine Wachsfigur saß die zwölfjährige Marta neben Jule im Wartezimmer der Ambulanz des St.-Joseph-Krankenhauses. Martas Stirn war von Jule mit einem provisorischen Verband umwickelt worden, der ihre dunklen Haare in einen enganliegenden Helm und strähnige lange Enden trennte. Die eiskalten Hände des Mädchens lagen unruhig in ihrem Schoß.

Jule hatte es satt. Sie begriff selbst nicht mehr, warum sie sich das alles antat. Nicht etwa, dass sie die Kinder leid war. Es lag an den Eltern. Obwohl sie die Mütter und Väter meistens nicht zu Gesicht bekam, wusste sie, wie sie waren. Der Blick auf die Kinder genügte. Schon allein ihre Mienen, wenn sie die Tür der Jugendeinrichtung aufstießen; und dann die Gesichter, wenn sie am Abend wieder nach Hause gingen.

Eltern, fand Jule, sollten sich gefälligst ihre Kinder verdienen – und die wenigsten Kinder verdienten *solche* Eltern. Immer öfter dachte sie, dass für manche die Unterbringung in einem Heim die bessere Lösung wäre.

»Glaub mir, das sagst du nur, weil du selbst nicht in einem gelebt hast«, hatte Sandra dagegengehalten. Und sicher recht gehabt, irgendwie. Was konnte Jule schon darüber sagen? Anders als Sandra stammte sie aus einer Heile-Welt-Familie. Zumindest von außen betrachtet. Papa Zahnarzt, Mama Hausfrau. Ihre große Schwester Angela hatte sich, ganz und gar angepasst, ebenfalls einen Zahnarzt geangelt, und Benedikt, ihr großer Bruder, war bei der Kripo in Hamburg – höhere Beamtenlaufbahn. Für Jule hatte es nicht an Angeboten gemangelt, den Weg ihrer Schwester einzuschlagen. Sie hatte es nur stinklangweilig gefunden.

Sie erlebte sich selbst als mittelgroß, vielleicht etwas mehr als mittelhübsch, mit mittelblonden, mittellangen Haaren und mittlerer Intelligenz. Irgendwie schien alles an ihr mittel zu sein. Bis auf ihre intensiven grünen Augen vielleicht und ihre dunkle Stimme, die nicht so recht zu ihrem grazilen Körper passen wollte.

Also hatte sie sich nach Kräften bemüht, aus der Rolle zu fallen. Auf ihr Einser-Abi folgte ein Musikstudium, das sie abbrach und gegen die Karriere als Sängerin einer – mittelmäßigen – Band eintauschte, die zwei Jahre lang über Land tingelte. Sex, Drugs and Rock 'n' Roll. Mit zweiundzwanzig hatte das verheißungsvoll geklungen, irgendwie nach Rebellion. Zwei Jahre später hatte es den faden Geschmack einer Dauerflucht. Längst zogen sie alle am Fuß eine Kette hinter sich her, mit einer Eisenkugel und ganz persönlicher Gravur. Gespenster. Auftritt, wenn es dunkel wurde.

»Irgendwann ist die Sache gekippt«, antwortete sie vorsichtig, wenn sie gefragt wurde, warum sie ausgestiegen sei. Den wahren Grund behielt sie für sich. Selbst Sandra kannte nur die eine Hälfte der Geschichte.

Danach hatte sie sich ins Studium gestürzt, zur Freude ihrer Eltern. Rückkehr in die heile Welt. Gut, es war zwar Psychologie und nicht Zahnmedizin – aber immerhin. Weniger *immerhin* fanden ihre Eltern dagegen ihren Job. Sozialarbeiterin in einer Jugendeinrichtung. Erst vor zwei Wochen, an Heiligabend, hatte es wieder Streit darüber gegeben.

Jule hatte dünnhäutig reagiert. Sie zweifelte ja selbst an ihrem Job. Wenn auch aus anderen Gründen als ihre Mutter, die keine Vorstellung davon hatte, was es hieß, Kinder zu erleben, die zum Teil täglich Kot in der Unterwäsche hatten, die oft nichts zu essen bekamen, da ›Dringenderes‹ gekauft werden musste, oder die, teils versteckt, teils offen, geschlagen wurden.

Am schlimmsten war, dass Jule nicht wusste, wohin mit ihrer Wut. Die Löcher in diesen Kindern waren so groß, dass sie die Hoffnung verlor. Sie waren nicht zu stopfen. Man konnte ja auch nicht die Flut aufhalten. Aber man konnte sehr wohl in ihr ertrinken.

Sie seufzte, richtete sich ein wenig auf. Versuchte, den härter werdenden Zug um ihren Mund wegzulächeln. *Verdammt*, sie lächelte viel zu oft, wenn es ihr schlechtging. Zu Hause hatte sie gelächelt, in der Schule, auf der Uni, auf der Bühne. Die Lachfalten um ihren Mund würden tiefer werden als die um ihre Augen.

Der einzige Mensch, bei dem sie nicht das Gefühl hatte, lächeln zu müssen, war Sandra. Sie hatte sich gefreut, als Sandra sie gestern noch spät am Abend angerufen hatte, trotz der Uhrzeit. Auch auf die Verabredung mit ihr freute sie sich. »Morgen, 18 Uhr, im Einstein, okay?« Sandras Stimme war plötzlich ernst geworden und leise, als fürchtete sie, jemand könnte zuhören. »Es gibt etwas über Jesse und Garmisch, das ich dir erzählen *muss*. Aber bitte kein Wort zu ihm!«, hatte Sandra gesagt. Als wenn sie Jesse ständig über den Weg laufen würde.

Es war nichts Neues, dass es um Jesse ging. Bei Sandra ging es schon seit Jahren, eigentlich seit Jahrzehnten um Jesse. Jule hatte immer wieder eine geradezu übermenschliche Geduld bei diesem Thema aufbringen müssen. Aber diesmal war es anders, nicht das übliche *Jesse hier, Jesse da*. Es ging offenbar um eine der alten Heimgeschichten, und Sandra hatte beunruhigt geklungen – wirklich beunruhigt.

Manchmal beneidete Jule Sandra geradezu um ihre

Heimvergangenheit. Sandra *durfte* sich verloren fühlen. Sie selbst dagegen durfte es nicht. Man hatte sich gefälligst nicht verloren zu fühlen, wenn alles nur mittelschlimm war.

Jule schielte nach der Uhrzeit. Noch zwei Stunden bis 18 Uhr. Wenn das hier so weiterging, würde sie zu spät kommen. Der Plastikstuhl in ihrem Rücken knackte. Die funktionale Flurbeleuchtung des St.-Joseph-Krankenhauses radierte alle Schatten aus, auch die im Gesicht von Marta.

Jule konnte sich inzwischen sogar vorstellen, dass das Mädchen auf der Straße lebte. Sie kam erst seit wenigen Tagen in die Einrichtung. Heute war ihre Wange stark geschwollen gewesen, und sie hatte ein durchgeblutetes Taschentuch über ihrer linken Augenbraue an die Stirn gepresst. Darunter war eine Platzwunde.

Als Jule Martas Eltern informieren wollte, stellte sich heraus, dass Martas Adresse samt Telefonnummer nicht existierte. Vielleicht hieß Marta ja noch nicht einmal Marta. Dennoch hatte Jule bei der Anmeldung im St. Joseph Martas Namen und die Adresse angegeben. Alles andere hätte nur unnötige Schwierigkeiten bereitet.

Nun saßen sie ausgerechnet in der Ambulanz, in der Jesse arbeitete. Jesse zu begegnen war das Letzte, was sie wollte, doch das St. Joseph war nun mal das nächstgelegene Krankenhaus, und das gab bei den aktuellen Schnee- und Verkehrsverhältnissen den Ausschlag. Vielleicht hatte sie ja auch Glück und geriet an einen anderen Arzt.

Sie musste wieder an Sandra denken und an Isa. Ein stilles Lächeln huschte über ihre Lippen. Sie hatte einen Narren an der Kleinen gefressen und wäre gerne ihre Patentante geworden. Bis heute hatte sie Jesse im Verdacht, das verhindert zu haben.

Einmal mehr ertappte sie sich bei dem Gedanken, ob sie die Arbeit in der Jugendeinrichtung auch angenommen hätte, wenn sie selbst Mutter geworden wäre. Der Job war anstrengend und für eine Psychologin wie sie finanziell unattraktiv. Aber sie hatte eben keine Kinder. Und daran hatte niemand anders Schuld als sie selbst.

Sie straffte den Rücken erneut, streckte den Hals und versuchte, ihre drückende Blase zu ignorieren. Aufmunternd lächelte sie Marta zu, die es nicht einmal bemerkte.

»Marta? Alles klar?«

»Hm.«

Eine Schwester lief eiligen Schrittes an ihnen vorüber, und Jule nutzte die Gelegenheit. »Entschuldigung, wissen Sie ungefähr, wie lange es noch –«

»Viertelstunde«, rief die Schwester, ohne sich auch nur umzudrehen.

Genug Zeit, um rasch noch einmal auf die Toilette zu gehen, beschloss Jule. Da Marta sich partout weigerte mitzukommen, stand Jule allein auf. Sie warf noch einen besorgten Blick auf Marta – oder wie auch immer sie hieß – in ihrem viel zu dünnen roten Anorak. Auf dem Weg zum WC kam ihr ein Arzt entgegen, der es genauso eilig zu haben schien wie die Schwester. Er trug einen Mundschutz und eine OP-Haube, dazwischen lag seine Augenpartie wie im Visier eines Helms. Ihre Blicke trafen sich kurz. Seine Iris hatte einen dunklen Bernsteinton. Sie war sich nicht sicher, ob es Jesse war oder nicht. In seinem Blick spiegelte sich kein Erkennen, was auch immer das heißen mochte.

Sollte Jesse Dienst haben und in irgendeinen OP-Saal gerufen worden sein, hatte sie entweder gute Karten, einer Begegnung aus dem Weg gehen zu können, oder sie musste schlicht noch länger warten. Schließlich hatten Notfälle immer Vorrang.

Kapitel 5

Jesse ließ die zwei weißen Knochen mit einem Mausklick vom Screen verschwinden. Nächster bitte. Der Takt in der Ambulanz war hoch, aber anders als die meisten Kollegen stresste es ihn nicht. Er mochte den Wechsel und die Konzentration auf die Patienten – jeder hier war auf seine ganz eigene Art ein Notfall. Sich als Kinderarzt niederzulassen oder gar eine Oberarztstelle anzustreben wäre ihm nicht in den Sinn gekommen. In einer Praxis musste man Arzthelferinnen einstellen und sich mit den Abrechnungsmodalitäten der Krankenkassen herumschlagen, für den Job des Oberarztes war er zu unstet. Er hielt es selten lange irgendwo aus. Schon gar nicht, wenn die Akten mehr Zeit in Anspruch zu nehmen drohten als die Menschen.

»Jesse?«

Dr. Rahul Taneja, sein indischer Kollege, stand in der Tür zwischen den beiden Behandlungsräumen. Unter seinen dunkelbraunen Augen schimmerten ähnlich dunkle Ringe. »Ich muss schallen und brauche die Zwei, können wir wechseln?«

»Klar.« Jesse meldete sich am Rechner ab, nahm seinen Schlüsselbund und die Patientenkarten und zog seine Arzttasche so rasch unter dem Tisch hervor, dass das Leder am Metallkreuz des Rollhockers entlangratschte. Eine weitere Narbe. Doch Jesse mochte jede einzelne von ihnen. Er nahm die Tasche selbst dann mit, wenn er sie nicht brauchte, wie hier in der Klinik. Sie gab ihm das Gefühl von Halt, jede

Schramme war wie ein Tagebucheintrag. Es war gut, wenn Erinnerungen etwas Unverrückbares hatten. Nicht gelöscht werden konnten.

Fliegender Wechsel. Dr. Rahul Taneja schob einen etwa sechsjährigen Jungen mit wächsernem Gesicht ins Behandlungszimmer, die Mutter im Schlepptau, mit unsicheren, rastlosen Augen. Jesse nickte beiden freundlich zu, als er an ihnen vorbei in die Eins ging. Klappernd ließ er den Schlüsselbund neben die Computertastatur auf dem plastikbeschichteten Schreibtisch fallen. Der Schlüsselanhänger, ein kleiner Stofflöwe, den Isa ihm geschenkt hatte, kam auf dem Rücken zum Liegen. Seine Arzttasche landete auf dem angestammten Platz rechts unter dem Tisch. Aus Jesses Magen drang ein Geräusch, als hätte der Löwe geknurrt.

Er ignorierte den Hunger, klappte die oberste Patientenkarte auf, überflog Name und Anamnese, dann trat er durch die Schiebetür in den Flur und von dort in den Wartebereich. Vierzehn Augenpaare richteten sich auf ihn, das von Jule eingeschlossen. Er hatte sie schon bei einem der letzten Aufrufe bemerkt, sein knappes Nicken hatte sie aber kaum erwidert. Ihre blonden Haare trug sie hochgesteckt. Ihr Gesicht, früher wie mit einem weichen Bleistift gezeichnet, weiblich, mit rund geschwungenen Augenbrauen, wirkte angespannt.

»Marta Wilhelm?«, fragte Jesse in die Runde.

Jule erhob sich zögernd. In ihrem Gesicht las er den gleichen Unwillen, den er selbst empfand. Ausgerechnet. Warum zum Henker kam sie überhaupt hierher? Sie wusste doch, dass er hier arbeitete. Er musterte das Mädchen, das mit Jule aufstand, und automatisch übernahm der Arzt in ihm die Kontrolle. Beginnende Pubertät, schmale, hungrige Gestalt, ungepflegte, winterblasse Haut, ein frisches Hämatom am linken Wangenknochen, über dem Auge ein Verband, darunter wohl die im Anamnesefragebogen beschriebene Platzwunde. Es war offensichtlich, dass jemand sie geschlagen hatte. Ihr Blick war derart fest auf den Boden geheftet, als berge die Welt oberhalb des Krankenhauslinoleums ein unkalkulierbares Risiko.

Jesse seufzte innerlich.

Wegen solcher Fälle tat er seinen Dienst. Und wegen solcher Fälle hasste er manchmal seinen Dienst. Oder vielmehr: Er hasste die Hilflosigkeit. Immer wieder überkam ihn das Gefühl, etwas tun zu müssen. Etwas mehr, als nur eine Platzwunde zu nähen. Aber meistens blieb ihm nur, das Jugendamt zu informieren, wenn er einen Verdacht hatte. Im Stillen dankte er Sandra, dass Isa nicht so verloren war wie dieses Mädchen.

»Hallo, Jesse«, sagte Jule kühl, als sie an ihm vorbei in den Behandlungsraum trat.

»Hallo, Jule«, brummte Jesse, trat rasch ans Waschbecken und drückte mit dem Ellenbogen den mechanischen Bügel. Desinfektionsmittel spritzte aus dem Spender in seine offene Hand. Er verrieb es, als könnte er seine Aversion damit abwaschen, und wandte sich an das Mädchen. »Hallo, Marta. Ich bin Jesse. Jesse Berg.« Er wies auf den Behandlungstisch in der Mitte des Zimmers. »Setz dich doch.«

Obwohl Jesse leise und ruhig gesprochen hatte, war das Mädchen zusammengezuckt. Sie wirkte seltsam überrascht, Gedanken schienen durch ihren Kopf zu flattern. Wie ferngesteuert ging sie zum Behandlungstisch.

»Kennen wir uns?«, fragte Jesse.

Sie hatte sich offenbar wieder im Griff und deutete rasch ein Kopfschütteln an.

»Okay. Erzähl mal, was ist passiert?«

Martas Mund blieb ein Strich.

»Sie hatte einen Unfall«, erklärte Jule. »Jemand muss sich die Wunde ansehen.«

»Was für einen Unfall?«, fragte Jesse. »In der Einrichtung, in der du arbeitest?«

Jule zögerte, schien abzuwägen. »Nein.«

»Okay. Und wie ist es passiert?« Er sah von Jule zu Marta und wieder zurück.

Stille. Nur die kaltweißen Deckenlampen sirrten.

»Na, dann zeig mal her.« Sanft begann er, den Verband abzuwickeln, während das Mädchen stocksteif auf der Liege saß, die Beine wie zwei Stahlwinkel. Nur ihr Blick flog im Zimmer umher, als suche sie nach einem Fluchtweg. Die Wunde oberhalb der Braue war relativ frisch, vielleicht vom Morgen, etwa zwei Zentimeter lang, und die Wundränder standen auseinander.

»Keine Sorge, Marta. Das kriegen wir wieder hin«, murmelte er und lächelte aufmunternd. »Ich sorge erst mal dafür, dass es nicht mehr so weh tut.« Er ging hinüber zum Regal, wo er zwei Milliliter Mepivacain in einer Spritze aufzog, mit dem Rücken zu Marta, so dass sie die Spritze nicht sah.

»Kannst du die Wunde kleben oder …?« Jule stand plötzlich neben ihm. Ihre Stimme war leise, und sie vermied es, das Wort *nähen* auszusprechen.

»Ich denke, kleben reicht.«

Jules Blick fiel auf die Injektionsnadel. Rasch sah sie beiseite. Schweigend nahm Jesse die Nadel von der Spritze ab. Die stumpfe Plastikkanüle würde reichen, um das Lokalanästhetikum in die Wunde zu träufeln. »Keine Sorge, Marta«, sagte er, drehte sich um und verstummte. Marta stand mitten im Zimmer und starrte ihn an.

»Marta. Alles in Ordnung?«

Sie nickte, eigenartig hektisch.

»Wenn du dich hinlegst, dann träufele ich dir ein Betäubungsmittel in die Wunde, dann tut es nicht mehr so weh. Okay?«

Marta rührte sich nicht. Ihr Blick ging zur Tür, dann wieder zu Jesse. Ihr Körper war gespannt wie eine Bogensehne. Ihre Hände steckten tief in den Anoraktaschen.

Jesse, bemüht um eine defensive, beruhigende Körpersprache, ließ die Arme hängen, lächelte und blieb, wo er war. »Es tut nicht weh. Versprochen. Ein paar Minuten und –«

Plötzlich schien Marta regelrecht zu explodieren. Sie riss die Hände aus den Taschen, stürzte zur Schiebetür und war im nächsten Augenblick im Gang verschwunden.

»Marta!«, rief Jule.

Aus dem Flur drang das Quietschen von Gummisohlen im Laufschritt, dann ein überraschter Schrei und das Scheppern von Metallinstrumenten, die zu Boden regnen. Jesse erreichte die Tür noch vor Jule, rannte den Flur hinunter, an Schwester Irina vorbei, die mit offenem Mund im Gang stand und sich den Arm hielt. Zu ihren Füßen lagen silberne Instrumente verstreut. »Wo ist sie hin?«, rief Jesse.

»Äh – Wartebereich.«

Jesse hastete durch die offene Tür. Keine Marta weit und breit. Sein Arztkittel schlackerte um seine Beine. Patienten sahen ihm erstaunt nach. Im Glaskasten der Anmeldung beugte sich Frank Reutlein neugierig vor.

»Hast du ein Mädchen gesehen?«, rief Jesse im Vorbeilaufen. »Dunkle Haare, Wunde auf der Stirn?«

»Ich ... Die ist raus, glaube ich«, rief Reutlein ihm hinterher.

Vor der Tür empfing ihn schneidend kalte Luft. Es war bereits dunkel. Vom schiefergrauen Himmel taumelten Schneeflocken ins Licht der Straßenbeleuchtung, und auf dem Gehweg teilten Trampelpfade die Schneedecke. Von Marta war nichts zu sehen.

»Wo ist sie?« Jule tauchte neben ihm auf, aus ihrem Mund stieg eine Atemwolke auf.

Jesse hob ratlos die Hände.

Hastig stapfte Jule an ihm vorbei über einen Schneebuckel zwischen zwei Autos auf die schmale, einspurige Wüsthoffstraße, sah in alle Richtungen und kam dann zurück zu Jesse. »Großartig«, schimpfte sie. »Wirklich großartig. Hättest du nicht wenigstens eine Pipette statt einer Spritze nehmen können?«

»Du meinst, sie ist wegen der Spritze abgehauen?«

Jule strich sich ein paar Haarsträhnen aus dem Gesicht. Ihre Hochsteckfrisur war in Auflösung begriffen. »Keine Ahnung«, stieß sie hervor.

»Es war noch nicht einmal eine Nadel auf der Spritze«, meinte Jesse.

»Vielleicht hättest du besser eine Kollegin gerufen.«

Jesse wusste, was sie meinte. Typischerweise entstanden Verletzungen wie die von Marta durch Schläge – durch Schläge von Männern. »Die Kollegin ist krank. Sonst hätte ich sie geholt.«

»Was auch immer in ihr vorgegangen ist, du hast ihr Angst gemacht.«

Der Vorwurf stieß Jesse bitter auf.

»Du hörst dich schon an wie Sandra. Wer von euch beiden ist eigentlich die Henne und wer das Ei?«

»Bitte?«

»Erzählt Sandra dir immer noch die alten Jesse-Schauergeschichten, oder redest *du* ihr ein, dass man vor mir Angst haben muss? Heute Morgen kam es mir sogar vor, als machte sie sich Sorgen um Leon. Wegen mir!? Was ein Quatsch.«

Die Resignation in Jules Gesicht wich einem starren, harten Ausdruck. »Wie passend. Offenbar läuft da eine Verschwörung gegen dich«, sagte sie. »Weißt du, was der Fachbegriff dafür ist, wenn man die eigenen Probleme auf andere projiziert? Übertragung.«

Jesse biss sich auf die Lippen. Das hier lief auf einen unnötigen Streit voller alter Empfindlichkeiten hinaus, und daran hatte er nicht das geringste Interesse. Er musste zurück in die Ambulanz. Außerdem fror er in seinem Arztkittel, und über die Ränder seiner Krankenhausschlappen nässte der Schnee.

»Und was machen wir jetzt?«, fragte Jule. Offenbar war sie zu dem gleichen Schluss gekommen.

»Ich lasse Marta vom Empfang ausrufen. Vielleicht ist sie noch im Krankenhaus. Viel mehr können wir nicht tun.«

Jule sah nachdenklich zur Klinik. Es war seltsam still, der Schnee erstickte den Lärm der Stadt. Von der Notaufnahme drang ein Martinshorn herüber. Über dem Flachdach des St. Joseph zuckten blaue Schneeflocken. »Sie ist nicht im Krankenhaus«, sagte Jule.

»Woher willst du das wissen?«

»Kinder wie Marta hauen nicht ab, um sich an der nächsten Ecke zu verstecken. Sie bringen so viel Platz wie möglich zwischen sich und dem, was sie fürchten.«

Kinder wie Marta. Oder wie ich, dachte Jesse. Für einen kurzen, kindlichen Moment überkam ihn die Sehnsucht, dass Jule für ihn das gleiche Verständnis wie für Marta aufbringen würde.

»Vielleicht läuft sie zurück zur Jugendeinrichtung«, sagte Jule. »Ich gehe hin und suche nach ihr.«

Der Abschied von Jule geriet noch kühler als die Begrüßung. Jule zog ihren Mantel enger, setzte ihre Wollmütze auf und stapfte die Wüsthoffstraße hinunter in Richtung Jugendeinrichtung.

Jesse warf einen Blick zum Himmel. Düster, mit weißen Punkten. Er schob die Sorge um Marta beiseite. Im Wartezimmer saßen noch andere Patienten, die nicht wegliefen. Seine Armbanduhr, ein Klassiker mit schwarzem Zifferblatt und Automatik, die ihm Artur zum Abitur geschenkt hatte, zeigte zwanzig vor fünf. Der lange Zeiger tickte die Sekunden weg wie nichts. Um sechs wollte er bei Isa sein. Er würde zu spät kommen, wenn er sich nicht höllisch beeilte.

Auf dem Weg zurück in die Ambulanz ließ ihn der seltsame Blick von Marta nicht los. Sie hatte nicht ängstlich auf die Spritze gestarrt. Sie hatte *ihn* angesehen. So ungerne er es auch zugab, Jule hatte recht. Marta hatte Angst vor ihm gehabt.

Sechzehn Minuten, nachdem er die Ambulanz verlassen hatte, war Jesse zurück an seinem Arbeitsplatz. Seine lederne Arzttasche stand wie gehabt im Schatten unterhalb des Schreibtisches. Sein Schlüsselbund lag immer noch neben der Tastatur. Nur dass der Löwe jetzt nicht mehr auf dem Rücken, sondern auf dem Bauch lag und die wischfeste Beschichtung der Tischplatte anstarrte.

Kapitel 6

Jesse steckte den Schlüssel ins Spindschloss und warf zugleich einen besorgten Blick durchs Fenster nach draußen. Als er die mausgraue Tür öffnete, pendelte der Löwe ungestüm am Bund. Dreizehn Minuten war Jesse schon zu spät, und dabei würde es nicht bleiben. Tief Adrian zeigte die Zähne. Die weißen Flocken fielen immer dichter. In Adlershof hatte sich der Schnee an solchen Tagen immer wie eine Wand vor der Hintertür der Küche getürmt.

Als er nach seinen Caterpillar-Boots greifen wollte, mit einer dieser automatischen Bewegungen, die selbst im Halbschlaf noch ihr Ziel finden, fasste seine Hand ins Leere.

Verblüfft hielt er inne.

Der Spind war leer. An der Metallstange schaukelten die zwei Drahtbügel im Sog der eben geöffneten Tür. Seine dunkelblaue Jacke, der Schal und seine Boots waren verschwunden. Nur ein Paar schmutziger Profilabdrücke am Spindboden erinnerten an seine Schuhe.

Er war zu verblüfft, um wirklich wütend zu werden. Wer zum Henker stahl aus einem Ruheraum für Ärzte Kleidung? Und wie war überhaupt die Spindtür geöffnet worden? Das Schloss jedenfalls schien unversehrt. Probehalber drehte er seinen Schlüssel hin und her. Als sein Blick auf den Löwen fiel, stutzte er. Marta hatte direkt vor seinem Schreibtisch gestanden, wenn er darüber nachdachte, mit großen Augen, die Hände in den Taschen ihres roten Anoraks vergraben. Verdammter Mist! Hatte *sie* etwa den Schlüssel eingesteckt, als er die Spritze aufgezogen hatte? In der Zeit, in der Jule und er auf der Straße nach ihr gesucht hatten, hätte sie gut und gerne den Spind ausräumen können. Aber was wollte sie mit der Kleidung? Er fluchte erneut, als ihm einfiel, dass sein Portemonnaie in der Jacke steckte. Ausweis, Führerschein, EC- und Kreditkarten, das ganze Zeug, das fürchterlich nervte, wenn man es sich wieder neu beschaffen musste. Ganz abgesehen vom Geld.

Jesse erwog, die Polizei zu rufen, verwarf den Gedanken aber wieder. Er hatte ja Martas Patientenkarte, auf der waren ihre Adresse und die persönlichen Daten vermerkt. Ein Blick auf seine Uhr fachte erneut sein schlechtes Gewissen an. Zwanzig nach. Isa wartete bereits auf ihn, von Sandra ganz zu schweigen. Dann musste er eben gleich in Sandras Wohnung alles Notwendige veranlassen. Er fischte sein Handy aus der Kitteltasche und wählte ihre Festnetznummer. »Hallo«, schnarrte Leons Stimme aus dem Hörer. »Die Steins tanzen gerade auswärts. Hinterlassen Sie eine Nachricht, dann rufen wir zurück.«

Die Steins. Tanzen. Dass der Kerl mit Sandra im selben Bett schlief war schon schlimm genug. Aber musste er gleich der ganzen Familie seinen Namen überstülpen? Mit wütendem Fingertippen wählte er Sandras Mobilnummer, doch sie hob nicht ab. Blieb nur noch Isas Nummer. Sie hatte kürzlich von Leon ein iPhone geschenkt bekommen – ein klarer Fall von Bestechung und besonders widerwärtig, da Jesse Isa erst zwei Monate zuvor einen iPod geschenkt hatte.

Doch auch Isa hob nicht ab.

Das Portemonnaie würde nun endgültig warten müssen. Zuerst galt es, bei Isa nach dem Rechten zu sehen.

In der Tiefgarage hallte das Quietschen seiner Schlappen zwischen den Betonwänden. Er stellte die Arzttasche in den Kofferraum zwischen zwei leere Getränkekisten und einen

Werkzeugkoffer, der noch nicht einen einzigen Kratzer hatte. Er hatte ihn sich bei einem seiner Kollegen für den Umzug geliehen und noch nicht zurückgegeben.

Tief Adrian empfing ihn mit Schnee und schlechter Sicht. Die meiste Zeit schlich er im ersten oder zweiten Gang dahin, verfluchte seine Sommerreifen und den Autohändler.

Erst kurz nach halb acht, über eineinhalb Stunden zu spät, hielt Jesse auf dem Gehsteig vor Sandras Wohnung. Große Schneekristalle taumelten ihm ins Gesicht, einer schmolz auf seinen Lippen. Auf dem Weg zur Haustür füllten sich seine Latschen mit Schnee. Die eben noch vom Gebläse warmen Füße wurden kalt und nass.

Er drückte die Klingel und wartete auf das vertraute Summen des Türöffners oder Isas Stimme aus der Gegensprechanlage. Doch es blieb still bis auf das Wispern des fallenden Schnees und die gedämpften Verkehrsgeräusche.

Er klingelte noch einmal, erst lang anhaltend, dann staccato. Wenn Isa ihren iPod aufgedreht hatte, bestand durchaus die Möglichkeit, dass sie ein Silvesterfeuerwerk überhörte. Plötzlich wurde die Tür von innen geöffnet. Ein junger Mann mit tief in die Stirn gezogener Pudelmütze und spitzer Nase trat schwungvoll aus dem Hausflur. Verdutzt musterte er Jesse, registrierte dann den Arztkittel mit dem aufgenähten Krankenhauslogo und ließ ihn eintreten.

Als Serienkiller, dachte Jesse, müsste man nur Arztkittel tragen ...

Im Treppenhaus nahm er immer zwei Stufen auf einmal. Die Melodie der Klingel drang schwach durch das weiße Türblatt, doch niemand öffnete. Kräftig schlug er mit den Knöcheln an die Tür. In die Schläge mischte sich das leise Klacken des Schlosses. Die Tür gab nach und schwang einen Spaltbreit auf. In der Wohnung war es stockdunkel.

»Isa?«

Seine Stimme hallte im Treppenhaus.

Mit dem Zeigefinger schob er den kleinen Hebel am Tür-schloss nach oben. Er nahm sich vor, mit Isa zu reden. Auch bei ihm zu Hause drückte sie gelegentlich den Hebel für den Schnapper nach unten, damit sie nicht immer an den »doofen Schlüssel« denken musste, sondern die Tür einfach aufdrücken konnte.

»Hallo? Isa? Bist du da?« Jesse betrat die Wohnung und schaltete das Licht ein. Im schnurgeraden Flur waren alle Türen geschlossen, bis auf die Wohnzimmertür am Kopf-ende. Aufgereihte Schuhe unter Sandras Mänteln in der Garderobe, rechts auf dem Sideboard die Schlüsselschale und ein dünner Stapel Post. Links aus dem Kinderzimmer klang bis zur Unkenntlichkeit gedämpfte Musik.

Er musste lächeln, sah sie vor sich: Augen geschlossen, den Kopfhörer auf ihren glühend roten Ohren und selbstver-gessen mit dem Kinn wippend. Besser, nein, viel besser als heimlich glotzen. Dann fiel ihm der Geruch auf. Ein Geruch, den er kannte und der ganz sicher nicht hierher gehörte.

Das musste ein Irrtum sein.

Er sah zur offenen Wohnzimmertür am Ende des Flurs. Die Rückseite des beigen Alcantara-Sofas, das Sandra mit-ten in dem großzügigen Wohnraum platziert hatte, hob sich vom Rest des dunklen Zimmers ab. Im nagelneuen, an die Wand montierten HD-Fernseher spiegelte sich der Flur als helles Rechteck, mit ihm darin. Kam der Geruch etwa aus dem Wohnzimmer?

Der sandfarbene Läufer im Flur dämpfte seine Schritte. Auf der rechten Seite, zwischen Sideboard und Küchentür, glänzte eine sechsteilige Schalterleiste. Jedes Licht von überall schaltbar. Leon stand auf so was. Jesse drückte die oberste Taste, und das Wohnzimmerlicht glomm auf, warm und dezent. Wohlfühllicht, von Sandra ausgesucht. Links hinter ihm, im Kinderzimmer, jingelte die leise Musik.

Der Geruch kam tatsächlich aus dem Wohnzimmer. Er war jetzt stärker – und unverkennbar.

Jesse zögerte. Seine Füße waren plötzlich wie Blei. In seinem Kopf wurde eine warnende Stimme laut. Die Tür zum Wohnzimmer stand einladend offen. Der Sofarücken verstellte ihm den Blick auf einen Teil des Fußbodens, doch unter dem Fernseher an der Wand lag das umgestürzte Gestell des Couchtisches. Auf dem hellen Flokati blinkten Scherben im Schein der Deckenstrahler. Ihm wurde heiß und kalt zugleich. Er zwang sich, näher zu treten. Der Teppich war voller Spritzer. Spritzer, die zum Geruch passten.

Ein letzter Schritt, dann stand er im Zimmer.

Der Flokati glich einem scharf umrissenen weißen Feld. Direkt hinter dem Sofa lag Sandra. Sie trug eine helle Baumwollhose mit Bügelfalten und eine passende hüftlange Strickjacke, darunter ein champagnerfarbenes Oberteil. Der seidige Stoff war an mehreren Stellen getränkt von dunklen, ineinanderfließenden Inseln aus Blut. Der rechte Ärmel der Strickjacke war kaputt, regelrecht zerfetzt, in ihrem Arm und in ihrer Hand klafften Schnittwunden. Sandras Blick stieß um Haaresbreite an Jesse vorbei ins Nichts.

Für eine Sekunde dachte er, sie sehe ihn an. Sie sei nur verletzt und hätte auf ihn gewartet. So wie er gedacht hatte, der Geruch gehöre nicht hierher oder wäre eine Sinnestäuschung.

Aber er war real. Kroch ihm in die Nase, ins Gehirn und ließ ihn nach Luft schnappen.

Seine Hände klammerten sich an den Sofarücken. Ein grelles Bild flammte auf, ein gleißendes Rechteck, eine Frau und ein Muster dunkler Flecken, als hätte er das hier schon einmal erlebt. Ihm wurde übel, seine Beine gaben nach, und er hielt sich am Sofarücken fest.

»Isa?!«

Keine Antwort.

Fenster und Balkontür auf der rechten Seite waren verschlossen. Schneeflocken rieselten im Hof herab, zwischen ihnen sein blasses Spiegelbild in der doppelt verglasten Scheibe.

»Isa!«

Mit einem Mal gehorchten ihm seine Beine wieder. Er stürzte in den Flur, stieß die Kinderzimmertür so jäh auf, dass sie gegen die Wand knallte und ein Stück zurückfederte. Das Zimmer war leer. Der leise, flache Beat war jetzt lauter und dudelte ungerührt weiter. An der Wand über Isas Bett mit der zerwühlten waldgrünen Decke stand etwas mit einer Art Fettstift geschrieben, in großen krakeligen roten Druckbuchstaben:

Du hast sie nicht verdient.

Kapitel 7

Der Satz traf ihn ins Mark. Als hätte jemand eine gesprungene Glocke angeschlagen.

»Isa?«

Keine Antwort. Nur die Musik, wie ein gespenstisches Wispern. Er riss die zerknautschte Decke vom Laken, schüttelte sie in der Luft aus, als könnte Isa sich darin versteckt haben und müsste herausfallen. Unter dem Kopfkissen fand er ihren Kopfhörer und den iPod, auf dem schwarzglänzenden Touchfeld Spuren unzähliger Fingerstriche von ihr. Das Kabel zwischen iPod und Kopfhörer war verdreht, als hätte sie das Gerät hastig unter das Kissen geschoben. Er zog den Stecker heraus, und die Musik verstummte jäh. Die Stille war noch schrecklicher als die leisen Beats.

»Isabelle?«

Er hob die Matratze, sah unters Bett, öffnete den Kleiderschrank. Isas Geruch war plötzlich in der Luft. Er raffte die Bügel beiseite, hoffte, dass ihm ihr kleines Gesicht entgegenstarrte, dass sie sich nur versteckt hatte, vor wem oder was auch immer. Aber da war nur die Sperrholzrückwand. Er lief von Zimmer zu Zimmer, durchwühlte Sandras Kleiderschrank, sah in der Badewanne nach, dem Korb für die Schmutzwäsche. Als Isa klein gewesen war, in Esslingen, hatten sie oft Verstecken gespielt, jetzt graste er jede Nische ab, die ihm einfiel, hoffte, ihr Kichern aus irgendeiner Ecke zu hören, wie damals, als sie es vor Spannung nicht mehr ausgehalten hatte, länger still zu sein.

Ohne Erfolg.

Sein Blick fiel auf die Tür zu dem Zimmer, das er noch nicht durchsucht hatte: das Wohnzimmer, in dem Sandra lag. Seine Kehle wurde eng. Er wollte die Augen schließen, Sandra nicht sehen müssen. Aber es half nichts. Er brauchte Gewissheit.

Erneut betrat er das Wohnzimmer. »Isa? Isa, wenn du da bist, dann *bitte* komm raus.« Er war nicht religiös, sein letzter Gottesdienst war im Heim gewesen, Jahrzehnte her, mit einem katholischen Gastpfarrer, den sie mit Tannenzapfen beworfen hatten. Jetzt war ihm nach Beten zumute, zu wem auch immer. »Ich bin's, Isa. Du musst keine Angst haben.«

Die Vorhänge raschelten, als er sie hob und wieder fallen ließ. Er öffnete die Balkontür. Der Schnee draußen war jungfräulich, die Kälte scharf.

Er schloss die Tür, mechanisch, auf der Flucht vor dem Schmerz, der sich in ihm ausbreitete. Vor Sandra ging er in die Knie, zwang sich, sie anzusehen, auszuhalten, dass sie so leer zurücksah. Ein Laken, braun, kam ihm in den Sinn, so konkret, als könne er es anfassen, nur wusste er nicht, warum. Bei keiner seiner ›Ärzte ohne Grenzen‹-Missionen, weder in Haiti noch in Darfur im Sudan, hatte es braune Laken für die Toten gegeben. Und wenn sie mit ihrem Team nicht direkt vor Ort waren, hatte es nur rissige Erde und flache Gräber bei der Straße gegeben. Das einzige Laken, das alles zudeckte, war der Staub gewesen. Aber dies hier war nicht ›Ärzte ohne Grenzen‹. Dies hier war kein fremdes Land.

Es war Berlin. Es war Sandra.

Er wusste, dass es sinnlos war, dennoch tastete er nach ihrem Puls. Dass ihr Herz stillstand, war trotzdem ein Schock. Er zwang sich zur Ruhe. Zurück in die Spur, wenigstens ein bisschen. Sandras Haut war kühl, diagnostizierte der Arzt in ihm, aber sie war nicht *kalt*.

Sie konnte also noch nicht lange tot sein. Wäre er pünktlich gewesen, hätte sie vielleicht noch gelebt, und Isa wäre hier.

Mit zitternden Fingern strich er über Sandras Lider und schloss ihr die Augen. Eine Flut von Erinnerungen überwältigte ihn. Sandra mit dreizehn, in Adlershof, als sie ihn geschnitten und verachtet hatte. Es war nach seinem Unfall gewesen, und er hatte keine Ahnung gehabt, was er ihr früher, im *Davor,* angetan hatte, dass sie ihn so behandelte. Dann, ein Jahr später, mit vierzehn, ihre zögerlichen Blicke, als würde sie nicht glauben können, dass sie ausgerechnet *ihn* mochte. Ihr erster Kuss in der Skikammer, Sandra wütend, unversöhnlich, Sandra lachend, wie sie ihm doch verzieh, Sandras Gesicht bei Isas Geburt, zusammengekniffen vor Schmerzen, dann erlöst, nass von Tränen vor Glück. Fast sein ganzes Leben bestand aus Sandra. Bis auf das *Davor.* Dieser Teil war ihm so fremd, dass er beinah Sandras anfängliche Verachtung verstand. Er war jemand anders gewesen im *Davor.* Jemand, den er nicht verstand und für den er sich insgeheim immer geschämt hatte.

Und dennoch hatte sie sich für ihn entschieden, ihn geheiratet und ihm Isa geschenkt.

Isa, die jetzt verschwunden war.

Ihr iPod kam ihm wieder in den Sinn. Aber wo war eigentlich ihr iPhone? Hastig zog er sein Handy aus der Kitteltasche. Warum nur war er nicht sofort darauf gekommen? Mit zitternden Fingern rief er ihre Nummer auf und wählte. Vielleicht diente ja Leons Bestechungsversuch wenigstens einem guten Zweck. Er lauschte, ob er vielleicht das Klingeln des Telefons in der Nähe hörte. Doch es blieb still bis auf das Freizeichen an seinem Ohr. Mit einem Mal riss das Tuten ab. Es rauschte und raschelte. Jesses Herz machte einen Satz.

»Papa?« Isas Stimme war nur ein dumpfes Flüstern.

»Isa! Wo bist du, mein Schatz? Geht's dir gut?«

»Papa, pssst! Du musst leise sein, er –« Es rumpelte. Dann schrie Isa auf.

»Isa! Was ist los? Hörst du mich?«

Statt einer Antwort drang nur Rauschen aus dem Handy, das mit jeder Sekunde leiser wurde. »Hallo? Hörst du mich? Ist alles okay mit dir?«

Ein Klicken, ein lautes, anschwellendes Geräusch, dann ein dumpfer Schlag und erneut Stille. War das eine Autotür gewesen? »Isa! Sag was!«

Es raschelte, dann brach die Verbindung ab.

Jesse starrte auf das Handy in seiner Hand, wählte erneut, lauschte den quälend gleichförmigen Freizeichen, bis der Verbindungsaufbau nach einer Zeit automatisch abgebrochen wurde.

Er ließ das Telefon sinken. In seinem Kopf herrschte ein Vakuum. Lieber nichts denken. Nicht mal einen einzigen Gedanken! Weil alles, was er hätte denken können, zu schrecklich war.

Das Klingeln seines Handys riss ihn aus seiner Erstarrung. Seine Hand zitterte, als er ihren Namen auf dem Display sah und das Telefon ans Ohr drückte. »Isa? Geht's dir gut? Was ist passiert?«

»Ich ... ich soll dir sagen ...« Isa stockte und schluchzte auf. Jesse vergaß zu atmen. Im Hintergrund war wieder das Rauschen, dann unvermittelt eine schnell vorbeiziehende Hupe. Natürlich! Sie war irgendwo an einer Straße, vielleicht einer Autobahn.

»Du sollst«, begann Isa erneut mit bebender Stimme, »du sollst nicht die Polizei rufen und auch nicht nach mir suchen.«

»Ich soll – was?«

»Papa, du darfst nicht mit der Polizei sprechen, ja?«

»Isa? Wer sagt das? Wer sagt, dass ich nicht mit der Polizei sprechen soll?«

»Ich weiß nicht ... er hat so ein Ding auf, mit so Scheiben für die Augen wie ein Inse...« Es krachte. Isa stieß einen Schmerzensschrei aus.

»Isa! Ist alles okay?« Jesse ballte die Fäuste. Ihm war, als hätte der Schlag ihn selbst getroffen. »Hallo? Hören Sie, wer auch immer Sie sind, lassen Sie meine Tochter in Ruhe!« Jesse bekam keine Antwort. Nur das Rascheln und Fahrgeräusche waren zu hören; im Hintergrund ein undeutliches Flüstern, eine fremde Männerstimme.

»Papa, bitte«, schluchzte Isa. »Wenn du die Polizei nach mir suchen lässt, dann muss ich sterben.«

Jesse stockte der Atem. »Isa? Sag mir, wo du bist. Wer ist bei dir?«

Sie gab keine Antwort, zog nur die Nase hoch. Ihr Atem stieß verzerrt aus der Membran an sein Ohr. Jesse sah förmlich, wie sich ihre kleinen Finger an das Telefon klammerten, hörte, wie sich ihr Brustkorb hob und senkte. Einzelne Autos wischten vorüber. In der Stille dazwischen hörte er dumpf die Männerstimme.

Isa schluchzte erneut. »Papa?«

»Ja.«

»Du sollst mich vergessen.«

Ein Lastwagen donnerte vorbei. Im selben Moment riss die Verbindung, und es war still.

Jesse sah erschüttert auf das Display.

Hastig drückte er auf Wiederwahl. Es knackte. Dann eine monotone Frauenstimme: »*Der gewünschte Teilnehmer ist zurzeit leider nicht ...*«

Jesse ließ das Telefon sinken. Starrte ins Leere.

Du sollst mich vergessen?

Er ging vor Sandra in die Knie. Unter ihrem Kinn waren Blutspritzer. Die geschlossenen Lider und die im Tod erschlaffte Muskulatur gaben ihrem Gesicht etwas Ausdrucksloses und erschreckend Friedliches.

Er beugte sich zu ihr hinunter und legte seine Hand an ihre Wange. »Ich weiß nicht, wer das war«, flüsterte er, »aber eins verspreche ich dir. Ich finde ihn und hole Isa zurück.«

Im selben Moment hörte Jesse im Flur eine Stimme: »Sandra?«

Er fuhr herum.

Hatte er die Haustür etwa offen gelassen? Die Sofalehne bildete einen Horizont aus beigem Alcantara, über dem ein Gesicht aufstieg. Jules Gesicht.

»Jesse? Was machst du –« Ihre Augen wurden groß, ihr Mund öffnete sich langsam, die Bewegung so langsam wie ihr Verstand, der noch nicht fassen konnte, was sie sah.

Jesse erhob sich, außerstande, etwas zu sagen.

Jules Blick sprang zwischen Sandra und ihm hin und her. In der rechten Hand baumelte ein Schlüssel mit hellbraunem Band, in ihrem Rücken stand die Wohnungstür offen. Im Treppenhaus klickte die Zeitschaltuhr, und das Licht erlosch.

»Was ... was hast du getan?« Ihre Hand fuhr zum Mund.

»Ich? Wieso ich?«

Jule wich langsam zurück.

»Jule, warte, lass mich –«

Wie auf ein Stichwort drehte sie sich um, in Richtung Ausgang, schien die Entfernung abzuschätzen.

Jesse traf seine Entscheidung im Bruchteil einer Sekunde. Jule durfte unter keinen Umständen die Polizei rufen – sonst war Isa in Gefahr. Er sprang über das Sofa. Eine seiner Latschen rutschte ihm halb vom Fuß. Im selben Moment rannte Jule los, jedoch viel zu spät und nicht schnell genug. Jesse erreichte sie stolpernd, versuchte sie festzuhalten. Sie strauchelte und lief in das Sideboard im Flur. Die steinerne Schale mit Schlüsseln polterte zu Boden, die Füße des Sideboards schrammten über das Parkett. Jesse stürzte an ihr vorbei zur Tür, warf sie ins Schloss, lehnte sich keuchend mit dem Rücken ans Türblatt und versperrte ihr den Weg.

Jule hielt sich den Unterleib, lehnte an der Wand zwischen Schlafzimmer- und Küchentür. Ihr Blick glich dem eines in die Enge getriebenen Tiers. Einen Moment lang standen sie sich so gegenüber, einander abschätzend, wortlos und schwer atmend.

»Ich hab damit nichts zu tun«, sagte Jesse. »Das musst du mir glauben.«

Jules Brustkorb pumpte, ihr Blick flog hin und her. Ihr gehetzter Atem in der Stille der Wohnung war unerträglich.

Mit einem Ruck stieß sich Jule plötzlich von der Wand ab und floh in die Küche. Im nächsten Moment war sie aus seinem Blickfeld verschwunden. Jesse hörte, wie sie eine der Schubladen aufriss. Metall klapperte, so laut, dass er zusammenzuckte.

»Jule, bitte beruhige dich. Ich schwör dir, ich hab damit nichts zu tun. Ich bin hier gerade erst reingekommen, genau wie du!«

Stille.

Jesse näherte sich vorsichtig der Küchentür. »Jemand hat Isa entführt. Ich wollte dir nicht weh tun. Ich wollte nur nicht, dass du die Polizei rufst.«

Durch die offen stehende Küchentür hörte er wieder Jules Atem. Ein. Aus. Ein. Aus. Schnell und flach. Jesse trat in den Türrahmen. Die Halogenstrahler ließen die Küchenzeile glänzen. Jule stand mit dem Rücken an den Kühlschrank gepresst. Mit der Linken strich sie fahrig eine blonde Strähne aus ihrem Gesicht, in der rechten Faust hielt sie ein Tranchiermesser.

»Hey, hey, hey!« Er hob beschwichtigend die Hände; eine alte Erinnerung flammte auf. Als Jugendlicher hatte er schon einmal jemandem mit einem Messer gegenübergestanden.

Warum nur war das Leben immer so ein beschissener Kreis? Warum kamen immer die Momente zurück, die man vergessen wollte?

»Leg das weg, Jule«, bat er heiser. »Ich tue dir nichts. Ich hab auch Sandra nichts getan.«

»Dann lass mich vorbei!« Jules Stimme zitterte. Licht spiegelte sich im Stahl der Klinge. Die Knöchel ihrer Finger waren bleich, und am Handgelenk traten die Sehnen hervor, so fest hielt sie den Griff.

»Erst wenn ich sicher bin, dass du nicht die Polizei rufst.«

»Komm bloß nicht näher!«

»Jule, bitte. Ich tue dir nichts. Es geht um Isa.«

Sie schüttelte kurz und hastig den Kopf. Ihre freie Hand suchte den Saum ihrer Manteltasche, schob sich hinein und griff nach etwas. Jesse wusste bereits, was es war, noch bevor er es sah. Ihm wurde heiß und kalt. »Jule, warte! Ich flehe dich an, tu das nicht.«

Jule zog ihr Smartphone aus der Tasche, hielt es so, dass sie ihn und das Handy gleichzeitig im Blick hatte. Die Finger ihrer Linken hielten das flache schwarze Gehäuse, während sie mit dem Daumen den Bildschirm entriegelte. Vor Anspannung biss sie sich auf die Unterlippe. Jesse wusste, sie würde nur auf drei Zahlen tippen müssen. Und die Taste mit dem grünen Hörer drücken.

Kapitel 8

1982, Adlershof, Garmisch-Partenkirchen

Jesses Blick war fest auf die Augen seines Gegenübers gerichtet, nicht auf die Klinge in dessen Hand. Jesse war vierzehn, aber weder blöd noch naiv. Er wusste, dass sich jede Bewegung schon vorher in den Augen des anderen abzeichnen würde.

Über ihren Köpfen hingen ein Dutzend schwarzer Emaille-Lampenschirme, deren weiße Unterseiten das Licht der Glühlampen in den Eßsaal reflektierten. Die drückend schwere Balkendecke blieb im Halbschatten.

Jesse hielt die Hände auf Brusthöhe in der Luft und drehte sich um seine eigene Achse und folgte dem anderen Jungen, der um ihn kreiste und dabei eins der Besteckmesser vor sich hielt, mit runder Spitze und stumpfen kleinen Sägezähnchen. Das Ding war lächerlich. Aber auch wieder nicht lächerlicher als ein Stein oder eine Flasche. Wenn man unbedingt jemanden erledigen wollte, konnte man ihn sogar in einem Nachttopf ersäufen, das hatte Jesse in den Monaten nach dem Unfall gelernt. Sogar wenn der Gegner so ein sturer Hund wie Markus war.

Ein Ring aus Kindern und Jugendlichen hatte sich um sie geschart: Sandra, Bernadette, Mattheo, Peter, Richard, Alois und mit ihnen all die anderen. Alle die, die bis heute dichthielten und sich gegen ihn verschworen hatten. Er hatte sie alle gefragt, förmlich ausgequetscht, ob sie etwas über die Nacht wussten, ob sie wussten, wie der Unfall passiert war, wer dabei gewesen war oder gewesen sein könnte. Niemand sagte etwas. Alle hielten sich an Arturs Version. Es war ein Unfall, und bas-

ta. Manchmal musste man etwas nur lange genug behaupten, dann wurde eine Wahrheit daraus.

Die Blicke der Umstehenden klebten an ihm, die Luft flirrte vor Erregung wie bei jeder Prügelei. Aber dies hier war mehr als eine Prügelei, mehr als die Entladung von ein paar aufgestauten Aggressionen. Das wussten alle. Er konnte die Angst von Markus riechen. Obwohl er derjenige mit dem Messer war, stand ihm der Schweiß auf der Stirn, sein Atem ging stoßweise, und der Kehlkopf schien beim Schlucken durch die Haut treten zu wollen.

Er oder ich, dachte Jesse.

Sie kreisten umeinander, belauerten sich. Jedem Schritt des einen folgte einer des anderen. Es hätte ein Tanz sein können, aber es war wie Krieg.

Er war nicht wie die anderen Jungs. Seit dem Unfall – und an die Zeit davor erinnerte er sich nicht – hatte er weder auf Tauben noch auf Krähen geschossen. Er zertrat auch keine Insekten. Dass er in Momenten wie diesen nicht erschrak, fühlte sich an, als wäre etwas mit ihm nicht in Ordnung, als wäre er nicht er selbst. Vielleicht war es doch wahr, was alle über ihn erzählten? Dass er früher anders gewesen war?

Kaltblütig.

Böse.

»Ich hab's dir gesagt«, zischte Markus. »Noch ein Mal, und du bist dran.« Nervös drehte er das Besteckmesser in der Hand.

»Ich war doch schon dran, oder? Versuchst du es jetzt noch mal?«

»Ich weiß nicht, warum du den Scheiß überall rumerzählst, aber wenn du drauf bestehst, klar!«

»Ich erzähl Scheiß?« Kalte Wut packte Jesse. »Ich?«

»Mattheo hat dich gestern gesehen. Also versuch nicht, dich rauszureden.«

Am liebsten hätte Jesse die kleine Petze in der Luft zerrissen.

Oder ihm zumindest einen Blick zugeworfen, der ihm gehörig Angst machte. Aber er wagte es nicht, den Blick von Markus abzuwenden. »Und was, verdammt, hat Mattheo dir erzählt?«

»Denk nach. Dann fällt's dir schon ein, Arschloch.«

»Mir fällt nichts ein.«

Markus' Blick ging für einen kurzen Moment zur Seite, zu den Mädchen. Im selben Augenblick begriff Jesse. Es ging um Sandra. Die Skihütte. Markus war eifersüchtig und glaubte, Sandra beschützen zu müssen. Fragte sich nur, warum? Er hatte ihr eine Kette geschenkt, und sie hatten sich geküsst, mehr nicht. Was zum Teufel hatte Mattheo ihm erzählt?

»Markus, lass ihn«, *sagte Sandra.* »Es ist nichts passiert.«

»Nichts passiert?«, *fuhr Markus sie an.* »Ich hab euch gesehen. Du hast doch keine Ahnung, wie er ist.«

»Ach ja? Wie bin ich denn?«, *fragte Jesse.*

»Wie dein Vater.« *Markus spuckte ihm ins Gesicht.*

Der Speichel war heiß, und Jesse kochte. Er hasste es, mit seinem Vater in einen Topf geworfen zu werden. Weil es weh tat, dass er sich nicht an ihn erinnern konnte. Und weil es weh tat, was sich die anderen für Geschichten über ihn erzählten.

»Glaubst du, ich weiß nicht, was er mit Frauen gemacht hat?«, *giftete Markus.*

Jesses Kopf glühte. Es reichte. Er hatte das oft genug gehört. So oft, dass er fast meinte, sich inzwischen wirklich daran zu erinnern.

»Dein Vater war ein Scheißpsycho, und du bist es auch. Schon immer gewesen!«

Jäh zogen sich Markus' Augen zusammen. Den Bruchteil einer Sekunde später stürzte er sich auf Jesse. Ein paar der Mädchen schrien. Er meinte Sandra herauszuhören, verstand aber nicht, was sie schrie.

Niemand konnte später sagen, wie genau es passiert war. Alles zerfiel in einzelne Bilder, die nicht recht zusammenpassen wollten. Wie immer breitete Artur Messner später den

Mantel des Schweigens über alles, sprach von unglücklichen Umständen. Der Scheißkerl hätte Politiker werden sollen! Das Wort Notwehr *vermied er, obwohl es irgendwie hätte passen können.*

Jesse wanderte für vier Wochen ins Loch, bei wässrigem Haferbrei. Als er herauskam, war Markus noch immer im Krankenhaus. Er hatte eine Niere verloren.

Obwohl Jesse sich irgendwie auch schämte, schien es ihm doch gerecht. Er würde es zwar nie beweisen können, weil er sich nicht an den Unfall erinnern konnte. Aber je länger er sich damit beschäftigte, desto klarer war für ihn, wer dahinterstecken musste.

Was zur Hölle war denn schlimmer?

Eine Niere zu verlieren? Oder Vater, Mutter und seine ganze Kindheit?

Er hätte sich jederzeit für die Niere entschieden. Ob sein Vater nun ein Psycho gewesen war oder nicht. Nieren hatte man schließlich zwei.

Kapitel 9

Jules Puls raste. Die Hand, in der sie das Telefon hielt, zitterte. Ihr Blick galt Jesse. Das Nummernfeld auf dem Display sah sie nur unscharf, und ihr Daumen traf die Eins nur ungefähr.

»Jule, nicht!«

Der Kühlschrank in ihrem Rücken sprang an und vibrierte. Sie drückte die Eins ein weiteres Mal.

»*Jule!*«

»Bleib weg!« Ihr Daumen glitt nach unten zur Null, doch sie erwischte die Raute. Verflucht! Warum war ausgerechnet die Löschtaste so elend klein und so weit oben?

»Jule, bitte! Gib mir einen Moment. Nur *eine* Minute, damit ich dir was zeigen kann.«

Zeigen? Sie hielt inne. »Was meinst du mit ›zeigen‹?«

»Isas Zimmer. Er hat etwas an die Wand geschrieben. Komm mit, ich zeig's dir.«

Mit dem Daumen deutete Jesse auf die Küchentür hinter ihm, dabei hob er die Handflächen. Spuren von Rot klebten daran. Die Knie seiner Jeans waren dunkel von Sandras Blut, und sein Arztkittel verlieh ihm etwas Beunruhigendes, Pathologisches. Ihr kam die Geschichte aus dem Heim in den Sinn, die Sandra ihr vor Jahren erzählt hatte, spätnachts, beim Öffnen einer weiteren Flasche Rioja. Normalerweise schwieg sie sich hartnäckig aus, was ihre Zeit im Heim anging. Oder reagierte gereizt bis aggressiv. Doch damals war Jesse gerade in den Sudan gereist, zu seiner ersten ›Ärzte ohne Grenzen‹-Mission. Isa war noch ein Baby gewesen, und der Rotwein und Sandras Frust über das Alleingelassenwerden hatten die Geschichte hervorgespült.

»Gib mir das Messer, Jule. Ich kann es dir erklären.« Jesse machte einen Schritt auf sie zu.

»Auf keinen Fall.« Jule fuchtelte drohend mit dem Messer herum. Ein Lichtreflex huschte über Jesses Gesicht, und seine Iris leuchtete bernsteinfarben auf. Er blieb stehen, die Hände immer noch erhoben. Sie beschloss, nicht darauf hereinzufallen.

»Lass mich gehen, oder ich ruf die Polizei.«

Sie bewegte den Daumen und drückte die Löschtaste, damit die Raute verschwand.

»Jule, Isa wurde entführt! Kapierst du's nicht?«

»Warum rufst du dann nicht die Polizei?«

»Weil der Entführer damit droht, Isa zu töten, verdammt!«

Plötzlich wurde sie unsicher. Suchte in Jesses Gesicht nach den typischen Anzeichen einer Lüge, fand jedoch nichts. »Das ... das macht doch überhaupt keinen Sinn. Ich meine, ihr seid beide nicht reich. Warum –«

»Es geht nicht um Geld. Er will Isa. Er hat gesagt, ich soll sie vergessen.«

»Vergessen? Was ... was will er denn? Was hat er vor?«

»Ich hab doch keine Ahnung, Mensch!«

»Und wer ist *er*?«

»Woher soll ich das wissen?«

Stille.

Jule musste an Leon denken, der von Anfang an versucht hatte, sich Isas Herz zu erkaufen. Allerdings schien ihr auch Jesse manchmal geradezu von Isa besessen. Besonders seit er Sandra verloren hatte. Was würde er tun, wenn er das Gefühl hatte, auch noch Isa zu verlieren?

»Du glaubst mir nicht, oder?«

Jule schwieg. Tat sie Jesse unrecht? Aber warum war Sandra dann so beunruhigt gewesen? Was hatte Sandra ihr so dringend über ihn erzählen wollen? Sie wusste, dass er nicht immer psychisch stabil gewesen war – und schwer auszurechnen. Vielleicht war es ja das Beste, ihn in Sicherheit zu wiegen? »In Ordnung«, sagte Jule und versuchte, ihrer Stimme den richtigen Klang zu geben. »Sagen wir mal, ich bin bereit, dir zu glauben ...«

Jesse taxierte sie. »Gut. Dann komm mit. Ich zeig es dir.«

»Zeigen? Was denn?«

»Das Kinderzimmer. Hast du nicht zugehört? Die Schrift auf der Wand.«

Sie hatte es gehört, ja. Aber was, wenn es eine Falle war? »Du gehst vor.« Sie deutete mit der Klinge Richtung Tür.

Jesse nickte. Trat langsam den Rückzug an, ohne sie aus den Augen zu lassen. Dann verschwand er im Flur, nach links, Richtung Kinderzimmer.

Jule schaute auf ihr Handy. Der Bildschirm war dunkel geworden. Sie aktivierte ihn, drückte mit dem Daumen die noch fehlende Null, dann den grünen Hörer. Mit dem Handy am Ohr wartete sie darauf, dass die Verbindung zum Polizeinotruf hergestellt wurde. Doch als das Freizeichen ertönte, fiel ihr etwas noch Besseres ein. Rasch legte sie auf.

Kapitel 10

Schnee, Schnee und noch mal Schnee. Dafür hätte Artur den Wetterbericht wirklich nicht gebraucht. Und den Krimi danach brauchte er im Moment erst recht nicht! Er schaltete um auf eine Schnulze, irgendein harmloser Quatsch, senkte die Lautstärke des Fernsehers auf null und drückte sich tiefer in den Sessel.

Artur hatte zuletzt miserabel geschlafen, und er fürchtete sich auch vor dieser Nacht. Je älter er wurde, desto mehr Gespenster standen beim Hereinbrechen der Dunkelheit an seiner Schwelle. Früher war sein Schlaf kurz und tief gewesen, so dass ihn sein Gewissen nur gelegentlich in Alpträumen heimgesucht hatte. Die Spuren ließen sich am nächsten Morgen meist mit kaltem Wasser abwaschen. Doch jetzt, mit den periodisch auftretenden Schmerzen, gepaart mit diesem holprigen Alte-Leute-Schlaf, da hatten die Gespenster sakrisch leichtes Spiel.

Und jetzt kam auch noch die Sache mit Wilberts Hand dazu. Was auch immer dahintersteckte, es war besser, es sich gar nicht erst auszumalen.

Er hatte fieberhaft überlegt, wie er das Paket loswerden konnte. Bei diesem Frost würde er die Hand sicher nicht draußen vergraben können, der Boden war einfach zu hart, und er war viel zu schlecht zu Fuß, um die Dose weit genug von Adlershof wegzubringen. Schließlich entschied er sich für eine Zwischenlösung und parkte die Dose im Eisfach seines Kühlschranks, wo er auch die dünne Mappe mit den verbliebenen heiklen Unterlagen versteckt hielt. Inzwischen hatte sich auf der schützenden Plastikfolie ein dicker Eispanzer gebildet. Es hatte auch Vorteile, wenn sich niemand um einen kümmerte. Das Gefrierfach würde frühestens abgetaut werden, wenn er ins Gras biss. Dennoch. Wilberts Hand würde er nicht hierbehalten können. Und auch nicht *wollen*.

Er musste an die Nacht denken, in der Wilbert sich an der Hand verletzt hatte. Das war 1954 gewesen, am Ortseingang von Garmisch. Wilbert war schon damals groß gewesen – mit fünfzehn über eins neunzig. Er hatte alle im Werdenfels-Gymnasium überragt, was ihm eine Zeitlang so zu Kopf gestiegen war, dass er sich sogar mit dem ollen Stachl angelegt hatte, ihrem Lehrer in Mathematik. Niemand sonst hätte das gewagt. Es wussten ja alle, was Stachl während des Kriegs gemacht hatte. Und da Stachl ein kleinkarierter Winzling war, hatte er es auf den langen Wilbert abgesehen. Dementsprechend oft stand Wilbert an der Tafel, wurde vorgeführt und wieder auf seinen Platz verwiesen, mit Sätzen wie: »Deine Größe wird nur noch durch deine Blödheit übertroffen.« Was nicht zutraf, denn sowohl Wilbert als auch sein normal groß geratener Bruder Herman waren ziemlich helle Burschen.

Irgendwann hatte Wilbert es satt stillzuhalten. Stachl hatte ihn einmal mehr heruntergeputzt, Wilbert hatte zackig genickt und salutiert: »Jawohl, Herr Ober-Nazi.«

Allen in der Klasse hatten die Münder offen gestanden.

Stachl war krebsrot angelaufen, zitierte Wilbert zu sich, befahl ihm, die rechte Hand aufs Pult zu legen, und schlug mit der flachen Seite seines Holzlineals darauf ein, bis Wilbert die Tränen in den Hemdkragen liefen.

Danach hatten sie sich an der Ecke Wetterstein- und Enzianstraße getroffen. Artur, Wilbert, dessen Bruder Herman

71

und Sebi Kochl, der Ösi, dessen Vater eine Holzfabrik hinter der Grenze betrieb und der sich mit Motorrädern auskannte, schließlich standen in der Garage seines Vaters drei davon.

Noch in derselben Nacht hatten sie Stachls Schuppen aufgebrochen und seinen ganzen Stolz herausgeholt: eine BMW R51/2, ein schwarzes chromblitzendes Ungetüm von einem Motorrad, wunderschön anzusehen und unverschämt teuer. Artur erinnerte sich nur zu gut daran, wie unwohl er sich gefühlt hatte. Aber die anderen waren sich einig gewesen, und er war einverstanden: Der olle Nazi war eine Drecksau und hatte es nicht anders verdient. Von Stachls Schuppen aus war es nicht weit bis zum Ortsrand. Einer links, einer rechts und einer hinten – so schoben sie die schwere Maschine an den dunklen Häusern vorbei. Im Taschenlampenlicht, auf einem einsamen Feldweg längs der Loisach, schloss Sebi Kochl die BMW kurz, wofür sie ihn alle bewundert hatten. Natürlich durfte Kochl zuerst fahren. Die anderen schafften es zunächst nur mit Mühe, das Gleichgewicht zu halten, und Artur wäre sogar um ein Haar gestürzt.

Nach einer Stunde war der Tank fast leer. Sie ritzten *Nazischwein* in den polierten Lack, öffneten den Tankdeckel und pinkelten johlend hinein.

Die Loisach führte damals nicht allzu viel Wasser. Sie rollten die Maschine bis ans Ufer. Beim Hineinwuchten in den Fluss war Wilbert mit seiner von Stachls Schlägen wunden Hand an das glühend heiße Auspuffende gekommen. Er hatte gebrüllt wie ein Stier. Sein Bruder dagegen lachte nur. Herman war angetrunken gewesen, und die derbe Konkurrenz zwischen den beiden ein Dauerthema. Die sichelförmige Brandwunde auf seinem Handrücken trug Wilbert seitdem wie einen Orden.

Himmel, und jetzt war Wilbert wohl tot.

Artur dachte an Jesse, stöhnte, schob sich im Ohrensessel zurecht und stellte den stumm laufenden Fernseher aus. Die sakrische Schnulze lenkte ihn ja doch nicht ab. Dann tat er das Einzige, was er meinte, in dieser Sache tun zu können, hob zum vierzehnten Mal an diesem Tag den Bakelithörer ab, kniff die Augen zusammen, um die Nummer in seinem Notizbuch lesen zu können, die Jesse ihm kürzlich gegeben hatte. 030... – eine Berliner Vorwahl. Die Wählscheibe schnurrte nach jedem Drehen zurück; ein Geräusch, das er liebte. Nach dreimaligem Tuten sprang wieder dieses unsägliche Ding an. Keine Ansage, nur ein kurzer Moment Leere, dann ein Piepton. »Jesse? Bist du da?« Er wartete kurz und sagte dann, möglichst laut, da er nicht sicher war, wie gut dieses Ding wirklich aufnahm: »Ich bin es. Also, wie gesagt, melde dich doch dringend bei mir, ich –« Ein deutliches Knacken im Hörer unterbrach ihn. Im ersten Moment dachte er, Jesse hätte abgehoben. »Hallo?«

Keine Antwort.

Artur lauschte angestrengt. Aber da war nichts. Noch nicht einmal mehr dieses typische Rauschen wie bei einem zu leise gestellten Radio. Artur drückte mehrfach hintereinander auf die Gabel. Zwecklos. Die Leitung war tot. Er sah zum dunklen Fenster. Hinter seinem Spiegelbild sank ein endloser Strom weißer Flocken gen Boden. Verdammter Schnee. Alle paar Jahre das gleiche Theater. Nur dass diesmal die Elektrizität nicht gleich mit ausgefallen war. Ob das daran lag, dass Richard neue Leitungen hatte verlegen lassen? Aber warum zum Teufel hatte er die Telefonkabel nicht auch erneuert?

Wohl zum hundertsten Mal fragte Artur sich, was der Mann am Telefon wohl von Jesse gewollt hatte und wie lange er brauchen würde, um festzustellen, dass Jesse nicht mehr in Esslingen wohnte. Die neue Berliner Adresse von Jesse hatte Artur nicht – und er war froh darum. So hatte er halbwegs glaubhaft die alte Adresse nennen können, um dem Mann zu geben, was er wollte. Und nach einer Telefonnummer hatte ihn der Kerl ja schließlich nicht gefragt.

Er grinste. Immerhin, ein kleiner Triumph.

Wenn nur der Triumph nicht zum Bumerang wurde. Der Mann hatte hart und unnachgiebig gewirkt, wie einer, der stets bekam, was er wollte. Früher oder später würde er Jesse finden, und wenn es so weit war, dann wollte Artur, dass Jesse zumindest gewarnt war.

Aber warum hob Jesse nicht ab?

Warum hatte er ihm diese Nummer gegeben, wenn er nicht dranging?

Es klopfte.

Noch bevor er ›Herein‹ sagen konnte, stand Richard in der Tür, wie immer in einem zweiteiligen Cordanzug in Lodengrün, darunter ein weißes Hemd mit Edelweißblüten auf den äußeren Kragenspitzen, und mit einem Lächeln, als würde es von seinen Hosenträgern gehalten. »Hallo, Vater.«

Artur brummte.

»Bestens gelaunt?«

»Welchen Grund sollte ich haben, gut gelaunt zu sein? Außerdem ist das Telefon mal wieder tot.«

»Mit wem willst du denn telefonieren?«, fragte Richard argwöhnisch, ohne dass er weniger lächelte.

Für einen Moment überlegte Artur, ob vielleicht Richard das Telefon abgestellt hatte. »Jedenfalls nicht mit der Polizei, falls du das meinst. Mach dir keine Sorgen.«

Richard nickte. »Keine Sorgen«, wiederholte er. »Die solltest du dir auch nicht machen. Charly wird schon wieder auftauchen. Sie ist ja nicht zum ersten Mal ausgerissen. Außerdem solltest du inzwischen wissen, dass du dich auf mich verlassen kannst, ich bin erwachsen, Vater.« Er schob die großen, ein wenig knotigen Hände in seine Hosentaschen. Verdammt, dachte Artur, warum war Richard ihm nur so ähnlich? Selbst die Stellen, an denen Richard das Haar ausfiel, glichen seinen eigenen: ein Kreis auf dem Hinterkopf und eine immer höher wachsende Stirn. Nicht mehr lange, und auch Richards Haare würden grau statt rotbraun sein.

»Also, Vater. Wenn hier einer die Polizei ruft, dann bin ich das. Sind wir uns da einig?«

»Solange du es rechtzeitig tust«, brummte Artur.

»Fängst du schon wieder damit an?« Richards Tonfall war ruhig und von einer überirdischen Geduld, die die Nerven aller anderen strapazieren konnte. Ganz Direktor und Heimleiter eben.

»Kristina hätte es geholfen.«

»Kristina hätte nichts mehr geholfen. Sie ist ins Eis eingebrochen, Vater.«

Aber erst nach zwei Tagen, dachte Artur. Dennoch wusste er, dass Richard andererseits recht hatte. Die Polizei brachte immer Fragen ins Spiel, die einem Heim schlecht zu Gesicht standen. Bei der Stadtverwaltung von Garmisch, dem Jugendamt, wo seine alten Kontakte inzwischen an Einfluss verloren hatten, und erst recht bei möglichen ›Sponsoren‹. So nannte man das doch heute. Und diese Sponsoren liebten eine saubere Weste. Früher, zu seiner besten Zeit, war er darauf nicht angewiesen gewesen. Er hatte seine eigenen Wege gefunden, über die Runden zu kommen. Aber die Dinge hatten sich geändert. Irgendwie war heute alles komplizierter.

Dass eine Einrichtung wie Adlershof überhaupt noch Geldgeber fand, erschien ihm wie ein Wunder, und – ganz ehrlich – er hatte nicht die geringste Ahnung, wie Richard dieses Wunder vollbracht hatte. Die Mischung aus Heim und Internat hatte schon immer für Naserümpfen gesorgt. Dazu der Ruf als ehemalige Nazischmiede, auch wenn das nur ein unfreiwilliges Intermezzo während des Kriegs gewesen war, und die Tatsache, dass Adlershof recht weit ab vom Schuss lag – das alles hatte es in Arturs letzten Jahren furchtbar mühsam gemacht. Heute hatte man Homepages, warb mit moderner Pädagogik, digitaler Infrastruktur, eigenen Tennisplätzen, Medienerziehung, bla, bla, bla ... Eigentlich hätte er sich vor Richard verneigen müssen. Doch allein die Art, wie sein Sohn ›Vater‹ sagte, nervte ihn jedes Mal so sehr, dass es Artur schwerfiel zuzugeben, dass er selbst damals die Polizei immer wieder gemieden hatte. Aus gutem Grund.

»Also Hände weg vom Telefon, Vater. Versprochen?«

Das Mistding funktioniert doch eh nicht, dachte Artur.

Jesse kam ihm wieder in den Sinn. Zum ersten Mal in seinem Leben wünschte er sich ein Handy, auch wenn er bezweifelte, dass er mit seinen zittrigen, krummen Fingern die winzigen, zu dicht beieinanderliegenden Tasten überhaupt bedienen konnte. Vom Verständnis für diesen technischen Kram mal ganz abgesehen.

Richard nickte ihm mit seinem Hosenträgerlächeln zu, als würde es ihn freuen, dass sein Vater wider Erwarten klein beigab, und ließ ihn allein.

Arturs Blick wanderte zu den drei Fotos, die neben der Tür hingen. Auf dem linken Bild war Richard zu sehen und die ganze Truppe, alle zwischen elf und zwölf Jahren alt, mit Mützen, die Schuhe im Neuschnee versunken. Schon damals hatte sein Sohn dieses Lächeln gehabt, mit dem Unterschied, dass die Augen noch mitgelacht hatten. Neben ihm standen Jesse und Mattheo, Bernadette, Sandra, Alois, Wolle und auch Markus. Eine eingeschworene Gemeinschaft, zumindest wenn es gegen ihn gegangen war, den Heimleiter. Er hätte nie gedacht, dass Sandra und Jesse später die Einzigen sein würden, die ein Leben weit weg von Adlershof führten.

Es war eins der wenigen Fotos, die aus der Zeit vor Jesses

Unfall stammten. Richard und Jesse waren nie beste Freunde gewesen. Dafür hatte Jesse zu sehr den Ton angegeben. Und immer wenn Richard aufbegehrt und auf seinem gefühlten Recht als Sohn des Heimleiters bestanden hatte, schienen die beiden in irgendeinem stillen Hinterzimmer die Dinge unter sich auszumachen, und immer so, dass Richard schweigend den Kürzeren zog, als hätte er Angst – wie zum Beispiel nach der Schneeballschlacht.

Im Hof lag damals eine jungfräuliche Schicht Neuschnee, fast fünfzehn Zentimeter, und die Kinder stürmten nach draußen. Die tiefstehende Sonne stieß durch die Wolken in den Hof, alles war gleißend hell, mit scharf gezeichneten langen Schatten. Jesse hatte die Mannschaften eingeteilt, wie immer die Mädchen bei ihm und dazu noch Markus. Bei Richard waren Mattheo, Wolle und Alois. Der Schnee pappte gut, und die Bälle flogen im Wechsel hin und her. Das Rufen und Lachen drang bis zu Arturs Fenster hinauf, und er hatte es ein wenig geöffnet, um das Treiben zu beobachten.

Mattheo, der Kleinste von allen, war flink wie ein Wiesel. Im letzten halben Jahr hatte er einen Sprung gemacht und war dreister und geschickter geworden. Jesse unterschätzte ihn, konzentrierte sich auf Richard und bekam plötzlich einen hart gepressten Schneeball ins Gesicht. Mattheo reckte jubelnd die Arme in die Höhe und strahlte, als wäre er über Nacht gewachsen. Bernadette und Sandra brachen in schallendes Gelächter aus. Wortlos flog Jesse auf Mattheo zu, riss ihn um und drückte sein Gesicht in den Schnee. Alle johlten, Jesses Grinsen war rasiermesserscharf, sein Gesicht gerötet vom Treffer, und er drückte weiter und weiter. Mattheo strampelte hilflos mit den Beinen, seine Arme griffen ins Leere. »Lass ihn«, rief Bernadette.

»Wieso, er hat's doch nicht anders gewollt«, meinte Jesse, ließ Mattheo kurz Luft holen und drückte ihn erneut in den Schnee.

»Er kann sich doch gar nicht wehren«, protestierte Sandra.

»Hast doch gesehen, dass er's kann. Der Schneeball war hart wie 'n Stein.«

»Lass ihn, Jesse«, schaltete sich jetzt Richard ein. Das tat er neuerdings immer öfter, wenn die beiden Mädchen in der Nähe waren.

»Was hast *du* denn hier zu sagen?«, rief Jesse und ließ Mattheo los.

»Ich sag nur, lass ihn los.« Richards Gesicht zog sich zusammen, als Jesse auf ihn zustapfte. Das Gejohle war vollkommener Stille gewichen. Jesses Schritte knirschten im Schnee, seine Augen gingen für einen kurzen Moment nach oben, zum Fenster, hinter dem Artur stand. Der Blick des Jungen traf ihn wie eine heiße Nadel, dabei war er sich nicht einmal sicher, ob Jesse ihn hinter der Scheibe überhaupt sehen konnte. Einen Augenblick fragte sich Artur, ob er sich einmischen sollte. Doch was nützte es Richard, wenn er die Sache nicht allein in den Griff bekam?

Er beschloss zu warten. Zuzusehen.

Jesse trat so nah an Richard heran, dass dieser unwillkürlich ein paar Zentimeter zurückwich. Artur hielt den Atem an, es roch nach einer Auseinandersetzung, nach Schlägen, wütendem Geschrei. Doch Jesse beugte sich nur vor und flüsterte Richard etwas ins Ohr.

Vertagt. Ins stille Hinterzimmer.

Wo auch immer die beiden es später ausgefochten hatten, wenn überhaupt, es war im Verborgenen geschehen. Artur wusste nur zu gut, wie viele Gelegenheiten er damals verpasst hatte. Es war ihm aus den Händen geglitten. *Er* war ihm aus den Händen geglitten. Und noch heute war er fassungslos, wenn er darüber nachdachte, wie wenig es manchmal brauchte, damit etwas aus den Fugen geriet. Meistens reichte es, eine Weile nichts zu tun.

Erst der schreckliche Unfall hatte alles auf geradezu unheimliche Weise wieder ins Lot gebracht. Oder vielmehr das, was er *Unfall* genannt hatte.

Kapitel 11

Jesse hatte nur wenige Schritte in den Flur hinein getan und sah jetzt durch die Tür ins Kinderzimmer. Die krakeligen roten Buchstaben brannten förmlich auf der Wand. Das Chaos mit Jule hatte ihn abgelenkt; jetzt kam der Schmerz mit voller Wucht zurück. Er erinnerte sich an Isas schmale Schultern, ihre Wangen, daran, wie sie sich in ihn hineinschmiegte, an das seidige Kitzeln ihrer vom Schlaf zerzausten Haare, sah ihr wütendes rundes kleines Gesicht, während sie über ihn stieg und ihn derb in die Seite knuffte, weil er ihr Zähneputzen verordnet hatte.

Ein Geräusch aus der Küche riss ihn aus seinen Gedanken.

Jule! Er stürzte zurück in die Küche und blieb wie angewurzelt stehen. Jule war verschwunden. Das Fenster bei der Essecke stand sperrangelweit offen.

Jesse trat ans Fenster und beugte sich hinaus. Das hier war der dritte Stock, wie zum Teufel konnte Jule …

Er drehte sich um, gerade noch rechtzeitig, um mitzubekommen, wie Jule, die neben der Tür gestanden hatte, in den Flur schlüpfte. Mit zwei Sätzen war er bei ihr, erwischte sie auf halbem Weg zur Wohnungstür.

Sie schrie auf, das Handy fiel zu Boden, und sie stieß mit dem Messer nach ihm. Jesse wich aus, packte Jules Handgelenk, doch er war nicht schnell genug: Die Klinge fuhr unter seinen Kittel und schnitt ihm oberhalb der Jeans in die Hüfte. Der Schmerz war heiß und scharf. Er riss die

Hand mit dem Messer hoch, verdrehte ihren Arm. Jule stöhnte auf, wand sich unter seinem Griff und ließ das Messer fallen. Er kickte es den Flur hinunter, wo es kreiselnd gegen die Wohnungstür schlug. Jule, jetzt mit dem Rücken zu ihm, keilte mit dem Fuß aus, verfehlte ihn jedoch.

»Hör auf! Ich tue dir nichts.«

»Lass los«, keuchte Jule. Ihr nächster Tritt erwischte ihn am Schienbein.

Jesse fluchte, verdrehte ihren Arm noch weiter. Ihr Körper bog sich nach vorn, er zwang sie zur Tür des Kinderzimmers und stieß sie über die Schwelle. Jule stolperte hinein und landete vor Isas Bett.

»Guck hin, verdammt! Glaubst du's jetzt?«

Stöhnend richtete Jule sich auf, rieb sich den Arm. Als sie die Schrift über dem Bett sah, erstarrte sie. »›Du hast sie nicht verdient‹«, las sie flüsternd. Dass sie es aussprach, machte es unerträglich real: Isa war verschwunden. Verschleppt, von einem Unbekannten, der wollte, dass er seine Tochter nie wiedersah.

»Was glaubst du, soll das heißen?«

Jesse hätte gerne eine Antwort gehabt, aber es gab keine. Jedenfalls keine, die weiterhalf.

»Und wer ist mit ›sie‹ gemeint? Isa? Oder Sandra?«

»Ich vermute Isa, oder? Es steht über ihrem Bett.« Jesses Hüfte meldete sich mit einem schmerzhaften Ziehen. Auf seinem Arztkittel traten blassrote Tupfer durch die weiße Baumwolle. Rasch hob er sein Shirt und den Pullover. Der Schnitt war tief genug, um ernsthafte Probleme zu machen, wenn er nicht bald genäht wurde.

Jule hatte ihm ungerührt zugesehen. Wenn sie ein schlechtes Gewissen hatte, ließ sie es sich jedenfalls nicht anmerken. »Du hast doch gesagt, du hättest mit dem Entführer gesprochen?«

»Nicht direkt. Gesprochen habe ich nur mit Isa. Aber da war jemand, der ihr gesagt hat, was sie sagen soll.«

»Du musst die Polizei rufen, Jesse. Schon allein wegen Sandra. Und wegen Isa.«

»Auf keinen Fall.«

»Ich versteh ja, dass du Angst hast, dass ihr etwas passiert, aber –«

»Dann hör auf damit.«

»Du könntest meinen Bruder anrufen.«

Jesse wusste, dass Jules Bruder bei der Kripo in Hamburg arbeitete, doch sie kannten einander nicht persönlich, und die Vertraulichkeit, die Jesse brauchte, würde er vermutlich nicht bekommen. Warum sollte Jules Bruder für ihn seinen Job riskieren? Es ging schließlich um Mord. »Was macht das für einen Unterschied? Polizei ist Polizei. Er würde doch sofort seine Berliner Kollegen informieren.«

»Ich könnte ihm sagen, dass du nur einen Rat brauchst. Du könntest alles mit ihm –«

»Gottverdammt, nein!«

Jule zuckte zusammen und vermied den direkten Blickkontakt.

Jesse riss sich zusammen. Er war kurz davor, die Beherrschung zu verlieren. Wenn er wollte, dass Jule ihm vertraute, war das sicher der falsche Weg. »Ich will nicht, dass ihr etwas zustößt«, versuchte er sich zu erklären.

Jule kaute nervös auf ihrer Unterlippe. Gott! Wie er diese Miene hasste. Und diesen Blick. Er kannte ihn nur zu gut. Früher, in Adlershof, hatten sie ihn ständig so angeschaut. Jedes Mal, wenn er nur ein bisschen laut geworden war, als müsste man Angst vor ihm haben. »Du glaubst immer noch, dass ich Sandra ...?« Jesse brach ab, scheute sich, es auszusprechen.

»Ich – nein, aber –«

»Was dann?«

Es entstand eine längere, unangenehme Pause.

»Hat Sandra dir irgendetwas erzählt? Liegt es an den alten Heimgeschichten?«

Jule versuchte trotzig, seinem Blick standzuhalten, doch er wusste, dass er ins Schwarze getroffen hatte. »*Was* hat sie erzählt? Die Sache mit Markus?«

Sie brachte nichts heraus, nur eine Kopfbewegung, irgendetwas zwischen Nicken und Kopfschütteln.

»Hat sie dir auch erzählt, was *er* mit *mir* gemacht hat?«

»Ich weiß nicht, was du meinst.«

»Dass sie dir nicht die ganze Geschichte erzählt hat. *Das* meine ich.« Wütend zog er seine Kleidung hoch und drehte ihr den nackten Rücken zu, so dass sie die Narbe sehen konnte. »Viel hat nicht gefehlt.« Er wandte sich wieder um. »Etwas weiter innen, dann hätte es die Wirbelsäule erwischt. Und weiter außen die Lunge oder mein Herz.«

»Das war Markus?«

»Er hat's nie zugegeben. Dafür war er immer zu feige. Aber ich wüsste nicht, wer sonst.«

»Aber du weißt es nicht.«

»Wie gesagt, ich wüsste nicht, wer sonst.« Er setzte sich neben die Tür.

Eine Weile saßen sie schweigend da. Die Leere des Kinderzimmers griff nach ihm. Er vermied es, die Wand über dem Bett anzusehen, zwang sich nachzudenken, bekam aber keinen klaren Gedanken zu fassen. Die bunten Möbel, Isas Nachttischlampe am Bett, die Kuscheltiere, der niedrige Schreibtisch, die verstreuten Buntstifte, es war, als würde sie gleich hereinspazieren und malen oder Hausaufgaben machen.

»Okay«, sagte Jule matt und drückte ihren Rücken durch. »Sagen wir, ich glaube dir. Was denkst du, wer könnte das hier gewesen sein? Hast du irgendeinen Verdacht?«

»Ich bin nicht sicher. Nein.«

Sie zeigte auf die Schrift. »›Du hast sie nicht verdient‹. Klingt, als kennt er dich und als wüsste er einiges über dich.«

Jesse nickte. Seine Gedanken lahmten. Sein gestresster Körper verschaffte sich eine Auszeit, gegen seinen Willen.

»Für mich«, meinte Jule, »klingt das irgendwie nach Vergeltung. Da hat jemand noch eine Rechnung mit dir offen. Für irgendetwas, das du ihm angetan hast.«

Jesse starrte sie an.

»Was ist? Fällt dir jemand ein?«

»Mir fällt nichts ein«, sagte er heiser.

»Irgendetwas von früher, aus dem Heim? Was ist denn mit diesem Markus?«

»Nein, ich denke, wir sind quitt.«

»Das denkst *du*.«

»Ich kann mich ganz gut erinnern, wem ich wann etwas angetan habe, wie du das nennst, und ob da noch was offen ist …«

»Das sieht dieser Jemand vielleicht ganz anders. Sandra hat da ein paar Andeutungen –«

»… mit einer Ausnahme vielleicht.«

Jule hob die Brauen.

»Das *Davor*.«

Jules Gesicht war ein Fragezeichen.

»Alles, was *vor* dem Unfall passiert ist.«

»Dem Unfall?«

Jesse deutete auf seinen Rücken. »Die Narbe, die ich dir gezeigt habe.«

»Hattest du nicht gesagt, das war Markus?«

»Ja. Aber mir haben sie immer weismachen wollen, es sei ein Unfall gewesen.«

»Was ist denn damals genau passiert?«

»Ich weiß es nicht, das ist es ja. Vielleicht ein Messerstich. Oder ein Schraubenzieher. Vielleicht auch ein Schuss mit einer Armbrust.«

»Eine Armbrust?« Jule verzog das Gesicht bei der Vorstellung. »Das klingt absurd. Warum ausgerechnet eine Armbrust?«

Er zuckte mit den Schultern. Es war besser, nicht näher darauf einzugehen. Die Sache mit der Armbrust würde Jule ohnehin nicht verstehen. Auch Sandra hatte es nie verstanden, und er war froh, dass Sandra Jule offenbar nicht alles erzählt hatte.

»Du kannst dich nicht erinnern?«

»Weder an den Unfall noch an die Zeit davor.«

»Wie groß ist denn deine Erinnerungslücke?«

»Groß.«

»*Wie* groß?«

»Im Grunde genommen: alles. Eine fokale retrograde Amnesie, wurde mir gesagt.«

»Hast du denn noch andere Verletzungen gehabt als die am Rücken? Der Zusammenhang ist ja eigentlich, na ja, sagen wir mal, untypisch.«

»Prellungen am ganzen Körper, ein gebrochenes Bein und einen Schädelbruch. Daher die Amnesie.«

Jule schwieg betroffen.

In Jesses Rücken juckte die Narbe, in seiner Seite brannte die frische Wunde. Er drückte sich rücklings gegen die Wand. Die Kälte half etwas.

»Du weißt wirklich nichts mehr aus dieser Zeit? Selbst aus deiner Kindheit nicht?«

»Ein paar Bruchstücke. Dinge, die die anderen mir erzählt haben. Dass mein Vater Alkoholiker war, zum Beispiel. Die anderen konnten mich nicht ausstehen. Ich muss ein ziemlicher ... Mistkerl gewesen sein.«

»Mistkerl. Aha. Klingt ja nicht gerade nach Heimsprache.«

»Nenn es, wie du willst.«

Sie sah ihn lange an, schien abzugleichen, was sie über

ihn gehört hatte, von ihm wusste und was er gerade selbst erzählt hatte. »Also anscheinend geht es um etwas, das vor deinem Unfall passiert ist. Oder es hängt sogar mit dem Unfall zusammen.«

Jesse warf einen Blick auf die Schrift. »Sieht so aus«, murmelte er. Immer wenn er sich bewusst wurde, wie viel er vergessen hatte, kam er sich vor wie ein leeres Gefäß. Lange Zeit war Sandra das einzige Mittel gegen diese Leere gewesen, das wenigstens für eine Zeitlang Linderung versprach. Seit der Trennung war Isa die Einzige, die dieses Loch füllen konnte.

»Hat Isa denn noch irgendetwas gesagt? Irgendein Detail, das etwas über diesen Mann verraten könnte?«

Jesse stutzte. »Ja. Hat sie. Er hätte etwas auf, meinte sie, mit Scheiben für die Augen.«

»Eine Brille? Nein, eine Maske vielleicht?«

Eine Maske? Jesse dachte daran, wie der Mann sie geschlagen hatte. Was hatte Isa vorher gesagt? Er sähe aus wie ein Inse...? »Insekt«, murmelte er. »Sie wollte *Insekt* sagen.«

»Was bitte?«

»Der Mann hat Isa nicht ausreden lassen, aber ich glaube, sie wollte sagen, dass er aussieht wie ein Insekt. Also, er trägt eine Art Maske, die ihn aussehen lässt wie ein Insekt.«

Jule sah ihn mit gerunzelter Stirn an. »Das klingt aber ziemlich weit hergeholt. Was könnte sie damit gemeint haben?«

Mit einem Mal stand Jesse ein Bild vor Augen. Eines, das ihn, seit er denken konnte, in seinen Träumen verfolgte. Ein großes Insekt in der Dunkelheit, das ihn lebendig begrub. Eine Gänsehaut überkam ihn, und er starrte Jule an.

»Was ist?«

Er schüttelte nur stumm den Kopf, den Blick nach innen gerichtet. Bisher hatte er nie gedacht, dass dieser Alptraum wirklich etwas mit der Realität zu tun hatte. Das Insekt war ihm immer zu bizarr erschienen. Doch jetzt gab es plötzlich so etwas wie eine Verbindung. Isa war von einem Mann entführt worden, der aussah wie ein Insekt. War dieser Traum also real? So etwas wie eine Erinnerung an die Zeit vor dem Unfall?

Artur fiel ihm plötzlich ein. Einmal mehr fragte er sich, warum Artur ihm gegenüber immer so schweigsam gewesen war. Artur hatte stets gemauert, wenn es um seine Vergangenheit ging. Mal hatte er behauptet, nichts zu wissen, mal hatte er gesagt, er wolle ihn schützen. Aber Schutz war jetzt nicht das, was er brauchte. Er griff nach seinem Handy und wählte Arturs Nummer.

»Wen rufst du an?«, fragte Jule.

Er schwieg, war immer noch nicht sicher, wie weit er ihr trauen konnte, und lauschte dem Freizeichen. Doch Artur nahm nicht ab. Er entschied, dass das keine Rolle mehr spielte. Die Zeit lief, und die Fragen, die er hatte, würden sich ohnehin nicht am Telefon klären lassen. Weder die an Artur noch die an Markus – und an diejenigen, die sonst vielleicht noch dort waren.

Er schluckte. Für das, was jetzt notwendig war, würde er all seine Routine und Abgeklärtheit als Arzt brauchen. »Wir müssen uns um Sandra kümmern«, sagte er.

Jule seufzte. Sie schien erleichtert zu sein, was er nicht recht verstand.

»Bestell für dich gleich einen Rettungswagen mit«, meinte Jule und deutete auf seine Hüfte.

»Rettungswagen? Wir bringen Sandra raus auf den Balkon.«

Kapitel 12

Jules Erleichterung zerfiel schlagartig. Hatte Jesse jetzt den Verstand verloren? Oder hatte sie schlicht von Anfang an recht gehabt? »Du willst sie hierlassen? Auf dem Balkon?«

Jesse fuhr sich mit der Hand durch die kurzen dunkelblonden Haare. Seine Finger zitterten, seine Stimme dagegen war hart und distanziert. »Wir haben keine Wahl.«

»Hör auf, von ›wir‹ zu reden.«

»Meinetwegen. *Ich* habe keine Wahl.«

»Warum tust du das, Jesse? Sie ist deine Frau, ich meine, war deine Frau. Trennung hin oder her.«

»Darum geht es nicht. Wenn ich sie hier liegen lasse, wird es spätestens nach zwei Tagen im Hausflur riechen. Irgendjemand wird die Polizei rufen. Der Balkon liegt auf der Nordseite, da ist zurzeit Dauerfrost.«

Jule stand der Mund offen. »Du willst sie einfrieren?«

»Sie ist tot, Jule. Sie spürt nichts mehr, und sie kann uns nicht helfen. Nur schaden. Du weißt, dass ich sie geliebt habe. Doch sobald die Polizei sie findet, wird sie Fragen stellen – auch nach Isa.«

»Ich kann nicht fassen, dass du das so siehst.«

»Hier geht's nicht um Anstand und Moral. Hier geht's um Isas Leben. Sandra würde das genauso sehen. Tu's für sie.«

Jule schüttelte den Kopf.

»Wir rollen sie in den Flokati und –«

»Nicht wir. *Du*!«

Jesse nickte knapp, auf eine Art, die Jule schaudern ließ.

Er veränderte sich unmittelbar vor ihren Augen. Er war nie kalt gewesen. Vielleicht eher uneins mit sich selbst, was Sandra manchmal zur Verzweiflung getrieben hatte. Doch fast immer hatte sie den Eindruck gehabt, dass er mitfühlend sein konnte, es nur manchmal nicht zum Ausdruck brachte. Schließlich hätte er sonst nicht Kinderarzt werden können. Jetzt war er abweisend und verschlossen. Eisig. Selbst seine Sprache war knapp und emotionslos.

Jesse sah sie durchdringend an. »Wenn Isa deine Tochter wäre, würdest du nicht alles tun, um sie zu finden?«

Sie nickte unwillkürlich und spürte einen Kloß im Hals. »Genau deswegen würde ich die Polizei rufen.«

Er nickte steif, als hätte er nichts anderes erwartet, seine Lippen waren ein blasser Strich in einem aschfahlen Gesicht. Ihr fiel ein Foto von ihrem Bruder ein, bevor er zur Polizei gegangen war, aus seiner Zeit bei der Bundeswehr. Kurze Haare, harte Miene, militärische Haltung. So kam ihr Jesse vor. Der Kinderarzt war hinter einer Wand verschwunden.

»Komm mit.« Jesse fasste sie am rechten Oberarm, kraftvoll, ohne grob zu werden. Sie versuchte, ihn abzuschütteln, konnte ihm jedoch nichts entgegensetzen. Er dirigierte sie ins Bad, ging zum Fenster, drückte das Schloss in den Riegel, so dass es versperrt war. Dann zog er den Schlüssel ab, der auf der Innenseite der Tür steckte, und schloss sie im Badezimmer ein.

Jule setzte sich auf den Toilettendeckel. Ihre Beine zitterten. Im Wohnzimmer hörte sie Jesse arbeiten. Metall schrammte über den Boden, Scherben fielen herunter. Etwas später dann ein Schleifgeräusch und Jesses schwerer Atem. Ihr Blick fiel auf den großen Doppelwaschtisch im Bad. Ordentlich zusammengelegte Handtücher, Parfüm, zwei Zahnbürsten. Eine davon groß, die andere bunt und kürzer. Sie schloss die Augen. Die Geräusche blieben und erzeugten unerträgliche Bilder in ihrem Kopf. Der Falz einer Außentür knirschte. Erneutes Schleifen. Jesses Keuchen und seine Schritte. Sie drückte die Hände auf die Ohren, hörte nur noch den dumpfen Rhythmus ihres Pulses. Als sie die Hände von den Ohren nahm, war es still geworden.

Sehr still.

Ließ er sie etwa eingesperrt hier zurück?

Sie versuchte sich zu erinnern, wann Leon noch mal aus Chicago zurückkommen wollte. War das dieses Wochenende? Oder das darauf? Typisch, war ihr nächster Gedanke. Immer erst mal hoffen, dass jemand kommt und einen raushaut. Ihr Blick fiel auf die Klobürste und den weißen, schweren Keramikhalter. Sauber und teuer, wie immer bei Sandra. Wobei sauber eher für Sandra stand und teuer für Leon. Mit diesem massiven Ding konnte man vermutlich das Badezimmerfenster einschlagen. Dann hatte sie immerhin die Möglichkeit, um Hilfe zu rufen.

Das Drehen des Schlüssels in der Badezimmertür setzte ihren Notfallplänen ein Ende. Jesses Gesicht war hart und ausgezehrt, als hätte er einen Kampf gegen einen übermächtigen Gegner verloren. Seine Hände steckten in froschgrünen Spülhandschuhen, und in der Linken hielt er einen prall gefüllten Müllsack.

Statt des Arztkittels trug er einen schwarzen Parka mit Fellkragen, einen frischen schwarzen Pullover mit V-Ausschnitt, darunter ein exquisites, ebenfalls schwarzes Hemd, alles offenbar aus Leons Schrank, dazu eine frische Jeans und dunkle, modisch grobe Stiefel. Von Isas Blaumann, dachte sie, ist nur noch die Jeans übrig. Der Rest war zum Schwarzmann mutiert.

»Wir gehen.«

»Was heißt das? Wohin?«

»Isa suchen. Wir machen eine Zeitreise. Ich muss ein paar Dinge klären.«

»Und die Wunde?« Sie deutete auf seine Seite, hoffte, etwas Zeit zu gewinnen.

»Im Wagen ist mein Arztkoffer.«

»Ich will nicht mit.«

»Du kommst mit.«

»Und wie willst du verhindern, dass ich dir weglaufe?«

Jesse zog ein paar weißliche Plastikstreifen aus der Innentasche seiner Jacke. Kabelbinder. Die schmalen Riemen ragten wie Spieße aus der knallgrünen Faust.

Bei dem Gedanken, mit ihm gehen zu müssen, zog sich alles in ihr zusammen. Aber hatte sie eine Wahl? Jesse war mindestens einen Kopf größer als sie und kräftig gebaut. Sie würde ihm nicht viel entgegensetzen können. Dazu kam, dass er fest entschlossen schien. Irgendetwas hatte er sich in den Kopf gesetzt, während sie im Badezimmer eingesperrt gewesen war. Langsam stand sie auf, mit wackeligen Knien, und deutete auf die Kabelbinder. »Das sieht nicht gut aus, wenn du mich damit durch den Hausflur führst.«

»Ich bin direkt neben dir, also versuch gar nicht erst, wegzulaufen.«

»Ich könnte schreien.«

»Wenn die Polizei hiervon erfährt, wird Isa sterben.«

»Vielleicht stirbt sie, gerade weil du die Polizei *nicht* anrufst.«

Jesse ignorierte sie, warf einen Blick in den Flur, hob etwas vom Boden auf, das aussah wie der Autoschlüssel von Sandras neuem Wagen. Jesse runzelte die Stirn. »Was hast du für einen Wagen?«

»Ich? Einen Fiat. Warum?«

»Und wem gehört der hier?« Er drehte den nagelneuen schwarzen Transponder zwischen Daumen und Zeigefinger.

Jule wusste von Sandra, dass Jesse einen Narren an dem alten Kombi gefressen hatte. Dass er den Wagen trotzdem

Sandra überlassen hatte, sprach Bände. Doch Sandra war ›die Schrottschüssel‹, wie sie den Wagen nannte, irgendwann leid gewesen und hatte Leons Angebot angenommen, den alten Volvo gegen einen neuen einzutauschen. Offenbar ohne Jesses Wissen. »Der gehört Sandra, glaube ich.«

Jesses Lippen wurden schmal. Er steckte den Autoschlüssel ein, sah sie an, als wollte er sie bis in den letzten Winkel durchleuchten. »Streck die Hände aus«, sagte er und klang dabei wie eine Maschine.

Kapitel 13

Jesse zog die Haustür auf. Die kalte Luft fuhr ihm entgegen, als gäbe es im Treppenhaus ein ebenso großes Vakuum wie in seiner Brust. Schneeflocken wirbelten im Licht der Eingangslampe über die Schwelle. Tanzende Sterne, wie bei einer Bewusstseinsstörung.

Er schob Jule hinaus. Über ihre zusammengeschnürten Handgelenke hatte er Leons Jacke gelegt, ihr eigener Mantel hing lose über ihren Schultern. Sie schauderte, und ihr Blick ging zum grau-orangenen Himmel. Eine Glocke aus Stadtlicht gab dem Schneegestöber über der Hildegardstraße eine giftige Note. Die geparkten Autos, das Pflaster und die Grünflächen versanken unter einer gesichtslosen Decke aus Neuschnee. Das Vakuum in seiner Brust wurde größer.

Jesse drückte den Entriegelungsknopf auf dem Schlüssel von Sandras Wagen. In etwa zwanzig Metern Entfernung flammten Blinklichter unter einem Schneebuckel auf. Die Konturen passten zu einem Kombi. Sie stapften auf den Buckel zu, und Jesse wischte die Typenbezeichnung am Heck des Wagens frei. V70, Cross Country. Eine Familienkutsche mit Allradantrieb.

Er fegte den Schnee von der Beifahrertür, öffnete sie, dirigierte Jule auf den nach Neuwagen riechenden Ledersitz und beugte sich vor, um ihr den Sicherheitsgurt anzulegen. Die Wunde in seiner linken Seite brannte. Jules Parfüm stieg ihm plötzlich in die Nase, und ihr Atem streifte sein Ohr. Rasch nahm er einen weiteren Kabelbinder und verband den Plastikriemen um ihre Handgelenke mit dem Gurt vor ihrem Bauch. Den Müllsack mit seiner blutigen Kleidung stopfte er in den Fußraum hinter ihrem Sitz.

»Du wartest«, sagte er.

Kaum zwei Minuten später war er zurück, mit seiner Arzttasche und zwei Decken aus dem Kofferraum seines Wagens. Mit beiden Händen fegte er den Schnee von den Scheiben des Cross Country. Dann holte er Verbandszeug und Medikamente aus seiner Tasche, nahm auf der Fahrerseite Platz und schob den Sitz bis zum Anschlag nach hinten, um etwas mehr Bewegungsfreiheit zu haben.

Zuerst riss er die viel zu kleinen Heftpflaster ab, die er zwischenzeitlich über den Schnitt geklebt hatte. Die Wundränder waren deutlich geschwollen. Das Beißen des Desinfektionsmittels war ihm für den Moment geradezu willkommen. Besser außen Schmerzen als innen. Während er das Mepivacain in die Wunde träufelte, dachte er an Marta. Dank ihr hatte er weder einen Führerschein noch Geld dabei. Ohne die Wirkung des Lokalanästhetikums abzuwarten, klammerte er den Schnitt mit sechs Strips. Trotz aller Routine zitterten seine Hände. Auf die Wunde legte er eine gefaltete sterile Kompresse, klebte ein großes Pflaster darüber und wickelte sich einen Mullverband um die Taille. Jule hatte sich die ganze Zeit über abgewandt und starr zum Fenster der Beifahrertür hinausgesehen. Angesichts ihrer Empfindlichkeit fragte sich Jesse, warum sie bei Sandras Anblick nicht direkt das Bewusstsein verloren hatte. Vieles wäre dann einfacher gewesen.

Jetzt, da er den Motor startete und die Heizung aufdrehte, sah sie wieder nach vorn. »Wohin fahren wir überhaupt?«

Jesse schwieg und versuchte sich auf die Menüführung des Navigationssystems zu konzentrieren. Das verdammte Ding war eine Generation neuer als das Navi, das er aus seinem Volvo kannte, und leider war es auch eine Generation komplizierter, mit Extrafunktionen, die kein Mensch verstand.

»Wenn ich schon mitkommen muss, kannst du mir auch ...« Sie verstummte, als Jesse die ersten Buchstaben des Zielortes ins Eingabefenster tippte. »Garmisch-Partenkirchen? Du willst nach Adlershof?«

Er nickte. Wählte die Route über München. Die Eingabe des genauen Zielortes hatte er sich gespart, er kannte sich ja schließlich aus. Doch aus irgendeinem Grund bot das Navi ihm plötzlich die vollständige Heimadresse an. Er stutzte. *Adlers-Au 1.* Warum zum Teufel ...?

»Das ist direkt in den Alpen«, meinte Jule entsetzt.

Jesse ignorierte ihren Protest. Ihn beschäftigte vielmehr, dass es eigentlich nur einen Grund geben konnte, warum ihm das Navi die Adresse des Heims anbot. Sandra musste dorthin gefahren sein. »Seit wann hat Sandra diesen Wagen?«

»Bitte?«

»Der Wagen. Seit wann fährt Sandra den?«

»Ich, äh, keine Ahnung, vielleicht sechs oder sieben Wochen.«

»Weißt du, ob sie kürzlich in Adlershof war?«

»Sandra? Nein. Warum sollte sie?«

»Eben. Warum sollte sie«, murmelte Jesse. Soweit er sich erinnern konnte, war Sandra nach ihrem Weggang nie wieder in Adlershof gewesen. Für sie war es der letzte Ort der Welt, an den sie freiwillig zurückgekehrt wäre. Plötzlich erinnerte er sich an ihr Gespräch vom Morgen, als er Isa nach Hause gebracht hatte. Sandra hatte Markus erwähnt, und er hatte das Gefühl gehabt, sie hätte erst kürzlich mit ihm gesprochen. »Ein Grund mehr«, sagte er leise.

»Was für ein Grund? Was meinst du?«

Jesse drückte zwei Schmerztabletten aus dem Blister, den er seiner Arzttasche entnommen hatte, und schluckte sie trocken. Dann schob er den Sitz wieder vor. Der Scheibenwischer fegte den verbliebenen Schnee beiseite.

»Jesse, verdammt! Das sind acht- oder neunhundert Kilometer!«

»Sechshundertzweiundsiebzig, laut Navi.«

»Du willst *jetzt* und dazu noch bei diesem Wetter siebenhundert Kilometer fahren?«

Jesse setzte den Blinker. Der Volvo löste sich knirschend aus der Parklücke.

»Jesse, das ist doch Wahnsinn. Was willst du da?«

»Ich muss mit Artur reden. Und mit Markus.«

»Wer ist Artur?«

»Der Heimleiter. Früher jedenfalls. Jetzt leitet es sein Sohn.«

»Heimleiter hin oder her. Wofür gibt's Telefone?«

»In hundert Metern links abbiegen«, meldete sich eine Frauenstimme aus den Lautsprechern. Jesse warf einen Blick auf die Tankanzeige. Weniger als halb voll. Mist.

Die nächsten fünf Minuten herrschte eisiges Schweigen, bis auf die gleichförmige, seltsam freundliche Frauenstimme des Navis. Schließlich hielt Jule es nicht mehr aus. »Herrgott, Jesse! Wenn du mich schon kidnappst, dann gib mir wenigstens eine Antwort. Warum fahren wir da hin? Warum rufst du nicht einfach an?«

Kidnappen. Das Wort stieß Jesse sauer auf und traf es irgendwie nicht richtig. Oder doch? Er beschloss, nicht weiter darüber nachzudenken. »Weil ich Artur nicht erreiche«, sagte er. »Und Markus würde auflegen, wenn ich ihn anrufe.«

»Und wenn ich ihn anrufe?«, schlug Jule vor. »Ich könnte ihn bitten, mit dir zu reden.«

Meinte sie das ernst? Wollte sie ihm tatsächlich helfen, oder ging es ihr vielleicht nur darum, einen Notruf abzusetzen? Im nächsten Moment hätte er beinah die Autobahnauffahrt verpasst und steuerte hastig nach rechts. Der Cross Country schlitterte, fing sich aber wieder, und Jesse beschleunigte sanft, um auf die A 100 einzuscheren. Das Schneetreiben strengte seine übermüdeten Augen an. Aus dem Augenwinkel sah er, dass Jule verstohlen die Kabelbinder abtastete. Für sie musste es wirken, als wäre die Fahrt nach Adlershof eine fixe Idee.

Aber er musste dorthin. Musste persönlich mit Markus und Artur sprechen. Wenn es nur um Informationen gegangen wäre, hätte er Jules Idee vielleicht sogar erwogen. Er hatte ja auch versucht, Artur zu erreichen. Aber ging es nicht um mehr? Was, wenn Markus und er doch nicht quitt waren? Er wollte, nein, er *musste* sein Gesicht sehen, wenn er mit ihm sprach. Die kohlschwarzen Augen und die Mundwinkel, die beide in unterschiedliche Richtungen strebten, als wären sie nie nur einer Meinung. Außerdem war da auch noch Richard. Und all das, was ihm Artur sein Leben lang verschwiegen hatte.

»Jesse, hörst du mir überhaupt zu?«

»Nein«, sagte er. Irgendetwas musste er schließlich tun, um Isa zu finden. Und wenn er bis ans Ende der Welt fuhr.

Kapitel 14

Die beiden weißen Steinsäulen mit den weit geöffneten Torflügeln erinnerten ihn irgendwie an Engel, nur dass Engel keine schwarzen Flügel hatten. Einen Zaun schien es nicht zu geben. Das Tor stand einsam an der Straße.

Frau Wisselsmeier vom Jugendamt schnaufte, als müsste sie den Berg gerade selbst emporklettern. Sie hatte schmale Lippen und Brüste, die im Sitzen auf dem Bauch auflagen. Mit ihren kurzen Fingern steuerte sie den braunen Opel Kadett durch das Engelstor, und zum ersten Mal sah er das Heim. Mit jedem Meter, den sie näher kamen, schien es aus dem Hügel herauszuwachsen.

Er war gerade elf geworden, glaubte, dass er seinen Vater nie wiedersehen würde, und wusste nicht, wie er sich fühlen sollte: erlöst oder verloren.

Er hatte doch nur noch Vater. Und bei allem, was schlecht an Vater war, es kam ja daher, dass alles so entsetzlich schiefgelaufen war, damals, vor vielen Jahren in Kiel.

Er war gerade erst drei geworden, aber an einige Momente erinnerte er sich, als wären es Fotos. Wie Postkarten in einem dieser Drehständer in den Souvenirläden. Eine der Postkarten zeigte seinen Vater, strahlend, in einer weißen Uniform, an dem Tag, an dem er ihn zum ersten Mal gesehen hatte.

Später hatte Vater ihm immer wieder erzählt, er sei umhergehüpft, hätte sich gefreut wie verrückt und habe dauernd gerufen: Herman, Herman, Herman! Nur ohne das R, das hätte er damals schlecht aussprechen können.

Daran konnte er sich allerdings nicht erinnern. Aber wenn Vater es so erzählte, musste es ja stimmen. Und in den nächsten Jahren hatte sein Vater Herman ihm viel erzählt.

Er war Kapitän, und sein Schiff, die Helgoland, war ein zum Hospitalschiff umgebautes Seebäderschiff gewesen. Die fünf Jahre vor seiner Rückkehr nach Kiel hatte er mit der Helgoland im Südchinesischen Meer gelegen, vor Saigon oder Da Nang, um dort im Auftrag der Bundesregierung Verwundete aus dem Vietnamkrieg zu versorgen. ›Das weiße Schiff der Hoffnung‹, sagte er stolz, würden die Vietnamesen die Helgoland dort unten nennen. An Bord hätte er auch Gudrun kennengelernt, also seine Mutter. Sie sei Ärztin gewesen, doch als sie schwanger war, habe sie von Bord gemusst.

Auch von seiner Mutter gab es eine Postkarte, wie sie bäuchlings in einem hellgrünen Kleid auf einer Wiese lag, ihren Kopf in die Hände stützte, mit einem Lächeln und ihren strahlend blauen Augen. Wenn man hineinsah, glaubte man, direkt in den Himmel zu schauen.

Doch der Platz neben ihr war immer belegt gewesen. Wilbert hatte sich in ihr Leben geschlichen. Onkel Wilbert, ein Riese mit Pranken wie Schaufeln und einer Narbe auf dem rechten Handrücken. Bis Vater aus Vietnam zurückkehrte und es zur Katastrophe kam.

Noch heute hallten die Schüsse in seinen Ohren wider. Und ihm stand noch immer das Bild vor Augen, wie Wilbert davonrannte, mit Vaters Pistole, die Narbe auf der Hand ein böses Mal.

Stumm hatte er alles beobachtet. Vater hatte damals Mutters braunen Mantel über sie gelegt wie ein Laken, damit er ihre Augen und das Blut nicht sehen musste. Die Beine hatten unter dem Mantel hervorgeschaut und einer ihrer Arme, als wollte sie nach etwas greifen. Auch eine Postkarte.

Dann war die Polizei gekommen.

Wilbert habe seine Familie zerstört, hatte Vater damals

*immer und immer wieder gesagt. Wilbert habe nicht ertragen,
dass Gudrun ihn nicht so geliebt hätte wie ihn.*

Wo sein Bruder denn sei?

Weg, hatte Vater geantwortet. Er hätte keinen Bruder mehr.

*Ab da waren sie allein gewesen. Vater und er. Nur dass Va-
ter immer weniger dem strahlenden Mann auf der Postkarte
glich. Mit jedem Jahr hasste er seinen Onkel mehr. Wegen
Wilbert war Mutter tot, und Vater war nicht derselbe. Und
er hatte keine andere Wahl gehabt, als jetzt, mit elf Jahren,
hierherzukommen, ins Heim Adlershof, an der Hand dieser
schwabbeligen Wisselsmeier.*

*Artur Messner empfing ihn in der Halle. Längere dunkle
Haare, straff zurückgekämmt bis hinunter an den Hemd-
kragen. Graublaue Augen und eine seltsam kraftlose Hand.
Anders als Vaters kraftvoller Handschlag. Ob Messner ab-
sichtlich nicht fest zudrückte? Hielt er ihn für ein Weichei?
Vielleicht wollte Messner ihn ja auch gar nicht haben. Viel-
leicht machten Kinder von Trinkern einfach zu viele Proble-
me. Bestimmt hatte die Wisselsmeier alles in den buntesten
Farben ausgemalt: die nahezu leere Zweizimmerwohnung in
Garmisch in der Kronaustraße, den Kühlschrank, gefüllt mit
Keksen und drei Tage altem Rührei, und den Kleiderbügel
mit der Kapitänsuniform im Wohnzimmer, die im Licht einer
Glühbirne glänzte.*

*Es war drei Monate her, dass er sie an einem Samstag
vom Bügel genommen hatte. Er hatte sie einfach anprobieren
müssen, auch wenn er immer noch viel zu klein dafür war. Die
Gelegenheit war günstig. Gegen ein Uhr, kurz nach dem Aufstehen, war Vater gerade in der Toilette verschwunden, was
nie weniger als eine Stunde dauerte.*

Nur dieses Mal nicht.

*Irgendwie hatte Vater einen Riecher dafür, dass jemand
etwas Verbotenes tat. Er hatte gerade die Jacke übergeworfen,
als die Tür aufflog. Vaters Blick fiel auf die breite Uniform, die*

er mit seinen schmalen Schultern nicht ausfüllte. »Du wagst es?«, zischte er.

Jetzt war es besser, still zu sein. Vater einfach reden zu lassen.

»Diese Jacke muss man sich verdienen. Glaubst du, das hast du getan?«

Nein. Hatte er nicht.

»Das ist das Schlimmste an dir. Dass du so bist.«

Er schluckte bitter, wusste ja, was Vater meinte. Er wäre so gerne anders gewesen, liebenswerter und besser, wie eine andere Ausgabe von sich selbst. Als wäre er sein eigener, besserer »Bruder«, wie Vater es immer nannte.

»Dein Bruder, der hätte es vielleicht verdient, sie irgendwann einmal zu tragen. Er hätte auch den Anstand gehabt, mich zu fragen! Also wiederhol es: Was sollst du tun?«

»Mir ein Beispiel an ihm nehmen«, sagte er gepresst.

»Und wer kann dir sagen, wie dein Bruder ist?«

»Du, Vater.«

»Auf wen musst du also hören?«

»Auf dich«, antwortete er automatisch. Er hasste diesen »Bruder«. Es gab ihn ja nicht, es war kein Mensch aus Fleisch und Blut, und dennoch lebte dieser »Bruder« mit ihnen in derselben Wohnung. Unsichtbar, besser als er, ganz und gar Vaters Liebling. Manchmal wünschte er sich, er wäre hier, dieser »Bruder«, nur für einen Tag. Er hätte ihn verprügelt, ihm gezeigt, wer hier wirklich der Bessere war.

Zur Strafe musste er mit dem Gesicht zur Wand in der Ecke stehen, die Arme hoch erhoben, lang ausgestreckt. Senkte er die Arme, dann gab es eine warnende Kopfnuss oder einen Stoß in die Nieren. Nach kurzer Zeit war der Schmerz in den Armen so unerträglich, dass er die Schläge einfach hinnahm. Daraufhin erließ Vater ihm das Strecken der Arme. Dennoch musste er bleiben, wo er war, ohne sich zu rühren. Als Vater nachmittags erneut auf die Toilette ging, ließ er die Türen of-

fen. Das Plätschern hallte über den Flur und ließ seine Blase brennen, besonders als Vater sich die Hände wusch, länger, als er es sonst getan hätte.

Trotzdem. Er gab sich nicht die Blöße und fragte. Die Antwort war ja eh immer die gleiche: Der »Bruder« würde nicht so dumme Fragen stellen.

Also besser kämpfen.

Eine halbe Stunde später klingelte es. Seine Beine zitterten.

»Du bleibst stehen«, knurrte sein Vater. »Und nimm zur Abwechslung die Arme mal wieder hoch.«

Normal war, dass er seine Ruhe haben wollte, wenn er Besuch bekam. Aber wegen der Sache mit der Uniform war alles plötzlich anders. Das Lachen der Frau an der Tür war nicht das der letzten Frau. Trotzdem klang es gleich. Irgendwie schmutzig. Ein sauberes Lachen hätte eh nicht in dieses Loch gepasst.

Er hätte sich gerne die Ohren zugehalten. Doch das duldete Vater nicht. Also drang ihm das Klatschen der Pobacken ins Ohr und das Jammern der Frau, bei der er sich nicht sicher sein konnte, ob sie das Jammern nur spielte oder ob sie wirklich Schmerzen litt, so wie er selbst.

Zuletzt hatte er nicht mehr einhalten können. Die Nässe war nicht das Unangenehmste gewesen, sondern der Gedanke, dass er und sie ihn sehen konnten, wie er da stand, eine Vogelscheuche mit nasser Hose, die hin und wieder mit dem Ausbreiten der Arme etwas mogelte.

Hinter ihm klatschte es weiter. Jammerte es weiter. Stöhnte es weiter.

Am Klang der hart abgestellten Flasche konnte er hören, dass sein Vater die ganze Zeit über trank. Aus dem Stöhnen wurden spitze Schreie. Und dann, ganz plötzlich, knallte es, und Glas splitterte. Er wagte einen Blick über die Schulter.

Sein Vater lag halb auf, halb neben der Matratze, um ihn herum Glasscherben.

Fassungslos starrte er die Frau an. Die Schminke um ihre Augen war in schwarzen Streifen herabgelaufen. Bis auf ihr Schniefen war es jetzt ganz still. Sie wühlte in Vaters Hose, zog ein paar Geldscheine hervor, raffte ihre Sachen zusammen und hastete in gebückter Haltung, nackt, mit ihrem Bündel Klamotten im Arm an ihm vorbei, zur Tür hinaus.

Er selbst blieb schwankend stehen, mit schmerzenden, hängenden Armen. Auf Vaters Kopf hatte sich ein roter Fleck zwischen den Haaren gebildet. Er rührte sich nicht. Bis er schließlich hustete, sich an den Hinterkopf griff und mühsam aufrichtete.

Ihre Blicke trafen sich. »Was stehst du da noch? Dein Bruder hätte mir längst geholfen.«

Er zuckte zusammen. Fühlte sich schlecht und falsch wegen diesem beschissenen Bruder. Da lag sein Vater und blutete, und statt zu helfen, spürte er so etwas wie Freude. Vater schien es zu merken und giftete: »Mach, dass du rauskommst!«

Er machte, dass er rauskam, ins andere Zimmer.

»Und zieh ja nicht die Hose aus, hörst du?«

Natürlich hörte er.

Nur auf die Matratze legte er sich nicht. Die Matratze war sein Zuhause, und er wollte einfach nicht, dass sie stank. Als er auf dem Linoleumboden saß und an die Decke starrte, dachte er an die Frau. Sie war nackt gewesen. Sein Vater war stärker als sie. Stark wie ein Soldat. Mit großen Händen, fast so groß wie die Hände von Wilbert, diesem Schwein. Die Frau hatte lange ausgehalten, und am Ende hatte sie Vater besiegt. Das war noch niemandem gelungen.

Die nasse Hose klebte im Schritt, und es roch.

Sie hat ihn besiegt, dachte er wieder.

Wenn sie das konnte, vielleicht konnte er das auch. Siegen.

Wenig später stand er auf. Zog die Hose aus. Wusch sich auf der Toilette, während sein Vater schlief. Dann legte er sich auf die Matratze. Die billige Decke kratzte auf der nackten Haut. Er schaute zum Fenster hinaus, das er gestern noch hatte putzen müssen. Der Mond war ein heller Kreis, als hätte jemand ein Loch in die Dunkelheit geschossen und als läge dahinter ein Reich aus Licht.

Ohne ›Bruder‹.

Kapitel 15

A9, kurz hinter Jena –
Dienstag, 8. Januar 2013, 00:52 Uhr

Jesse sah angestrengt durch die Windschutzscheibe. Schneeflocken stürmten aus dem Nichts auf ihn ein, blitzten im Scheinwerferlicht auf und stoben beiseite. Der Tacho zeigte hundertfünf Stundenkilometer, die Tanknadel stand auf Reserve. So wie seine Aufmerksamkeit. Er schüttelte den Kopf, doch die Erschöpfung saß zu tief.

Also ließ er die Seitenscheibe herab.

Eisige Luft strömte ins Wageninnere und biss ihm ins Gesicht. Der tosende Fahrtwind ließ auch Jule aufschrecken, die erschöpft auf ihrem Sitz zusammengesunken war. Jesse spürte ihren Blick und war dankbar, dass sie schwieg. Ein paar Schneeflocken wirbelten durchs Fenster ins Wageninnere. Der Schnee fiel inzwischen weniger dicht. Berlin lag etwa dreihundert Kilometer hinter ihnen. Rechts flog ein blaues Schild mit Tankstellensymbol vorüber.

Jesse setzte den Blinker.

»Was machst du?«

»Na, was wohl?« Er bremste und wechselte auf die verschneite Ausfahrt. Die Tankstelle lag da wie ein Raumschiff in der Arktis, das Dach ein blauer waagrechter Leuchtstreifen, darunter alles in gleißendes Licht getaucht. Im Umfeld standen hohe Laternen, in deren Lichtkegeln glitzernde Flocken tanzten. Jesse steuerte die Tanksäule an, die direkt vor dem Eingang des Shops lag, und musterte argwöhnisch einen silbergrauen BMW, dessen Besitzer gerade tankte.

Ansonsten schien sich um diese Zeit niemand hierher verirrt zu haben.

»Ich muss auf Toilette«, sagte Jule.

»Ich kümmere mich darum. Bleib im Wagen.« Plötzlich fiel ihm ein, dass er weder Kreditkarten noch Geld bei sich hatte. »Hast du dein Portemonnaie dabei?«

Sie sah ihn erst verständnislos, dann argwöhnisch an.

»Marta hat meins geklaut.«

»Marta?« Die Information brauchte einen Moment, um zu ihr durchzudringen. Sie schien es dennoch nicht recht glauben zu wollen.

»Ich erzähle es dir später. Hast du jetzt ein Portemonnaie dabei oder nicht?«

Sie überlegte einen Moment zu lange.

»Muss ich dich durchsuchen?«

Jule seufzte. »Linke Innentasche.«

Jesse griff in ihren Mantel. Als er die Geldbörse herauszog, sah sie beiseite. Sie hatte Tränen in den Augen, und sie tat ihm leid. Aber hatte er eine Wahl? In der schmalen, kaffeebraunen Lederbörse steckten fast zweihundert Euro. Immerhin musste er nicht auch noch nach der Geheimzahl für die EC-Karte fragen.

»Kannst du nicht wenigstens schon mal diese Plastikdinger abmachen? Meine Schultern sind total verspannt, und die Handgelenke tun weh.«

»Gleich«, sagte er schärfer als beabsichtigt.

Er schob den Stutzen in den Tank und ließ das Diesel laufen. Der schwere ölige Geruch stieg ihm in die Nase. Unweigerlich kam ihm das Bild von Kindern mit glasigen Augen und verätzten Atemwegen in den Sinn. Benzin schnüffeln und alles vergessen. Bei ›Ärzte ohne Grenzen‹, im Umland von Nyala, der Hauptstadt von Dschanub Darfur, hatte er das täglich gesehen.

Er wartete, bis der silbergraue BMW die Tankstelle verlassen hatte, dann ging er zum Shop, nicht ohne sich immer wieder nach Jule umzusehen. Der Mann an der Kasse war ein dürrer Mittfünfziger, irritierend gut gelaunt und auf Smalltalk aus. Jesse bezahlte wortkarg die Tankfüllung, zwei Kaffee, Sandwiches, Schokoriegel und ein paar Flaschen Cola. Dann machte er, dass er davonkam.

Als er den Motor wieder anließ, protestierte Jule.

»Warte«, erwiderte er. »Nicht hier.«

Er steuerte den Cross Country aus der Lichtinsel auf die Parkfläche hinter der Tankstelle. Nach knapp hundert Metern hielt er unter einer defekten Straßenlampe. Jule sah missmutig zu dem kleinen, künstlich angelegten Waldstück auf der Beifahrerseite.

»Wenn wir uns beeilen, dann ist der Kaffee gleich noch warm«, meinte Jesse.

»Und wie soll ich ihn deiner Meinung nach trinken?« Sie rüttelte an ihren Fesseln. Jesse stieg aus, ging zur Beifahrerseite und zerschnitt mit einer Verbandschere die Plastikriemen.

»Danke«, seufzte Jule. »Hast du Taschentücher?«

Ohne nachzudenken, öffnete er zielsicher das Handschuhfach. Dass dort tatsächlich eine Packung Tempo lag, versetzte ihm einen Stich. Für Sandra waren Taschentücher im Handschuhfach immer ein Muss gewesen.

Gemeinsam stapften sie ins Dunkel zwischen den verschneiten Bäumen und Büschen. Jule setzte sich nach links ab, und er ließ es geschehen. Er hatte ohnehin schon genug Grenzen bei ihr überschritten. Erst als sie mehr als zehn Meter entfernt war und er sie kaum mehr zwischen den Büschen erkennen konnte, hielt er es für angebracht zu protestieren. »He, nicht zu weit.«

»Willst du mir allen Ernstes dabei zuschauen?«

»Ich will dich nur im Blick haben. Das ist alles.«

»Das ist ja wohl das Gleiche.«

»Jetzt stell dich nicht an. Es ist dunkel, und hier sind Bäume.«

»Ach. Und warum sehe ich dann trotz der Dunkelheit und der Bäume, wie du hierherstarrst?«

Zum ersten Mal in dieser Nacht musste Jesse lächeln. Es fühlte sich unpassend an. Doch die Situation war so merkwürdig vertraut. Weder Sandra noch Isa waren jemals bereit gewesen, auf die Toilette einer Autobahnraststätte zu gehen. Gebüsch und Waldrand, lauteten die Alternativen. Eine Art Hygiene-Dauer-Notfallplan, inklusive Taschentüchern im Handschuhfach. »Wenn du jetzt noch länger redest, muss ich irgendwann rüberkommen und dich einsammeln«, rief er.

Er wandte sich ab und öffnete seine Hose. Der heiße Urin prasselte in den Schnee und dampfte im Widerschein des spärlichen Lichts zu seinen Fußspitzen. Seine Zehen drückten von innen gegen das Leder der Schuhe. Sie mussten fast eineinhalb Nummern kleiner als seine eigenen sein. Eigentlich hatte Sandra immer behauptet, Männer mit kleinen Füßen nicht zu mögen. Sie würden zu schnell umfallen. Eilig knöpfte er die Jeans zu. »Jule?«

Im Gebüsch blieb es still.

Er kniff die Augen zusammen, spähte ins Zwielicht. Schwarzes Geäst und schneeweißer Boden, der die Tankstellenbeleuchtung als totes Graublau reflektierte.

»Jule!«

Wieder keine Antwort. Ein dumpfes, metallisches Pochen wehte aus einiger Entfernung heran. Alarmiert lief er auf die Stelle zu, wo er eben noch Jule gesehen hatte. Zweige schlugen ihm ins Gesicht, der harsche Schnee knirschte unter seinen Sohlen. Da, wo sie eben noch gestanden hatte, war der Schnee plattgetreten. Ihre Fußabdrücke führten geradewegs weg von der Tankstelle. Aus der Richtung, in die sie geflüchtet war, strahlte Licht durch das Geflecht der Äste. Offenbar ein weiterer Parkplatz.

»Jule!«

Er begann zu rennen, leicht gebeugt, hielt die Arme schützend vor sein Gesicht. Plötzlich hatte er die Bäume hinter sich gelassen und stolperte über eine Bordsteinkante unter einer Schneewehe. Vor ihm lag ein weitläufiger Parkplatz. Der Schnee hatte alle Markierungen unkenntlich gemacht, nur einige Hinweisschilder für Lastwagen ragten noch aus dem Weiß. Schwärme von Flocken trieben im Schein der Laternen um ein Dutzend schlafender Vierzigtonner mit weiß glitzernden Dächern. Vor dem Führerhaus des vordersten Sattelzugs, in etwa dreißig Metern Entfernung stand Jule und schlug mit der flachen Hand gegen die Fahrertür. Im Inneren der Kabine ging Licht an, ein Gesicht erschien hinter der Scheibe.

Jesse lief, so schnell er konnte. Der Fernfahrer, ein Bär von einem Mann, öffnete die Tür und rieb sich die Augen angesichts der wild gestikulierenden Frau.

»Jule!«

Ihr Kopf fuhr herum. Der Fahrer sah ebenfalls in Jesses Richtung. Schwerfällig kletterte er aus dem Führerhaus und richtete sich neben Jule zu seiner vollen Größe auf, gerade als Jesse sie erreichte.

»Gottverdammt, was machst du da?«, keuchte Jesse und wollte sie am Arm wegziehen.

»Lass mich.« Ihre grünen Augen funkelten trotzig und siegessicher. Wenn ihm nicht sofort etwas einfiel, hatte er Jule verloren, die Polizei am Hals, und Isas Leben war in höchster Gefahr. Der Fernfahrer sah ihn finster von oben herab an. Jesse schätzte ihn auf Ende dreißig. Sein Haar war plattgelegen, sein Blick wirkte nicht ganz klar, als hätte er getrunken. Unter seiner massigen Brust trat ein stattlicher Bauch hervor, seine Oberarme hatten annähernd den gleichen Umfang wie seine Oberschenkel. Es war schwer zu sagen, ob sie vor allem aus Fett oder aus Muskeln bestanden.

»Bitte!«, drängte Jule ihn. »Können Sie mich mitnehmen?«

Jesse rang sich ein Lächeln ab und nickte dem Fahrer zu. »Es tut mir leid. Meine Frau ist manchmal etwas ...«, er ließ den Zeigefinger an seiner Schläfe kreisen, »... na ja. Sie hat ihre Tabletten nicht genommen.« Er reichte Jule die Hand. »Schatz, bitte. Lass uns gehen. Ich mein's nur gut mit dir.«

»Glauben Sie ihm kein Wort!«

Der Mann schaute misstrauisch zwischen ihnen hin und her. Sein Kiefer mahlte; die Situation schien ihn zu überfordern. »Co się dzieje?«

Jesse fiel ein Stein vom Herzen. Der Kerl verstand kein Deutsch!

»Do you speak English?«, fragte Jule.

Der Riese schüttelte den Kopf. »Polska.«

»Bitte, please! Help me.« Jule zog ihre Ärmel hoch und zeigte mitleidheischend ihre Handgelenke. Der Pole runzelte die Stirn, als er die Striemen sah.

»Jule, bitte, mach das nicht.«

Mit finsterem Gesicht trat der Mann Jesse entgegen. »Odejdź!«

Hinter seinem massigen Kreuz kletterte Jule ins Führerhaus. Der Pole stieß Jesse kräftig vor die Brust, weg vom Lastwagen. Seine Hände waren groß wie Schaufeln, der Schnee wirbelte um ihn her, als wäre er von einem Kraftfeld umgeben. »Wir können über alles reden, Jule. Aber mach jetzt keinen Fehler, bitte! Hier geht's nicht um dich oder mich. Es geht um Isa.«

»Sag mir einen vernünftigen Grund, warum ich diesen Wahnsinn mitmachen soll.«

»Wie gesagt: Isa.«

»Du hättest schon vor Stunden die Polizei anrufen können.«

»Policja?«, fragte der Pole. Er stieß Jesse erneut vor die Brust.

»Gib mir eine Chance, verdammt. Was ist, wenn ich recht habe?«

Jule versuchte über die Schulter des Polen, der ihr den Blick auf Jesse verstellte, zu schauen. »Du hast mich gefesselt und entführt.«

»Hatte ich eine Wahl?«, rief Jesse. Mit jedem seiner Sätze schien der Pole wütender zu werden.

»Was soll das bringen, nach Adlershof zu fahren? Glaubst du ernsthaft, dass sie dort ist?«

»Nein ... ich weiß nicht. Vielleicht. Du hast es doch selbst gesagt. Hier geht es um irgendeine alte Geschichte. Aber ich erinnere mich nicht. Deshalb muss ich hin. Wenn ich den Grund kenne, dann weiß ich auch, wer sie entführt hat.« Er streckte demonstrativ die Hand aus. »Jetzt komm schon.«

»Odejdź!« Wütend schlug der Pole Jesses Hand beiseite.

Jesse wich weiter zurück, doch der Pole setzte nach. Schneeflocken glitzerten auf seinen fettigen Haaren.

»Was ist, wenn es nichts mit Adlershof zu tun hat?«

»Hat es. Und du weißt das! Du hast Angst, das ist alles. Und noch etwas«, rief Jesse und reckte sich, um Jule besser sehen zu können. »Sandra war vor kurzem dort.«

Für einen kurzen Moment schwieg Jule und schien zu überlegen. »Woher willst du das wissen?«

»Adlershof war im Navi als Ziel einprogrammiert, die vollständige Adresse. Sie muss es eingegeben haben. Ich glaube, sie hat mit Markus gesprochen. Sie hat gestern früh so eine Bemerkung gemacht, als ich Isa zu ihr gebracht habe. Da habe ich aber nicht kapiert –«

Die Faust des Polen grub sich ohne Vorwarnung in Jesses Magen. Er spürte, wie die Strips von der Wunde rissen, krümmte sich vor Schmerzen und taumelte rückwärts. »Jule, bitte!«, keuchte er, schnappte nach Luft.

Der Pole ragte vor ihm auf, schien abzuwarten, ob Jesse nun klein beigab, und verdeckte mit seinem massigen Körper die Sicht auf das Führerhaus.

»Egal, was du machst. Aber lass die Polizei aus dem Spiel«, rief Jesse. Er bereitete sich auf einen neuen Schlag vor, doch der Pole schien zu zögern, taxierte Jesse. Dann spuckte er ihm ins Gesicht. »Szeptna świńia.«

Jesse wischte sich mit dem Jackenärmel übers Gesicht, wich weiter zurück und versuchte, seine Chancen gegen den Polen einzuschätzen. Ja, der Kerl war groß, aber mit Sicherheit auch träge. Seine Hand glitt in die Jackentasche, die Finger suchten nach dem Autoschlüssel. Am Schlüsselring hing auch der Haustürschlüssel von Sandra. Klein, gezackt und scharf. Im Notfall war alles eine Waffe, das hatte er im Heim gelernt. Seine Faust schloss sich um das unscheinbare metallene Etwas, während der Pole drohend näher kam.

»Nein, lassen Sie! Lassen Sie ihn in Ruhe«, schrie Jule. Ihre Stimme war so laut, dass der Pole herumfuhr. Jule ging auf ihn zu und fuchtelte mit den Armen. »Let him out!«

Der Pole sah fassungslos von ihr zu Jesse und wieder zurück. »Niewdzięczną suką!«, fuhr er sie an.

»Ja, ja! Ist gut. Lassen Sie ihn in Ruhe.«

Der Pole schlug sich mit der flachen Hand erregt vor die Stirn, dann mehrfach auf das Handgelenk und deutete auf Jesse. »Chcesz wrócić do tego?«

»Entschuldigung. Sorry. Wirklich, es tut mir leid.«

In den Augen des Polen lag ein finsterer Glanz.

»Jule, lass ihn«, sagte Jesse leise. »Er versteht dich nicht. Egal, was du sagst, es provoziert ihn noch mehr.«

Jule verstummte. Sie standen zu dritt im Schneetreiben,

der Pole zwischen ihnen, wütend und verwirrt. Jule lief in einem Halbkreis um die massige Gestalt herum, stellte sich demonstrativ neben Jesse. In den Augen des Polen glitzerten Verachtung und Restalkohol. Sein Oberkörper neigte sich leicht vornüber. Jesse war nicht sicher, ob es eine Angriffs- oder Schonhaltung war. Beschwichtigend hob er die Hände und trat mit Jule den Rückzug an.

»Untersteh dich, mir noch mal die Hände zusammenzubinden«, zischte sie, »oder mir zu unterstellen, ich hätte Angst.«

»Okay.« Jesse ließ den Polen nicht aus den Augen. Sein Bauch und seine Hüfte schmerzten bei jedem Schritt. Der Fernfahrer blieb, wo er war, und verlor mit jedem Meter etwas von seiner Größe, dennoch war es unheimlich, wie er da mitten im Schneetreiben stand.

Frierend stapften sie durch das Wäldchen bis zum Wagen. Ohne sich den Schnee von den Füßen zu klopfen, fielen sie in die Sitze. Die Wärme war eine Erlösung. Jesse gab versehentlich zu viel Gas, die Reifen schleuderten frischen Schnee in die Luft, dann griff der Allradantrieb des Cross Country. Als sie den LKW-Parkplatz passierten, erhaschten sie noch einen letzten Blick auf den Polen, der durch die wirbelnden Flocken zum Sattelschlepper wankte.

Jesse hätte gerne die Augen geschlossen und einfach nur für eine Weile in die Stille geatmet. Stattdessen trank er einen Schluck lauwarmen Kaffee und scherte auf die A9 ein. Er hielt die Tachonadel eine Weile bei siebzig. Dennoch kam es ihm viel zu schnell vor.

Neben ihm starrte Jule apathisch in das hypnotische Flirren des Schnees vor der Windschutzscheibe.

»Alles okay?«, fragte er.

»Mhm«, brummte Jule.

Was er wirklich fragen wollte, fragte er nicht. Er war froh, dass sie neben ihm saß und nicht über das Handy eines polnischen Fernfahrers die Polizei einschaltete. Dennoch verstand er es nicht ganz.

»Ich muss auf Toilette«, sagte sie irgendwann leise.

Unter anderen Umständen hätte er gelacht. Jetzt nickte er nur und dachte: Und ich muss nach der Wunde sehen.

Kapitel 16

Nach der Sache mit der Uniform hatte er eine ganze Weile überlegt. Etwa acht Wochen lang. Er fragte sich, ob er verrückt geworden war. Übergeschnappt. Aber er bekam die Frau nicht mehr aus dem Kopf. Und seinen Plan.

Er beschloss, es zu versuchen.

Am nächsten Freitag stellte er sich krank, um nicht in die Schule zu müssen. Vater hatte es ohnehin noch nie interessiert, ob er dorthin ging. Die Hauptsache war, dass er rechtzeitig von dort wieder zurückkam, um die Wohnung sauber zu halten.

Gegen eins, als Vater auf der Toilette verschwand, nahm er die Uniform vom Bügel und zog sie erneut an. Diesmal auch die Hose. Erst gegen zwei kam Vater wieder heraus – und starrte ihn an, als wüsste er nicht, wer von ihnen beiden gerade den Verstand verlor.

»Zieh sie aus«, zischte Vater undeutlich.

Fügsam zog er die Uniform aus, stand nackt da bis auf die Unterhose.

Die viel zu lange Uniformhose war vollkommen zerknittert.

Die Adern an Vaters Hals und Schläfe traten deutlich hervor, dann rammte er ihm die Faust in den Magen.

Keuchend ging er in die Knie, krümmte sich.

»Zieh deine Sachen wieder an. Und stell dich da rüber.«

›Da rüber‹ hieß in die Ecke.

»Gerade. Streck die Arme aus.«

Gerade ging kaum, wegen der Schmerzen im Magen, und auch seine Arme bebten, kamen kaum hoch, wie lahme Flügel.

Ein weiterer Schlag in die Nieren machte es noch schwerer. Er wünschte, sein Vater wäre dumm genug, ihn ins Gesicht zu schlagen. Dann hätte es jeder sehen können, und der Schmerz wäre nicht so tief gewesen.

»Bleib ja so stehen.«

Klar. Tat er, soweit es eben ging.

Hinter sich hörte er ein wohlvertrautes Klappern. Vater stellte das Bügelbrett auf und steckte das Eisen ein. Während er die Hose bügelte, schoss er Kommandos ab, sobald die Arme nach unten gingen. Bis weder Kommandos noch Drohungen halfen. Nichts half mehr. Die Arme blieben nicht oben. Alle Muskeln brannten, und Tränen liefen ihm übers Gesicht. Wo blieb die Frau? Irgendwann musste sie doch kommen! Er hatte sich extra für den Freitag entschieden. Freitag, Samstag und Sonntag waren die Frauentage. Egal, wie viel Vater soff, da blieb er eisern. Und am Freitag hatte er den größten Druck.

Hatte er einen Fehler gemacht? Würde überhaupt jemand kommen?

»Weißt du, was ich mit dir mache?«

Er schüttelte den Kopf, die Lippen nass und salzig und fest aufeinandergepresst. Vater drehte ihn um, stieß ihn an die Wand und trat ganz nah an ihn heran. Mit der Linken zog er ihm das Hemd aus der Hose, bis hoch zum Hals. Seine Hand nagelte ihn an den Putz. In der Rechten hielt Vater das Bügeleisen, die heiße glatte Metallfläche auf seine nackte Brust gerichtet.

»Du willst nicht lernen, oder? Deinen Bruder, das sag ich dir, den hätte ich nicht so zwingen müssen. Aber du, du treibst es auf die Spitze.«

Vaters Atem stank nach Alkohol und Dosenravioli. Das Bügeleisen zitterte, nur Zentimeter von seiner Brust entfernt. Wann um Gottes willen klingelte es denn endlich? Warum kam denn niemand?

»Komm schon. Ein Countdown!« In Vaters Stimme schwang

Erregung mit. »Wie wär das? Du zählst. Ich mache. Fang bei zwölf an.«

Das hier hatte ganz sicher nicht zu seinem Plan gehört. Er wollte nicht zählen, aber was blieb ihm übrig? Das Bügeleisen rückte zitternd näher.

»Zehn.«

Seine Stimme zitterte ebenfalls.

»Neun.«

Bei ›acht‹ nässte er sich ein. Diesmal hatte er absichtlich so viel Wasser getrunken, dass im Nu die ganze Hose schwer wurde. Wieder und wieder flehte er die Klingel an.

»Sieben.«

Er machte eine lange Pause. Zu lange.

»Weiter!«, flüsterte Vater heiser. »Dein Bruder und ich, wir warten.«

»Sechs.« Wie gerne hätte er seinem Bruder das Eisen ins Gesicht gedrückt.

»Ich hör nichts.«

»Fünf.«

Er verlor die Hoffnung, wand sich. Vaters stählerne Hand hielt ihn fest.

»Vier«, krächzte er.

Seine Brust brannte wie Feuer, als würde die Haut Blasen werfen. Er biss sich auf die Zunge, schmeckte Metall, verwünschte sich und seine Dummheit.

»Weiter!«

Er deutete ein Kopfschütteln an. Wollte brüllen vor Schmerzen.

»Drei«, zählte Vater. »Zwei.«

Es klingelte an der Tür.

Vaters Hand fror ein. Er ließ das Eisen sinken. Es roch nach verbrannter Haut. »Du drehst dich zur Wand und bleibst, wo du bist. Klar?«

Damit ließ er ihn stehen und ging zur Tür.

Diesmal hörte er kein Lachen, als sein Vater öffnete.

»Extra-üppig, hä?«, grunzte Vater. Schritte kamen näher. »Dann mal runter mit dem Fummel. Oben rum sieht's ja ganz vielversprechend aus. Bist du rasiert?«

Er warf einen vorsichtigen Blick über die Schulter.

Die Frau, die den Raum betrat, hatte schmale Lippen, eine rundliche Figur und Brüste, die im Sitzen mit Sicherheit auf ihrem großen Bauch aufliegen würden.

»Kümmere dich nicht um den. Der bleibt da stehen. Hat Mist gebaut.«

Ihr Blick wanderte über seine Arme, die er wieder demonstrativ gehoben hatte, so schwer es ihm auch fiel, und dann an seiner nassen Hose hinab. Die verbrannte Haut auf seiner Brust konnte sie nicht sehen. Den Schmerz in seinem Gesicht schon. Ihre Augen wurden groß und dann schmal. Seine Beine versagten, knickten weg, und er fiel.

Gewonnen, dachte er.

Sein Plan war aufgegangen. Sein Anruf war erfolgreich gewesen. Das Amt war da, in Gestalt von Frau Wisselsmeier. Noch am selben Tag verließ er die Kronaustraße. Und seinen Bruder gleich mit.

Zwei Wochen später stand er Artur Messner gegenüber und schüttelte dessen schlaffe Hand.

Kapitel 17

Artur Messner lag wach. Gespenster, Gespenster und noch
mal Gespenster – als schmirgelten sie an seiner Haut und
legten die Nerven blank. Dachte er nicht an Jesse, dann
machte er sich Sorgen wegen Charly. Verdrängte er Charly,
kreisten seine Gedanken um die Dose im Eisfach. Also
stand er auf. Die einzige Art, dem Gefangensein im eigenen
Bett zu entkommen.

In Wollsocken lief er im Dunkeln zum Kühlschrank.

Tür auf, Licht an.

Er kniff die Augen zusammen, griff ins Getränkefach.
Der Schraubverschluss der Weinflasche knirschte unangenehm, das Gewinde der Flasche zerbröselte. Früher hätte
er die Glaskrümel mit einem Handtuch abgewischt. Jetzt
war es ihm gleich. Wenn etwas im Glas landete, würde er es
mit dem Riesling einfach hinunterspülen. Die Flasche war
ohnehin fast leer.

Er schüttete den Rest in das erstbeste Glas, das ihm in
die Finger kam, und trank einen großen Schluck im kalten
Licht des geöffneten Kühlschranks. Das bisschen Mehr auf
der Stromrechnung würde Richard sicher weniger jucken,
als es ihn selbst damals gejuckt hätte. Manchmal war es Artur schleierhaft, wo Richard all das Geld auftrieb. Im Nachhinein kam er sich vor wie ein Versager. Als wäre all das gar
nicht nötig gewesen, was er sich aufgeladen hatte. Um wie
viel leichter wäre sein Leben gewesen, wenn er die Wissels-

meier nie kennengelernt und er sich nie auf ihren Vorschlag eingelassen hätte. Aber er hatte das Geld gebraucht. Zudem war es ihm geradezu als gute Tat erschienen, das elend komplizierte deutsche Adoptionsrecht etwas zu beugen und die eine oder andere Akte etwas zu schönen. Er konnte sich noch gut an das erste Mal erinnern, Raphael, 1972, kurz vor den Olympischen Spielen in München. Es war ein ebenso guter wie heikler Handel geworden. In aller Heimlichkeit, zwischen alten Freunden sozusagen. Sebi und Renate Kochl waren vermögend, kinderlieb und frustriert gewesen. Nein, nicht frustriert, sondern verzweifelt. Kein Wunder, nach drei Fehlgeburten und der misslungenen Gebärmutteroperation. Renate Kochl hatte einen Nervenzusammenbruch erlitten und war für eine Weile deswegen in einer Klinik gewesen. Ein Stigma, denn das Adoptionsrecht zog stabile Familien vor. So war die Adoption des kleinen Raphael das reinste Wunder für die Kochls gewesen. Und damit einher ging die erste einträgliche Spende für Adlershof, na ja, und für die Wisselsmeier. Noch heute bekam er eine Gänsehaut, wenn er daran dachte, was aus der Geschichte geworden war.

Das Licht aus dem Kühlschrank fing sich im Wein und warf ein goldenes Irrlicht auf die Wand. Er spülte den letzten Schluck hinunter. Um die Gespenster fernzuhalten, würde es mehr brauchen. Doch dafür musste er in die Küche, vielleicht sogar in den Keller. Konnte er da nicht ebenso gut raus in den Schnee und versuchen, die Dose mit ihrem furchteinflößenden Inhalt zu entsorgen? Und auf dem Rückweg durch die Küche würde er nach dem Riesling sehen.

Doch was, wenn ihn unterwegs die Kräfte verließen?

Er spürte ein Kribbeln, wie ein Kind, das kurz davor ist, einen riskanten Plan zu fassen. Auf der Suche nach einem letzten zwingenden Grund sah er zum Eisfach. Die Plastikklappe war schlicht und hellgrau. Unscheinbar. Solange man nicht wusste, was sich dahinter versteckte. Die Aktenmappe darin war von einer schützenden, wuchernden Eisschicht bedeckt. Aber nicht die Dose. Wie lange würde es wohl dauern, bis Philippa oder sonst irgendjemand im vermeintlich rührenden Bemühen um den armen alten Artur die Dose aus dem Gefrierfach nahm und hineinsah?

Er schüttelte den Kopf. Und traf eine Entscheidung.

Parka, warme Hose, Mütze bis in die Stirn. So zog er los. In der rechten Hand einen Plastikbeutel mit der Dose und eine Taschenlampe, in der linken die Stiefel. Auf Socken schlurfte er leise über das alte Parkett durch die Flure. Gott, wie das kribbelte. So lebendig hatte er sich lange nicht mehr gefühlt. Und gleichzeitig so bedrückt. Die Tüte schaukelte knisternd hin und her.

In der Küche zog er die Stiefel an. Beim Blick in die Vorratskammer seufzte er. Riesling. Doch erst war die Dose dran. Er sperrte den Seitenausgang auf und trat vorsichtig in den kleinen Hof hinaus. Es schneite immer noch, wenn auch nur wenig, einzelne Flocken trudelten im gelben Kegel seiner Taschenlampe zu Boden. Rechts lagen die Garage und der Schuppen, geradeaus der Verschlag mit den Müllcontainern. Vielleicht musste er ja gar nicht weit laufen. Irgendwo zwischen den anderen Müllsäcken würde die verschnürte Tüte mit der Dose sicher nicht auffallen. Und mit der nächsten Müllabholung war er das Ding los.

Mit gemischten Gefühlen stapfte er zum Verschlag. Die Tüte wog schwer wie Blei. Zwischen den Brettern konnte er die verzinkten Müllcontainer mit ihren Hauben aus Neuschnee erkennen. Als er den Riegel der Tür zurückschieben wollte, hielt er verblüfft inne. Sakra! Ein Vorhängeschloss. Was waren denn das für neue Sitten? Musste man jetzt schon den Müll wegsperren? Vermutlich lag es mal wieder an den Schülern. Wie immer: Irgendein Hansel hatte Mist gebaut, vielleicht Müll in ein Lehrerbett gekippt oder so etwas in der Art. Insgeheim hoffte er, dass es Richard getroffen hatte. Und schämte sich im selben Moment dafür.

Aber wohin jetzt? Der Weg zum See hinunter war zu steil für seine alten Knochen. Vielleicht in den Keller, in den hinteren, alten Teil? Dann fiel ihm das Torhaus ein. Das kleine englische Cottage bewohnte seit Jahr und Tag der Hausmeister von Adlershof, und natürlich gab es dort ebenfalls eine Mülltonne. Bis nach vorn waren es vielleicht fünfhundert Meter, und Kawczynski, der Hausmeister, hatte einen festen Schlaf, das wusste er noch von früher, als Kawczynski ein kleiner Hosenscheißer gewesen war.

Er stapfte los, die Lampe immer auf den Boden gerichtet. Der Weg war am frühen Abend noch geräumt worden, so dass ihn Schneewälle säumten. Unter den fast zwanzig Zentimetern Neuschnee befand sich eine feste Schicht älteren Schnees.

Artur begann zu schnaufen und zu schwitzen. Kleine Schritte, Stück für Stück, mahnte er sich und ließ den Blick auf den Boden geheftet. Der Schnee knirschte unter seinem Gewicht. Als er nach ein paar Minuten aufsah, erkannte er die Umrisse des Torhauses. Die Natursteine mit den Treppengiebeln hoben sich deutlich gegen den dahinter liegenden weißen Wald ab. Aber was war das? Im Erdgeschoss war eins der Fenster erleuchtet. Erschrocken knipste er seine Taschenlampe aus. Beinah im selben Moment erlosch das Licht im Torhaus. Das Fensterkreuz schien noch im Dunkeln nachzuglühen.

Unschlüssig stand Artur im Schnee.

War das ein Zufall? Oder hatte Kawczynski ihn hier draußen mit seiner Taschenlampe gesehen?

Vielleicht bin ich auch nicht der Einzige, den um diese Uhrzeit Gespenster umtreiben, dachte er. Oder Kawczynski musste einfach nur pinkeln.

Sicherheitshalber ließ er die Taschenlampe nun aus und

stakste ohne Licht weiter. Etwa hundert Meter vor dem Tor bog er vom Hauptweg ab. Er hatte nie verstanden, warum das Torhaus so hieß, wo es doch recht weit weg vom Tor stand. Aber so konnte es gehen, wenn eine exzentrische Britin um 1906 in den bayerischen Alpen ein Herrenhaus errichtete.

Die schmale Stichstraße war weniger trittsicher als der Hauptweg, und die letzten Meter fielen ihm schwer. Das Torhaus lag still und finster vor ihm. Der angebaute Carport wirkte wie ein Fremdkörper an der historischen Fassade. Der Parkplatz war leer. Neben dem Hinterausgang unterhalb des Carportdachs konnte er die Umrisse von drei großen Zweihundertvierzig-Liter-Abfalltonnen erkennen.

Artur wurde langsamer, versuchte ruhiger zu atmen. Die kalte Luft verursachte ihm Hustenreiz, den er nur mühsam unterdrücken konnte.

Dann hörte er ein Motorgeräusch, das den Berg heraufkam. Er fuhr herum, sah einen Lichtschein über der Bergkuppe auftauchen. Das Fahrzeug warf einen gleißenden Kegel durch das Tor auf den Hauptweg. Eilig trat er unter den Carport und drückte sich hinter den Mülltonnen an die Hauswand, als der Wagen einer Biegung folgte und ihn die Scheinwerfer streiften. Ärgerlich blinzelte Artur. Wer um alles in der Welt war um diese Zeit unterwegs?

Der Wagen drosselte das Tempo und bog in Richtung Torhaus ab. Licht fiel auf Arturs Fußstapfen im Neuschnee.

So schnell es ihm möglich war, duckte sich Artur hinter die Mülltonnen. Schon tauchten die Scheinwerfer den Carport in weißes Halogenlicht. Schneeketten klirrten leise. Kurz vor dem Haus hielt der Wagen. Der Motor klang nach einem kraftvollen Diesel. Mit Sicherheit Allrad. Sonst wäre er bei diesem Schnee schwerlich die Serpentinen hinaufgekommen.

Jetzt erstarb das Motorgeräusch. Der Lichtkegel blieb.

Die Fahrertür wurde geöffnet und wieder geschlossen, dann knirschten Schritte im Schnee. Auf dem Boden kam ein langer Schatten heran. »Hallo?«, rief eine Männerstimme.

Artur hielt den Atem an.

»Was machen Sie hier?«

Obwohl es ihm kindisch vorkam, blieb Artur hinter seiner Tonne hocken. Die Knie schmerzten unter der Anspannung, und ein unerträglicher Hustenreiz saß in seiner Kehle.

»Ich hab Sie gesehen. Jetzt kommen Sie schon hinter der Mülltonne hervor.«

Eilig entledigte sich Artur der Plastiktüte mit der Dose im Schatten der Mülltonne. Zögernd erhob er sich. Sein linkes Knie knackte, als würde ein Ast brechen. Das Licht stach ihm in die Augen und umriss die Gestalt des Mannes mit einer kaltweißen Aura. Für einen Moment war es still.

»Hallo, Artur«, sagte der Mann schließlich gedehnt. Er schien überrascht, wenn auch nicht angenehm.

»Wer sind Sie?«, fragte Artur.

»Was hast du da an den Mülltonnen zu schaffen?«

»Ich, äh ... nichts. Ich hatte ...« Artur verstummte. Wünschte sich, dass seine Augen besser wären, jünger, und er mehr erkennen könnte als eine dunkle Gestalt in einem hellen Lichtkranz. Woher kannte er nur diese Stimme? Im ersten Moment hatte sie fast ein wenig wie die von Jesse geklungen. »Kennen wir uns?«, fragte er.

»Wir haben telefoniert, nicht lange her.«

Arturs Magen verknotete sich. Plötzlich klang die Stimme viel weniger nach Jesse. Im Rücken des Mannes erlosch das Scheinwerferlicht. Auf Arturs Netzhaut glommen die Umrisse nach wie ein Trugbild.

Kapitel 18

Jesse lenkte den Volvo durch die letzte Haarnadelkurve am Hang. Er war seit über sechsundzwanzig Stunden wach, und das Lenkrad war mehr Halt als Steuer. Das Koffein wirkte nicht mehr. Was ihn wach hielt, war die quälende Sorge um Isa. Um nicht noch mehr zu ermüden, hatte er in den letzten Stunden ganz auf die Einnahme von Schmerzmitteln verzichtet. Nur fürs Nähen der Wunde bei einem Zwischenstopp hatte er noch einmal Mepivacain nachgeträufelt.

Wenigstens schneite es nicht mehr. Der Himmel wurde bereits hell, doch über den Hang streckten sich noch Schatten. Ein letztes Mal verjüngte sich die Straße, ein schorfiger schwarzer Felsbrocken, wie von einem Riesen geworfen, drückte sich von der Bergseite in die Fahrbahn. Gleich kam die Kuppe. Jesse stieß Jule sanft mit dem Ellenbogen an.

»He. Aufwachen. Wir sind da.«

Jule richtete sich im Sitz auf und streckte die Beine gegen das Bodenblech. Sie hatte Kaffee und Cola verweigert und war schließlich gegen fünf Uhr in einen erschöpften Schlaf gefallen. »Was klirrt denn da so?«

»Schneeketten. An der letzten Tankstelle habe ich noch ein Paar bekommen.«

Sie rieb sich die Augen. »Gott, schon nach acht? Warum hat das so lange gedauert?«

»Bei den Schneemengen, die hier letzte Nacht gefallen sind, kommt der Räumdienst nicht hinterher.«

»Deshalb die Schneeketten.«

Jesse nickte. »Außerdem ist gerade Hochsaison. Alles, was Skier hat, ist auf den Beinen, und die Straßen sind voll von Touristen.«

»Aber hier offenbar nicht, oder?«

»Nein. Hier oben gibt es keine Touristen. Und die nächste Piste ist ein gutes Stück weg.«

Sie fuhren noch ein paar Meter bergan, dann plötzlich öffnete sich der Blick auf das Gebirge. Eine fahle Sonne erhob sich über dem Kamm und tauchte Himmel und Schnee in ein taubes, unterschiedsloses Weiß. Jule hatte sich vorgelehnt und betrachtete durch die Windschutzscheibe die majestätischen weißen Gipfel. »Das ist ... unglaublich ...«

»Klingt, als warst du noch nie in den Bergen.«

»So jedenfalls noch nie.«

Vor ihnen ragte das Tor von Adlershof mit seinen schwarzen Flügeln auf.

»Ein Tor, aber kein Zaun«, murmelte Jule.

Wenn man kein Zuhause hat, rennt man auch nicht weg, dachte Jesse. Er ließ das Torhaus rechts liegen und folgte dem sanft geschwungenen Weg.

»Wow.« Jule ließ sich in den Sitz zurücksinken. »Das sieht ja aus wie ... in den Highlands.«

Etwa dreihundert Meter vor ihnen erhob sich die wuchtige Natursteinfassade von Adlershof, das Mittelhaus sowie links und rechts die Flügelhäuser mit den Treppengiebeln und den wuchtigen Schornsteinen im Stil eines englischen Country-House. Die schneebedeckten Dächer verschmolzen mit der Winterlandschaft.

»Und *das* hier war euer Zuhause?«

Jesse schwieg. Der Anblick versetzte ihn schlagartig um Jahrzehnte zurück, als hätte all das hier unberührt im Frost überdauert. Seine Müdigkeit wich einer jähen inneren Anspannung. Nicht nur wegen Isa, auch weil er sich hier immer so gefühlt hatte: angespannt. Als hätte das alles nie zu ihm gepasst; und dennoch hatte er hier seine Jugend verbracht. Vielleicht würde er besser über Adlershof denken, wenn er sich an die Zeit davor, mit seinem Vater, hätte erinnern können. Wie absurd es war, dass er sich wünschte, Erinnerungen an etwas Scheußliches zu haben, nur um *das* hier wenigstens ein Stück weit als Heimat betrachten zu dürfen.

Etwa zweihundert Meter vor dem mächtigen Haupthaus bog er nach rechts in einen schmalen Weg ein, der zwischen weißen Tannen hindurch zu einem größeren, zwischen Bäumen versteckten Parkplatz führte. Das Knirschen des Neuschnees unter den Rädern verstummte, als er den Cross Country abstellte. Die plötzliche Stille ließ dem befremdlichen, bohrenden Gefühl in ihm freien Lauf.

»Was willst du jetzt tun?«

»Markus ein paar Fragen stellen.«

»Was macht Markus überhaupt hier? Warum lebt er noch hier?«

»Er ist Hausmeister.«

»Hausmeister? In dem Heim, in dem er aufgewachsen ist? Das ist ...«

»Was? Seltsam?«

»Vielleicht auch nicht.« Sie schwieg einen Moment. »Mein Vater ist Zahnarzt. In Blankenese. Meine Schwester arbeitet jetzt in seiner Praxis. Als Zahnarzthelferin.«

Er sah sie verblüfft an.

Jule zuckte mit den Schultern.

»Vielleicht bleibst du besser im Wagen«, murmelte Jesse.

»Den Teufel werde ich tun. Ich muss hier raus.«

Er musterte sie. »Wo ist die junge Frau, die immer so nett lächelt?«

»Die sitzt gefesselt auf einer Autobahnraststätte bei Jena.«

Jesse zog eine Grimasse. »Ich weiß einfach nicht, wie Markus reagieren wird.«

»Da drinnen sind Leute.« Sie zeigte zum Gebäude hinüber. »Er wird sich schon zusammenreißen.«

»Er wohnt nicht im Haupthaus.«

»Wo denn dann?«

»Im Torhaus. Das ist das kleine Cottage, vorn, in der Nähe vom Tor. Wir sind eben daran vorbeigefahren.«

Jules Blick ging zum Seitenfenster, doch die schneebedeckten Tannen versperrten ihr die Sicht.

»Ich gehe jetzt rüber.« Jesse steckte den Schlüssel ein, stieg aus und zog seine Jacke über. Sein Atem dampfte in der morgendlichen Kälte. »Wenn ich in einer halben Stunde nicht wieder da bin, geh ins Haupthaus.«

Im nächsten Moment hatte er die Tür zugeschlagen und stapfte durch den jungfräulichen Schnee. Die Tannen bogen sich regelrecht unter der Schneelast, und der schmale Weg lag in ihrem Schatten. Als Jesse aus dem Waldstück heraustrat, musste er die Augen zusammenkneifen. Mit strammen Schritten bog er nach links ab, in Richtung Torhaus. Auf dem Weg erkannte er deutlich ein einzelnes Paar Fußspuren, die vom Haupthaus hinter ihm kamen und dann nach rechts, die schmale Straße entlang bis zum Torhaus führten. Daneben hatten sich frische Reifenspuren in den Schnee gegraben.

Das Torhaus wirkte verlassen. Irgendetwas an dem alten Gebäude hatte sich verändert, aber Jesse konnte nicht sagen, was. Mit jedem Schritt, den er näher kam, schlug sein Herz schneller. Vielleicht hatte Markus ihn schon längst gesehen. Ob er ihm überhaupt öffnen würde?

Die Fußstapfen führten bis unter den Carport. Hier, direkt vorm Haus, gab es mehrere Spuren. Der Wagen hatte offenbar vor dem Carport gewendet und war zum Hauptweg zurückgekehrt. Aus den Fußabdrücken wurde er nicht schlau. Als Jesses Blick auf die Haustür fiel, stutzte er. Die verwitterte Eichenholztür war sorgfältig mit zwei breiten, gekreuzten Latten vernagelt. Ungläubig starrte er auf das hölzerne X. Die Messingklingel neben der Tür war angelaufen und wirkte, als sei sie außer Betrieb. Er drückte sie dennoch. Alles, was er zu hören bekam, war das leise Knacken, als das Eis um den festgefrorenen Knopf nachgab.

Er trat ans Fenster, bis seine Nasenspitze das Glas berührte, und schirmte das Sichtfeld mit seinen Händen ab. Verblüfft stellte er fest, dass die Fenster von innen vernagelt waren.

Das Torhaus war anscheinend unbewohnt.

Hinter ihm knirschte Schnee, und er fuhr herum.

Jule sah besorgt aus. Und verlegen. Sie strich sich mit der Rechten die blonden Haare hinters Ohr und dann etwas Schnee von den Schultern. »Und jetzt?«

»Warum bist du nicht beim Wagen?«

»Ich habe dich von dahinten beobachtet.« Sie deutete in Richtung der Bäume. Offenbar hatte sie vom Parkplatz aus eine Abkürzung genommen.

Hinter ihr erklang das Geräusch eines hochtourigen Dieselmotors. Ein forstgrüner Toyota Land Cruiser kam vom Haupthaus heran. Durch die Schneewälle am Wegesrand sah es aus, als hätte er keine Räder. Als der Geländewagen auf ihrer Höhe war, blieb er stehen, in etwa zwanzig Metern Entfernung, und die Seitenscheibe glitt herunter. Rauch stieg aus dem Auspuff gen Himmel. »Kann ich Ihnen helfen?«, schallte es herüber. Jesse erkannte die Stimme sofort. Artur, nur in jung.

»Hallo? Das ist Privatgelände hier.«

»Hallo, Richard«, rief Jesse. »Ich bin's. Jesse.«

Richard Messner beugte sich über den Beifahrersitz zum offenen Fenster, um besser sehen zu können. Der Diesel gurgelte leise. »Hol's der Teufel, das glaub ich jetzt nicht!«

Kapitel 19

Artur schlug die Augen auf. Doch es hatte nicht den gewohnten Effekt. Alles war irgendwie klebrig, und ihm war schwindelig. Wie nach einer Narkose. Gut, dass er auf dem Rücken lag, auf einer weichen Unterlage. Über ihm, im Halbdunkel, schwebte ein alter schwerer Firstbalken, und darüber spannte sich ein Spitzdach. Wo um Himmels willen war er? Und was war mit ihm passiert? Seine letzte Erinnerung war, dass er das Haupthaus verlassen hatte und die Straße entlanggelaufen war. Dann fiel ihm das Paket ein. Natürlich! Wilberts Hand. Er hatte versucht, sie loszuwerden.

»Geht es Ihnen gut?« Die Stimme war dünn, leise und hoch. Ohne Zweifel ein Kind.

Artur blinzelte verwirrt, wollte antworten, bekam jedoch nichts als ein Brummen heraus. Seine Kehle kam ihm vor wie ein Reibeisen. Er versuchte, sich aufzustützen, doch seine Arme versanken in der Matratze. Kein Halt, keine Kraft. »Hallo?«, krächzte er.

Niemand antwortete.

Hatte er sich die Kinderstimme nur eingebildet?

Er winkelte die Beine an, so dass seine dürren Knie spitz in die Höhe ragten, nutzte die Beine, um Schwung zu holen, und rollte sich auf die rechte Seite. Der Matratzenrand bildete eine unscharfe Linie vor seinem Auge, dahinter waren Holzdielen. Offenbar lag die Matratze direkt auf dem Fußboden. Er machte die Umrisse eines stabilen Tisches aus, ein paar Meter entfernt stützte ein kantiger Pfosten den

Dachfirst. An ihn gelehnt saß ein kleines Mädchen mit an die Brust gezogenen Knien. Sie trug eine dunkelblaue Winterstrumpfhose, Kinderboots, einen halblangen Rock mit auffällig großen rot-blauen Schottenkaros und eine zu große Marinejacke. Ihre blonden, schulterlangen Haare waren ungekämmt und zerrauft, die Augen blau, ängstlich und zugleich mit einer Spur von Trotz. Ihre linke Gesichtshälfte sah aus, als wäre sie geschlagen worden.

»Wo ... wo bin ich?«, fragte Artur.

Die Kleine sagte nichts. Guckte nur. Wie alt sie wohl war? Acht? Vielleicht neun? Artur kämpfte gegen die aufkommende Übelkeit an. Verdammt, wenn er sich nur aufsetzen könnte.

»Ist dir schlecht?«, fragte das Mädchen. Es klang, als würde sie sich mit einem Ja weniger allein fühlen.

Artur nickte und kramte in seiner Erinnerung. Das Mädchen kam ihm bekannt vor. Aber woher? Etwa aus dem Heim? Verdammte Axt, sein Gedächtnis! Die meisten Kinder kannte er doch ohnehin nicht mehr; er verließ ja kaum sein Zimmer. »Wie heißt du?«

»Isabelle«, sagte die Kleine und schniefte leise. »Und du?«

»Artur.«

Sie schwieg einen Moment. »Bist du krank?«

»Nein. Nur alt. Oder – ja«, verbesserte er sich und versuchte erneut, sich aufzurichten. »Vielleicht auch etwas krank.«

Isabelle stand auf und näherte sich schüchtern. »Mein Papa ist Arzt.«

Artur kniff die Lippen zusammen, nickte und konzentrierte sich darauf, die Beine über den Matratzenrand zu schieben, um aufstehen zu können. Isabelle sah seinen Bemühungen unschlüssig zu. Es schien, als hätte sie Angst, er könnte ihr etwas tun. Dabei war er noch nicht einmal in der Lage, sich hinzusetzen. Artur kam sich erbärmlich vor.

Mit einem Mal traf sie eine Entscheidung, griff nach Arturs Beinen und zog sie über die Matratze hinaus, dann packte sie, so fest sie konnte, seinen linken Arm. Er spürte ihre warmen Hände durch den Pullover, spürte, wie sie mit ihrem ganzen Gewicht an ihm zog, und stemmte seinen anderen Arm in die Matratze. Stöhnend richtete er sich auf. Kaum saß er, ließ sie ihn los, als hätte er eine ansteckende Krankheit.

»Danke«, ächzte er.

Jetzt, da er saß, war er gar nicht mehr sicher, ob das Aufrichten wirklich eine gute Idee gewesen war. Sein Kreislauf kam nur schleppend in Schwung. Er schloss einen Moment die Augen. Öffnete sie wieder. »Isabelle«, murmelte er. »Wo sind wir hier?«

»Ich weiß nicht«, flüsterte das Mädchen. »Er hat dich auch hergebracht. Wie mich.«

»Er?«

»Der Insektenmann.«

Artur runzelte die Stirn. Vor seinem inneren Auge erschienen ein paar grellleuchtende Scheinwerfer, eine Silhouette, Atemwolken. »Insektenmann«, murmelte er. »Warum Insektenmann?«

»Wegen dem Ding, das er aufhat. So eine Maske.« Sie malte Kreise um ihre Augen. »Mit Glasscheiben für die Augen und so einem Rüssel-Filter-Ding.«

Artur schluckte. Wo um Himmels willen war er hier nur hineingeraten? »Ein Rüssel?« Er versuchte, sich das Ding vorzustellen. »Weißt du denn, wer dieser Insektenmann ist?«

Sie schüttelte vehement den Kopf.

»Wie ... wie hat er dich denn hierhergebracht?«

»Ich hab zu Hause im Bett gelegen und Musik gehört. Er ist plötzlich reingekommen. Ich hab geschrien, und dann weiß ich nichts mehr. Dann bin ich aufgewacht, in einem

Auto. Hinten drin, mit einer Mütze über dem Kopf. Papa hat angerufen, aber der Insektenmann hat's sofort gemerkt und hat mir das Telefon weggenommen.«

O Gott, auch das noch. Eine Entführung. Hätte Artur nicht gesessen, sein Kreislauf hätte ihn spätestens jetzt im Stich gelassen.

»Hast du nicht gesagt, dein Vater wäre Arzt?«

Sie nickte. »In Berlin. Papa ist Kinderarzt.«

»Kinder …?« Ihm versagte die Stimme. *Isabelle. Berlin.* Alles passte. »Wie heißt denn dein Vater?«

»Jesse. Warum?«

Artur wurde es kalt ums Herz. Nichts anmerken lassen, dachte er. Doch in seinem Kopf rasten die Gedanken umher. Das Paket mit der Hand. Dann der Anruf von dem Mann, der Jesses Adresse gewollt hatte. Und jetzt war er selbst verschleppt worden, von ebendiesem Mann, und saß hier mit Jesses entführter Tochter.

»Hast du ein Telefon?«, fragte Isabelle.

Artur schrak aus seinen Gedanken auf. »Hm?«

»Ob du ein Telefon hast.«

Er schüttelte den Kopf.

Isabelle lächelte tapfer. Dann schniefte sie erneut. »Ich musste Papa sagen, dass er nicht die Polizei rufen darf. Aber ich hab's nicht Mama gesagt. Mama musste ich es nicht sagen.« In ihren Augen glomm Hoffnung. »Bestimmt ruft Mama die Polizei.«

»Bestimmt«, sagte Artur, bemüht, so viel Zuversicht wie möglich in seine Stimme zu legen. »Und bis sie hier ist, bleibe ich bei dir.«

Kapitel 20

»Wie lang ist das her?«, fragte Richard.

»Das letzte Mal? Fünfzehn Jahre etwa. Ich habe Artur besucht. Da hattest du ihn noch nicht beerbt«, sagte Jesse. Sein Blick glitt über den teuren Geländewagen. Er war durch den Schnee zu Richard gestapft und sprach durch das heruntergelassene Beifahrerfenster mit ihm.

»Ich seh schon, bist auf dem Laufenden über den Daddl.«

»Schon«, sagte Jesse. Auch wenn Artur ihm nur wenig erzählt hatte – es war gut, Richard in dem Glauben zu lassen.

Richard musterte ihn, wie man jemanden mustert, an dessen Alter man sich erst gewöhnen muss, weil man ihn als so viel jünger in Erinnerung hat. Jesse ging es nicht anders. Richards hoher Haaransatz, das beginnende Doppelkinn und – wie schon damals – die rotrasierten Wangen. Über das Revers seines jagdgrünen Lodenmantels ragten zwei weiße Hemdspitzen mit aufgesticktem Edelweiß hinaus. Früher hatte Richard sich für die konservativen Seiten seines Vaters geschämt.

»Was machst du hier?«, fragte Richard.

»Ich hatte Heimweh.«

»Heimweh? Du?«

»Bin doch nicht der Erste, oder?«

»Nee«, lachte Richard freudlos. »Aber die anderen sind die anderen. Von denen hatte keiner deinen Grips. Bis auf Markus vielleicht.«

»Apropos Markus. Wohnt er nicht mehr im Torhaus?«

»Markus? Im Torhaus?« Richards Tonfall klang plötzlich, als witterte er Schwierigkeiten. Die hatte es schließlich immer gegeben, wenn Jesse und Markus aufeinandergetroffen waren. »Der ist ausgezogen.«

»Er ist weg von hier?«

»Na. Nicht weg. Er ist umgezogen, in den Nordflügel.«

»Ah.« Jesse taxierte das Haupthaus am Ende der Straße. Die Umrisse zeichneten sich scharf im Gegenlicht ab. »Ist er da?«

Statt zu antworten, deutete Richard mit dem Kinn an Jesse vorbei. »Wer ist das?« Hinter Jesse knirschten Jules Schritte im Schnee.

»Eine Freundin.«

»Mhm.« Richards Missbilligung war offensichtlich. Er trug seine Moral immer noch vor sich her wie einen Bauchladen mit doppeltem Boden. »Wie geht's deiner Frau?«, fragte er scheinheilig.

Jesse schwieg, kämpfte mit dem Bild, das in seinem Kopf aufflammte. Richard schien das Schweigen auf seine Weise zu interpretieren.

»Ist Markus denn da?«

»Er kommt heut Abend zurück. Hat sich ein paar Tage freigenommen.«

»Freigenommen.«

»Jaaa«, sagte Richard gedehnt. »Dein Heimweh scheint mir recht personenbezogen zu sein.«

Jesse spürte Jules Hand in seinem Rücken. Ein sanfter Druck. Warnend. Beruhigend.

»Was ist eigentlich mit dem Torhaus?«

»Wird saniert«, erwiderte Richard zugeknöpft.

»Und Artur?«

»Das fragst du den alten Grantler schon besser selbst.«

»Tue ich. Ich wollte nur wissen, ob er da ist.«

Richard zögerte. Die Frage schien ihm noch weniger zu gefallen als die nach Markus. »Philippa sucht ihn gerade«, gab er schließlich zu. »Sie wollte ihm das Frühstück bringen, aber er war nicht da.« Richard lachte. »Aber wo soll er schon hin, oder?«

Jesse nickte, obwohl es ihm geschmacklos vorkam. Richards abschätziger Blick ruhte auf ihm. »Du schaust mitgenommen aus. Geht's gut?«

Jesse hätte kaum aufzählen können, was alles nicht gutging. Die Wunde verlangte nach Schmerzmitteln und sein Körper nach einer Pause. Von allem anderen ganz zu schweigen. »Hast du irgendein Zimmer frei?«

Richards Blick strich über Jule. »*Ein* Zimmer?«

»Eins reicht.« Trotz Jules Umschwung auf dem Parkplatz bei der Tankstelle war er sich immer noch nicht ganz sicher, wie sie zu ihm stand. Besser, sie blieb in seiner Nähe.

Richard hob theatralisch die Brauen. Wortlos gab er eine Telefonnummer am Touchscreen seines Wagens ein. Nach dem zweiten Freizeichen meldete sich eine leicht gereizte Frauenstimme: »Ich hab ihn nicht gefunden bisher.«

»Schon gut, Philippa. Er wird schon wieder auftauchen. Deswegen rufe ich nicht an. Hier ist gerade ein alter Freund angekommen, Jesse Berg, mit Begleitung. Schließ ihm doch bitte Kristinas altes Zimmer auf.«

»Kristina? Kenne ich nicht«, drang es aus dem Lautsprecher.

»Ach, richtig. Das war vor deiner Zeit«, brummte Richard. »Ostflügel. Dritter Stock am Ende des Ganges, letzte Tür links.«

»Das Eckzimmer mit dem scheußlichen Bett?«

»Das Bett ist antik.«

»Ich find's scheußlich. Und die Matratze riecht.«

Richard verzog den Mund. »Mach einfach, worum ich dich bitte«, erwiderte er kühl.

»Schön. Vielleicht find ich ja die Charly unterm Bett, die saublöde Gör.«

In Richards Gesicht traten die Wangenknochen hervor. Rasch beendete er die Verbindung. »Ich muss los«, wandte er sich an Jesse. »Du kennst den Weg ja. Habt ihr Gepäck?«

»Im Wagen«, log Jesse.

»Also dann, pfiat di.« Richard hob die Hand zum Gruß, und Jesse fiel auf, dass er weder an der einen noch an der anderen einen Ring trug. Also nach wie vor keine Frau. Sein Umgang mit Philippa ließ auf eine Angestellte schließen.

Surrend glitt die Scheibe nach oben, und der Toyota fuhr an. Jesse fing einen kühlen Blick von Jule auf. Vermutlich wegen ›ein Zimmer‹, ›scheußliches Bett‹ und ›riechende Matratze‹.

»Du kommst jetzt aber nicht auf die Idee, mich einzusperren, oder?«

»Nicht nach der Sache mit dem Polen.« Jesse verbarg seine verbliebenen Zweifel hinter einem angestrengten Lächeln. »Ich muss noch mal zum Auto. Ich brauche meine Arzttasche.«

Gemeinsam stapften sie zurück zum Parkplatz und von dort in Richtung Hauptgebäude. Bald fing sie der lange Schatten von Adlershof ein. Jule sah mit Unbehagen an der imposanten Steinfassade empor. Das Mittelhaus hatte drei Stockwerke und ein Dachgeschoss mit einer Reihe von Gauben. Links und rechts ragten die Treppengiebel der angrenzenden Gebäudeflügel in die Höhe, zwei gezackte, überdimensionale Pfeilspitzen. Zu beiden Seiten gab es etwas kleinere Anbauten jüngeren Datums.

»Wer baut denn so etwas mitten in Bayern?«, fragte Jule.

»Zwei englische Architekten im Auftrag einer Britin, Victoria Aubree Thurgood.«

»Deshalb der Country-House-Look.«

»Die Leute im Umland haben es immer das ›Englische

Schloss‹ genannt. Victoria Thurgood wollte es als Treffpunkt für Künstler nutzen, aber kurz vor der Fertigstellung brach der Erste Weltkrieg aus. Es wird behauptet, sie hätte das Haus nie selbst gesehen. Im Zweiten Weltkrieg hat es den Nazis als Heimstätte für die Hitlerjugend gedient, später dann den Alliierten.«

Ihre Schritte knirschten synchron im Schnee. Das große Wappen in der Mitte der Gebäudefront war verwittert, die Farben waren verblasst. Der Rest dagegen, das Mauerwerk, die weißen Sprossenfenster und die rotweiß lackierten Fensterläden, sahen aus, als hätte erst kürzlich eine Sanierung stattgefunden.

»Und wem gehört es heute? Etwa diesem Richard?«

»Richard ist Arturs Sohn. Aber soweit ich weiß, gehört Adlershof einer Stiftung, die Artur damals gegründet hat. Ich kenne mich damit nicht aus. Es hat mich ehrlich gesagt auch nie interessiert. Aber ohne fremde Hilfe hätte Artur Adlershof damals nie erhalten können.«

Sie traten durch einen steinernen Bogen, der den großen Balkon über dem Eingang trug. Die zweiflüglige Holztür mit dem vertrauten Fischgrätmuster war weiß überlackiert worden. Es tat ihm in der Seele weh, als hätte sich jemand an seinen Erinnerungen vergriffen. Aber vielleicht rührte seine Empfindlichkeit daher, dass er einfach zu wenige Erinnerungen hatte.

Die Tür schwang gut geölt auf. Im Treppenhaus hallten bereits Schritte auf den Holzstufen. Philippa kam ihnen entgegen und musterte sie von oben bis unten. »Sind Sie dieser Jesse Berg?«

»Ja.«

»Etwa *der* Jesse?«

»Wenn Sie es sagen.«

»Glauben Sie bloß nicht, Sie wären willkommen.«

Kapitel 21

1979, Garmisch-Partenkirchen

Artur Messner hatte nicht viel Zeit gehabt, ihn willkommen zu heißen. Oder er wollte sie nicht aufwenden. Auf ihrem gemeinsamen Weg durch das Heim redete Messner, als gelte es die kurze Zeit mit Informationen vollzupacken. Von Messners Sätzen blieben allenfalls Stichworte hängen: Heim, Internat unten, Unterrichtsräume im Ostflügel, Westflügel gesperrt, Zimmer teilen mit vier anderen, zehn Regeln, Geben und Nehmen ...

Während er neben dem Heimleiter herlief, konnte er kaum zuhören. Alles gleichzeitig aufzunehmen war einfach zu viel verlangt; er hatte nur Augen für das überwältigende Gebäude. Es wirkte mächtig, geradezu ehrwürdig, wie eins dieser Gemäuer aus einer alten englischen Geschichte. Das Gespenst von Canterville. Oder Nessie. War das nicht in Schottland – Loch Ness? Gab es da überhaupt ein Schloss? Für einen kurzen furchtsamen Moment fragte er sich, ob er überhaupt einen Platz hatte in einer solchen Geschichte, in einem solchen Haus. Er fühlte sich irgendwie schmutzig, als sei etwas faul an ihm, verdorben.

Doch je länger er das Haus betrachtete, das abgegriffene Geländer, die ramponierten Wände, die Kerben und losen Hölzer im Fischgrätparkett, desto mehr konnte er es sich vorstellen. Dieses Haus war wie er. Beschädigt.

Sie stiegen ein um die andere Treppe nach oben, bis zu einem Flur unter dem Dach. Auf der einen Seite der Treppe lag der Jungstrakt, auf der anderen Seite waren die Mäd-

chen untergebracht. Messner wies ihm das Zimmer gegenüber dem Waschraum zu. Fünf aufgereihte Betten, eine lange Dachschräge mit Gaubenfenster, Holzdielen, die mit einer Farbe lackiert waren, die aussah wie getrocknetes Blut, und an der Wand eine Streifentapete in Grün, Weiß und Braun, die an den Kanten unsauber geschnitten war und sich wellte.

Er stellte seinen Koffer ab und fühlte sich beinahe wohl. Das hier also war sein neues Zuhause. Sein neues Leben.

Messner machte Anstalten, ihn allein zu lassen, wandte sich jedoch noch einmal um. »Was dein Vater mit dir gemacht hat ... das war ...«

»Ich weiß«, sagte er hastig. Das Gefühl, eins zu sein mit seinem neuen Zuhause, wich schlagartig. Da war er wieder, der Schmutz. Gott, warum musste Messner ihn ausgerechnet jetzt daran erinnern!

Messner blieb im Türrahmen stehen und suchte die richtigen Worte, obwohl es – verdammt noch mal – dafür keine Worte gab. »Hier wird er dir nichts mehr anhaben können.« Sein Tonfall verriet, dass er glaubte, das wäre sein Verdienst. »Man wird ihn bestrafen.«

Als wäre das tröstlich! Dennoch nickte er.

»Vielleicht hilft dir das, dachte ich«, ergänzte Messner und schien eine Reaktion zu erwarten. Aber welche denn zum Teufel? Erleichterung? Tränen? Vielleicht Wut oder sogar Hass? Dieser Mann verstand gar nichts. Er hasste Vater ja gar nicht. Er hasste nur, was aus ihm geworden war. Und er hasste denjenigen, der Vater zu dem gemacht hatte. Den, der Vaters Leben gestohlen hatte. Wilbert. Er war schuld. Ihn hätte man bestrafen müssen. Und irgendwann, das hatte er sich geschworen, jedes einzelne Mal, wenn Vater ihm von Kiel erzählt hatte, würde er ihn finden und bestrafen.

»Alles in Ordnung?«

Er schluckte. Nickte trotz seines Zorns.

»Wenn du noch Fragen hast, frag einfach deine Zimmer-kameraden. Die kennen sich aus.«

Nicken.

»Dann lass ich dich jetzt allein.«

Wieder Nicken. Dann Messners Schritte auf der Treppe. Endlich allein.

Die Luft war stickig hier oben. Fünf leere Betten, aus deren Bettzeug der Geruch der anderen Jungs aufstieg und sich unter der Dachschräge fing. Im Gegensatz zur Kronaustraße schien ihm der leichte Mief geradezu angenehm. Er öffnete das Gaubenfenster und setzte sich auf das Bett, das unter dem Fenster stand. Es knarrte einladend. Kissen und Decken waren ordentlich zurechtgezogen bei allen fünf Betten, so dass er nicht wusste, welches noch frei war. Wenn überhaupt eins frei war. Hatte Messner auf dem Weg durchs Haus nicht irgendetwas dazu gesagt? Er wusste es nicht mehr. Vielleicht sollte er hier ja auch auf dem Boden schlafen und bekam nur eine Matratze, wie in der Kronaustraße. Er hatte nichts gegen Matratzen. Aber das knarrende Bett am Fenster gefiel ihm besser. Er sah durch die klar geputzte Scheibe in dem verzogenen Holzrahmen. Keine Rollläden wie in der Kronaustraße. Keine Gardinen. Vielleicht würde er nachts den Mond sehen können. Und nie, nie wieder würde ihn jemand mit seinem Bruder vergleichen.

»Runter da.«

Er fuhr zusammen. In der Tür stand ein Junge, etwa so alt wie er selbst, mit einem langgezogenen Gesicht, glatten dunklen Haaren und schmalen braunen Augen. Angeberisch stemmte er den linken Arm gegen den Türpfosten. »Runter, hab ich gesagt!«, wiederholte der Junge. Die Stimme klang ungewohnt heiser für sein Alter.

Er gehorchte, erhob sich jedoch langsam; er wollte ja nicht den Anschein erwecken, er hätte Schiss. »Ist das dein Bett?«

»Mein Bett. Mein Zimmer. Was machst du hier?«

»Ich bin der Neue.«

»Neu?« Der Schmalgesichtige bekam noch schmalere Augen und zog kurz die Nase hoch, als würde es ihm beim Denken helfen. »In unserem Zimmer?«

»Sieht so aus, oder?«

Hinter dem Schmalgesichtigen tauchten drei weitere Jungen auf. Der kleinste steckte den Kopf unter dem Arm des ersten hindurch, der immer noch in der Tür lehnte. »Wer ist'n das, Alois?«, fragte er.

»Halt dich raus, Mattheo«, wies Alois ihn zurecht. »Weißt du was davon, Markus?«

Markus, ein Junge mit fast quadratischem Schädel und dichten schwarzen Haaren, schüttelte den Kopf. »Kein Wort.« Er musterte den neuen Mitbewohner eingehend, jedoch ohne den Argwohn der anderen im Blick. »Wie heißt du?«

»Jesse.«

»Ich bin Markus«, sagte der Quadratschädel. »Der Kleine ist Mattheo, und –«

»Was soll denn das werden? Eine Vorstellungsrunde?«, mischte sich Alois ein.

»Wenn er sich zurechtfinden soll, muss er schon unsere Namen wissen.«

»Damit er weiß, wer hier den Ton angibt … Ich bin Wolle«, stellte sich der vierte und letzte der Jungen vor. Er hatte Locken bis zum Hals, einen seltsam geraden Mund und darüber Augen und Augenbrauen, die ein Spitzdach zu bilden schienen, so schräg standen sie. Er wirkte ebenso abweisend wie Alois und Mattheo.

»Hallo«, nickte Jesse bemüht. Ihm war nicht wohl in seiner Haut. »Welches Bett kann ich denn nehmen?«

»Keins«, erwiderte Alois.

Jesse runzelte die Stirn. »Aber ihr seid doch zu viert, und das sind fünf –«

»Wer sagt denn, dass wir das fünfte Bett nicht brauchen?« Alois' Lächeln war unangenehm dünn.

»Genau«, krähte Mattheo.

»Das fünfte ist Richards Bett«, erklärte Wolle.

»Wer ist Richard?«, fragte Jesse.

»Richard ist auch ein Homie«, sagte Mattheo beflissen. »Er schläft hier, aber nur manchmal, und –« Alois stieß ihn in die Seite und brachte ihn zum Schweigen.

»Was ist ein Homie?«, wollte Jesse wissen.

»Das lernst du noch. Du schläfst auf dem Boden, Neuer«, sagte Wolle.

»Habt ihr eine Matratze?«

»Siehst du hier eine?«

Jesse schüttelte den Kopf.

Alois hob die Brauen. »Dann stell nicht so blöde Fragen. Wenn Mr Dee hier zur Abendkontrolle kommt –«

»Wer ist Mr Dee?«

»Der Direx. Messner natürlich. Also: Bei der Abendkontrolle bist du in Richards Bett, und wenn er uns dann eingeschlossen hat, dann ab auf den Boden. Klar?«

Jesse nickte beklommen.

»Sonst noch Fragen?«

»Äh, Messner, ich meine, Mr Dee«, verbesserte sich Jesse hastig, »der schließt uns hier drinnen ein?«

Die Jungs wechselten grinsend Blicke. »Was denn?«, fragte Alois. »Haste Schiss, dir ins Höschen zu machen, weil du nicht aufs Klo kommst?«

Jesse biss die Zähne zusammen und schüttelte den Kopf.

»Mr Dee schließt den Jungstrakt ab«, erklärte Wolle, »nicht die Zimmer. Klar?«

»Klar«, nickte Jesse.

»Ach, und noch was«, sagte Markus, der länger geschwiegen hatte. »Egal, was hier nachts passiert, du hältst die Klappe. Kein Wort zu Mr Dee.«

Jesse nickte erneut.

»Wenn du auch nur ein Wort sagst oder einer von uns we-

143

gen dir ins Loch kommt, dann machen wir das Fenster auf und schmeißen dich raus«, ergänzte Alois. »Sind vierzehn Meter bis unten.« Sein Lächeln ließ keinen Zweifel daran, dass er es ernst meinte.

»Und wenn einer fragt, sagen wir, es war ein Unfall. Wir hätten dich schließlich gewarnt, aber du wolltest ja unbedingt klettern«, krähte Mattheo. Es klang seltsam aus seinem Mund, als wären es nicht seine Worte, sondern als hätte er nur wiederholt, was die Jungs schon oft gesagt hatten.

Kapitel 22

Artur Messner starrte auf die Luke in der Mitte des Dachbodens. Durch die Bohlen drang das Geräusch von Stiefeln, die eine Holztreppe emporstiegen. Isabelle war ängstlich bis zur gegenüberliegenden Giebelwand zurückgerutscht und kauerte dort auf ihrer Matratze.

Er selbst saß auf seiner eigenen Matratze, ebenfalls mit dem Rücken zur Wand. Die Rippen eines warmen Heizkörpers drückten sich ihm ins Kreuz. Ihn überkam der Gedanke, sich zur Wehr zu setzen, den Mann, der da die Treppe hochkam, anzugreifen. Es passierte ihm immer wieder, dass er für Sekunden glaubte, jung zu sein, im Vollbesitz seiner Kräfte. Dann schmiedete er verrückte Pläne, die schon im nächsten Augenblick wieder in sich zusammenfielen.

Nein, in seinem Alter war es besser abzuwarten. Wobei, hatte er das früher nicht auch schon getan? Immerzu abgewartet? Das Hässliche am Alter war, dass es weniger gab, das einem den Blick auf sich selbst verstellte.

Unter der Luke wurden zwei Riegel zurückgezogen. Die Holzbohlen übertrugen das Geräusch, und es füllte den ganzen Spitzboden. Dann wurde die Luke aufgeworfen. Mit einem lauten Knall schlug sie auf die Bohlen. Staub wirbelte auf. In der Öffnung im Boden erschien ein Kopf mit einer schwarzen Maske – einer Gasmaske. Artur schluckte. Der Mann sah damit tatsächlich aus wie ein Insekt. Hinter den schrägstehenden ovalen Scheiben lauerten dunkle Augen, die ihn durchdringend ansahen. Er dachte an die Silhouette

145

im Scheinwerferlicht, fragte sich, ob es derselbe Mann war, und wünschte sich, das alles wäre nicht wahr, oder zumindest, dass er mit seinen schlimmsten Befürchtungen falschlag. Es war einfach zu ... ja, zu *was* eigentlich?

Der Blick des Mannes streifte Isabelle, dann stieg er die letzten Stufen empor und warf die Luke zu, offenbar ohne sich Gedanken um den Lärm zu machen, den er dabei verursachte. Ein schlechtes Zeichen. Offenbar gab es niemanden in der Nähe, vor dem er seine Machenschaften verbergen musste.

»Was wollen Sie von uns?«, krächzte Artur. Er fand, es war sicherer, das Insekt zu siezen.

Der Mann stellte eine große Sporttasche ab. Zwischen den Reißverschlussenden ragte ein hölzerner Stiel heraus. Wortlos öffnete er die Tasche mit seinen behandschuhten Händen und entnahm ihr ein Seil.

»Rüber da, zum Tisch«, befahl er Artur. Seine Stimme klang hohl und metallisch unter der Maske, und dazu seltsam verwaschen, als würde er absichtlich leiern oder hätte etwas im Mund, das ihn nicht klar sprechen ließ. Wenn es der Mann vom Torhaus war, dann gab er sich offenbar alle Mühe, nicht erkannt zu werden. »Und jetzt leg deine rechte Hand flach auf den Tisch.«

Artur gehorchte.

»He, Kleine. Kannst du einen Knoten?«

Isabelle nickte ängstlich.

Der Mann ging zu ihr und gab ihr das Seil. »Wickel das hier um sein Handgelenk und bind es fest.«

Isabelle blickte unsicher zu Artur.

Was um Himmels willen hatte er vor?

»Wird's bald!« Der Mann schlug hart mit dem Handrücken in Isabelles Gesicht. Die Kleine schrie auf, hielt sich die Wange und stolperte hastig zu Artur.

Das Seil war etwa einen halben Zentimeter dick, aus irgendeiner dieser neumodischen Kunstfasern und so biegsam, dass Isabelles Knoten sich wie von selbst festzog und ihm in die Haut schnitt. Entschuldigend sah sie zu ihm auf. Ihre Wangen glänzten feucht.

»Und jetzt bind die Hand auf der Tischplatte fest.«

»Wie denn?«

»Du bist doch ein großes Mädchen, oder?«

Artur konnte Isabelle ansehen, dass sie am liebsten den Kopf geschüttelt hätte, doch sie kniff die Lippen zusammen, nahm das Seil, krabbelte unter der Tischplatte durch und schlang es um Arturs Hand.

»Fester.«

Isabelle zog, und das Seil presste Arturs Hand auf die Tischfläche.

»Und noch einen Knoten.«

Ihre kleinen Finger zitterten. Ihre blonden Haare fielen ihr ins Gesicht, sie blies sie beiseite.

Artur biss sich auf die Zunge, um den Schmerz auszuhalten, den das straffe Seil verursachte. Was sollte das alles? Sein Blick fiel auf die Sporttasche des Mannes und den hölzernen, abgegriffenen Stiel, der aus ihr herausragte. Im selben Moment begriff er. Entsetzt versuchte er, seine Hand vom Tisch zu ziehen, doch es war zu spät.

»Stell dich neben den Tisch«, wies der Mann Isabelle an.

»Nein«, flüsterte Artur. »Bitte, nein!«

Der Mann griff nach dem hölzernen Stiel und zog eine Axt aus der Sporttasche.

In Isabelles Augen stand blankes Entsetzen. Artur wurde schwindelig vor Furcht. Dass ihn die Vergangenheit einholen würde, das hatte er oft befürchtet. Aber es war immer nur ein diffuses Gefühl gewesen, ein Hintergrundrauschen, das er Tag für Tag ausgeblendet hatte. Der Preis waren die nächtlichen Gespenster gewesen. Doch jetzt stand eines dieser Gespenster direkt vor ihm. In einem unsinnigen, verzweifelten Versuch zu fliehen, stieß er gegen den massiven Eichenholztisch, der stotternd über den Boden schrammte, doch schon von der nächsten kleinen Unebenheit gestoppt wurde.

»Wenn du dich bewegst, wird es nur noch schlimmer«, sagte der Mann.

Isabelle kniff die Augen zu, wich zurück.

»Sieh hin!«

Sie schüttelte den Kopf.

»Sieh hin, oder du bist die Nächste.«

Rasch öffnete sie die Augen, blickte kreidebleich auf den Tisch und die von ihr fixierte Hand.

Der Mann spreizte die Beine für einen stabilen Stand und nahm Maß.

»Bitte nicht! Bitte!«, flehte Artur.

Langsam zielend hob der Mann die Axt über den Kopf, den Blick auf Arturs Hand gerichtet. Sein Atem zischte leise und konzentriert durch den Filter der Gasmaske.

Dann fiel die Axt in einem sichelförmigen Schwung.

Kapitel 23

Jesse und Jule folgten Philippa durch die Flure. Im Gegensatz zu früher war Adlershof in einem erstaunlich guten Zustand. Die Wände schienen frisch gestrichen, weder von Türen noch Fenstern blätterte Farbe, und der abgetretene, im Fischgrätmuster verlegte Eichenboden war geschliffen und hatte diese dunkle, tiefe Maserung, die nur frisches Holzöl hervorbrachte. ›Naziboden‹ hatten sie ihn früher immer genannt, auch weil die rechten Winkel im Parkett an Hakenkreuze erinnerten.

Bei jedem Schritt schienen die Mauern und der Boden zu flüstern. Immer zwei Reihen Eichenstäbe ergaben einen Winkel, der vorwärts wies, eine Reihe daneben wies der Winkel rückwärts. *Komm her. Verschwinde. Komm her. Verschwinde ...*

»Warum ist es hier so ... leer?«, fragte Jule.

»Der Unterricht fängt erst nächste Woche wieder an«, sagte Philippa. Sie war stehen geblieben und schloss die Tür am Ende des Flurs auf. »Bitte sehr.«

Jesse kannte das Zimmer nicht, er wusste nur, dass über ihnen der Flur mit seinem alten Zimmer lag. Ein entferntes Trappeln über seinem Kopf verriet ihm, dass die Räume dort immer noch benutzt wurden.

Kristinas Zimmer, wer auch immer sie gewesen war, war geräumig und hatte zwei große Fenster zur Rückseite von Adlershof. Links an der Wand stand ein Ungetüm von Doppelbett mit gewundenen Pfosten aus Mahagoni. Auf der passenden, wuchtigen Kommode und den Nachttischen lag Staub, in den Schirmen der Lampen hingen Spinnweben. Die grüne Tapete über dem Bett zierte ein silbern gerahmtes Ölbild mit zu dickem Pinselstrich: Adlershof im Schnee, so wie es vor wenigen Minuten in der Morgensonne vor ihnen gelegen hatte. So strahlend das Schloss von außen wirkte, so bedrückend war es im Innern. Der Parkettboden im Zimmer war im Gegensatz zu den Fluren nicht geölt, sondern ausgetrocknet und bleich. Eine Tapetentür links neben dem Bett führte in ein enges Bad mit blinden Scheiben.

»Bettzeug ist in der Kommode«, sagte Philippa. »Das Wasser müssen Sie eine Weile laufen lassen. Die Leitungen sind alt.«

»Ich weiß. Danke«, sagte Jesse.

Ohne ein weiteres Wort verschwand Philippa. Die Art, wie sie die Tür schloss, ließ vermuten, dass sie gerne auch den Schlüssel umgedreht hätte.

»Puh.« Jule setzte sich behutsam auf die Matratze, als wolle sie nur ja nicht zu viel Staub aufwirbeln. Die Sprungfedern ächzten. Jesse blickte schweigend zum Fenster hinaus. Der Berg, der Himmel, der immer gleiche Nadelwald. Nur sein Geruch und der federnde Boden änderten sich mit den Jahreszeiten. Die Lichtung konnte er von hier aus nicht sehen. Doch sie war da. Flüsterte, wie die Mauern und der Naziboden. Adlershof war wie Moby Dick aus der Tiefe aufgestiegen und drohte, ihn zu verschlingen.

»Jetzt verstehe ich Sandra«, murmelte Jule.

Jesse wusste, dass er Ruhe brauchte. Seine Stirn schien zu glühen, und er spürte einen leichten Schwindel. Doch wenn er einmal lag, würde es doppelt so schwer werden, wieder aufzustehen. Er blinzelte ein paar Mal, hatte das Gefühl, der Blick würde wieder klarer werden, wühlte in seiner Tasche und fand den Blister mit den Ibuprofen-Tabletten. Er drückte zwei heraus, schluckte sie trocken und beschloss, sich auf die fiebersenkende und entzündungshemmende Wirkung zu verlassen. Die restlichen Tabletten schob er in seine Hosentasche. Die Zeit lief, und Isa war immer noch in den Händen ihres Entführers. »Lass uns ein paar Schritte gehen.«

»Gehen? Wohin um Gottes willen willst du gehen? Hast du mal in den Spiegel geschaut?«

»Ich muss Artur finden. Und Markus.«

»Markus kommt erst heute Abend wieder, und Artur ist offenbar gerade nicht aufzufinden, soweit ich mich erinnere. Und wir beide könnten eine kurze Pause gut gebrauchen.«

»Ich glaube Richard kein Wort. Er will keine Schwierigkeiten. Er würde mir auch notfalls einreden wollen, der Papst residiere in einer Bergkapelle am Wankmassiv.«

»Jesse, ich versteh dich ja. Ich will Isa auch finden. Aber es bringt doch nichts, wenn du vor Erschöpfung –«

»Lass einfach beim nächsten Mal das Messer stecken.«

Jule biss sich auf die Zunge. Sie war wütend und hatte auch sicher allen Grund dazu. Doch er konnte es sich beim besten Willen nicht leisten, Verständnis zu zeigen. »Wenn du hierbleiben willst, kannst du ja das Bett machen.«

Er drehte sich um und wusste, dass Jule hinter ihm innerlich explodierte. Machogehabe war das Letzte, dem sie sich beugen würde.

»Vergiss es. Ich komme mit.«

Er verkniff sich ein Grinsen. Als er die Tür öffnete, wurde das Gefühl von Schwindel stärker, doch die Klinke war für den Moment ein guter Halt.

»Ich hasse es, so berechenbar zu sein«, sagte Jule.

»Als Psychologin müsstest du doch um die Berechenbarkeit von Menschen wissen.«

»Um die der anderen schon, aber doch nicht um meine«, beschwerte sich Jule.

Für einen Augenblick fühlte sich alles fast normal an. Ein kleines Geplänkel mit nettem Unterton. Dann, auf der Treppe, kam der Schwindel wieder.

»Geht's?«

»Beschissen«, knurrte Jesse.

Jule lächelte ihn an. Er war sich nicht sicher, wie er dieses Lächeln deuten sollte, wie viel Ehrlichkeit, Mitleid oder Aufmunterung darin lag. Aber es fühlte sich gut an, trotz der Umstände, in denen es unmöglich schien, sich auch nur eine Sekunde gut zu fühlen. »Wir müssen eins runter, in den zweiten Stock.«

»Jesse, ich ...«

»Zweiter Stock.«

Wenig später standen sie vor Arturs Tür. Jesse hatte das Gefühl, den Weg im Halbschlaf zurückgelegt zu haben. Ohne zu zögern, drückte er die Klinke und war im ersten Moment ehrlich überrascht, die Tür verschlossen vorzufinden.

»Jesse, sieh mal.«

Jule deutete auf das polierte Messingschild neben der Tür. *Dr. Richard Messner, Internats- und Heimleitung* stand dort. Offenbar hatte Richard nicht nur die Leitung, sondern auch die Wohnräume seines Vaters übernommen.

»Und wohin jetzt?«, fragte Jule.

»Vielleicht ganz runter. Irgendjemand muss ja wissen, wo Artur untergebracht ist. In der Küche finden wir bestimmt jemanden. Außerdem könnte ich einen Kaffee gebrauchen.«

Sie gingen zurück zum Treppenhaus. Die Stufen knarrten wie eh und je. Jesse hätte gerne gewusst, ob er noch die leisen Stellen traf, aber er war zu müde, um es auszuprobieren.

Die Küche war verlassen. Er hatte erwartet, einiges verändert vorzufinden, doch abgesehen von ein paar moderneren Geräten mit blank geputzten Edelstahlfronten war vieles beim Alten geblieben. Das einzige Lebenszeichen war das Flüstern der Spülmaschine, die Speisereste von Tellern und Töpfen spritzte. Dafür, dass noch Ferien waren, war das Frühstück mehr als zeitig beendet worden. Selbst die Thermoskannen waren gespült und zum Trocknen aufgestellt. Von Kaffee keine Spur. Er musste erneut blinzeln. Seine Stirn fühlte sich immer noch heiß an.

Immerhin, auf der Arbeitsfläche entdeckte er eine Filterkaffeemaschine, und das Kaffeepulver war im selben Hochschrank, in dem Dante es damals aufbewahrt hatte. Als er die Dose herausnahm, überfiel ihn erneut ein starker Schwindel, und er musste sich an der Edelstahlfläche abstützen.

»Alles in Ordnung?«, fragte Jule.

»Das wird schon wieder«, brummte er.

Kurz darauf hallte das Gurgeln der Kaffeemaschine durch die Küche. Jule hatte ihnen zwei Hocker herangezogen. Das Sitzen war eine Wohltat für Jesses bleischwere Glieder, und er fragte sich, wann zum Teufel endlich das Ibuprofen zu wirken begann. Für einen Moment fielen ihm die Augen zu, und er sog den Kaffeeduft durch die Nase ein. Seine Sinne flatterten. Nur für ein paar Sekunden, dachte er, nur für ein paar wenige Sekunden der Müdigkeit nachgeben.

Dann kippte er zur Seite.

Er spürte noch, dass er weich fiel. Jules Körper war ein warmes Kissen. Danach kam der kalte Boden. Und Jule, die ihm aufgeregt und in schneller Folge leicht auf die Wange schlug. Er kannte dieses Tätscheln und das ganze Erste-Hilfe-Zeugs, das man dabei sagen sollte. Immer den Patienten beim Namen nennen, immer Blickkontakt halten, mit ihm reden und, und, und ... schließlich war er selbst Arzt. Aber zum Teufel, auf dieser Seite des Spiels war es so anders. Er wollte doch einfach nur seine Ruhe. Sein Kopf war so angenehm leer. Selbst Isa war in weite Ferne gerückt, als bräuchte sie eine Pause von ihm. Er wusste, dass dieser Gedanke absurd war, konnte ihn aber nicht verhindern. Als Letztes spürte er, wie eine Hand, Jules Hand, sich in seine Hosentasche stahl, dort umhertastete. Er dachte an den Autoschlüssel, sah regelrecht vor sich, wie sie in den Volvo einstieg und davonfuhr. Sollte sie doch. Er würde sie nicht aufhalten.

Aus weiter Ferne hörte er Jules Stimme. Sie redete schon wieder, sagte so etwas wie ›Dia...‹, Dia-irgendwas.

Dann versank er auf dem Fußboden der Küche von Adlershof im Nichts.

Kapitel 24

Die Platte bebte, als die Axt den Tisch traf. Isabelle schrie auf. Artur ächzte nur. Dann begann er zu weinen. Die Schneide war unmittelbar vor seinen Fingerspitzen tief ins Holz gedrungen.

Wortlos hebelte der Mann den Keil aus der Tischplatte. Artur zitterte am ganzen Körper. Sein altes Herz jagte und stolperte. Er wusste, ein zweites Mal würde er das nicht überleben. Er wollte seine Hand behalten, aber wenn er sie schon verlieren musste, wäre es ihm lieber gewesen, der erste Hieb hätte getroffen.

Der Mann ließ die Axt sinken, hielt sie locker mit einer Hand, so dass sie, den Keil nach unten, den langstieligen Schaft nach oben, wie die Verlängerung seines Arms an seiner Seite baumelte. »Wenn einer von euch beiden Schwierigkeiten macht«, sagte er zu Artur, »dann schlage ich beim nächsten Mal nicht daneben.«

Es dauerte einen Moment, bis Arturs aufgewühlter Verstand begriff, was das bedeutete. Er würde seine Hand behalten. Vorläufig jedenfalls. Ihm wurde schwindelig vor Erleichterung.

»Werdet ihr Schwierigkeiten machen?«

Sie schüttelten beide stumm den Kopf.

»Gut. Das sind die Regeln: Wenn ich komme, tretet ihr von der Luke zurück bis an die Wand. Ich bringe euch einmal am Tag Essen und Trinken. Als Toilette benutzt ihr den Eimer. Den tausche ich auch einmal am Tag. Ihr verhaltet euch still. Ihr macht keine Schwierigkeiten. Ist das klar?«

Sie nickten.

Die dunklen Augen hinter den ovalen Glasscheiben der Gasmaske blickten ruhig, geradezu starr. Es war die gleiche unheimliche Ruhe, die Artur schon beim ersten Telefonat mit dem Mann so unangenehm berührt hatte. Durch seine eigenartige Weise zu sprechen und durch die Maske, die seine Stimme filterte, schien Artur alles nur noch irrealer.

»Was wollen Sie von uns?«, fragte Artur leise.

»Was hast du am Torhaus gewollt?«, entgegnete der Mann.

Artur zögerte. Er dachte an die Tüte mit der Hand, die jetzt irgendwo neben der Mülltonne lag. Vielleicht hatte er ja Glück, jemand fand die Dose und rief die Polizei?

»Ich war neugierig«, sagte Artur. »Ich kann oft nicht schlafen, und dann laufe ich umher. Adlershof, das Haupthaus, die Gänge, der Keller. Ist alles wie ein Teil von mir. Wenn ich unruhig bin, ist das das Einzige, was hilft. Außerdem habe ich Licht im Haus gesehen und mich gewundert. Ich hab gedacht, ich sehe mal nach dem Rechten.« Er räusperte sich. »Alte Gewohnheit.«

»Licht? Was für ein Licht?«

»Äh, es war nur ganz kurz. Im Erdgeschoss.«

Der Mann schwieg kurz, als müsse er nachdenken. »Was hast du mit der Hand gemacht?«

Angesichts der Situation war Artur stolz auf seine geschickte Mischung aus Wahrheit und Lüge, jetzt spürte er, wie er errötete. Das hier war ein gefährliches Spiel. War es nicht vielleicht doch besser, einfach die Frage zu beantworten?

Der Mann bewegte die Axt gerade so viel, dass der Schaft ein wenig pendelte. Ein leichter Wink, mehr nicht.

»Ich hab sie versteckt«, gab er rasch zu.

»Wo versteckt?«

»Ich, äh ...«

Das Winken wurde deutlicher.

»Im Gefrierfach, in meiner Küche.«

Der Mann nickte. Artur lief ein kalter Schauer den Rücken hinab. Wusste der Mann etwa, wo er wohnte?

Der Mann nahm zwei ineinandergestellte Eimer, zwei Wasserflaschen, zwei Löffel und eine große Plastikdose aus seiner Sporttasche. Beim Gedanken daran, wie sehr die Dose der mit der Hand ähnelte, wurde Artur ganz anders. Er hatte zwar mörderischen Hunger, war sich aber nicht sicher, ob er aus dieser Dose würde essen können.

Der Mann packte die Axt ein. Mit einem aggressiven Sirren zog er den Reißverschluss zu, öffnete die Luke, stieg hinab und schloss sie, ohne Isabelle und Artur eines weiteren Blickes zu würdigen. Artur meinte, ein Zittern im Boden zu spüren, als die beiden Riegel vorgeschoben wurden.

»Tut mir leid«, flüsterte Isabelle. Sie trat näher und versuchte, den Knoten an seiner Hand zu lösen. Artur spürte ihre Finger zittrig und kalt an seiner Haut. Der Knoten erwies sich als widerspenstig; unter seiner Anstrengung zu entkommen hatte sich die Kunstfaserschnur weiter zugezogen.

Artur lächelte sie dankbar an.

»Glaubst du, mein Papa ruft die Polizei?«

»Hast du Angst davor?«

»Ich hab Angst davor, dass der Mann es rauskriegt. Ich will nicht sterben.« Für einen Moment dachte Artur, sie würde nun anfangen zu weinen. »Aber ich hab auch Angst«, sagte sie, »wenn niemand die Polizei ruft.«

»Ich glaube, er wird nicht die Polizei rufen.«

»Warum glaubst du das?«

»Weil er nicht will, dass dir etwas passiert. Aber so, wie ich ihn kenne, wird er trotzdem nach dir suchen.«

»Du kennst meinen Papa?« Isabelle ließ von dem Knoten ab und sah ihn mit kugelrunden Augen an. Offen, unschuldig und tiefblau, wie die von Sandra, als sie noch klein gewesen war. Und dazu hatte sie Jesses Locken. Er hatte viele Kinder erlebt. Gerade im Nachhinein waren diese beiden immer etwas Besonderes gewesen. Ihm stiegen Tränen in die Augen. »Ich kenne beide. Deinen Vater und deine Mutter.«

»Bist du aus dem Heim?«

»Haben sie davon erzählt?«

»Nicht viel. Nur manchmal.«

Artur seufzte, erleichtert, weil er hoffte, dass die beiden Isabelle keine Schauergeschichten über ihn erzählt hatten, aber auch schwermütig. »So ist das mit einem Heim. Keiner erinnert sich gerne daran. Und niemand will dahin zurück. Außer wenn alles andere noch schlimmer ist.«

Isabelle schlug die Augen nieder, fummelte erneut an dem Knoten. »Und du? Bist du zurück?«

»Ich bin nie weggegangen. Ich war früher der Heimleiter.«

»Ehrlich?« Der Blick ihrer blauen Augen ging ihm durch und durch. »Du bist Mr Dee?«

Artur verzog schmerzlich den Mund. »Das hat er also erzählt?«

»Mhm«, sagte Isabelle, jetzt war ihre Aufmerksamkeit wieder ganz auf den Knoten gerichtet. »Jetzt hat er verloren.«

»Bitte, was?«, fragte Artur verwirrt.

»Das sagt Papa immer, wenn er irgendwas gelöst kriegt.« Sie zog an der Schnur, und der Knoten glitt auf. Erleichtert zog Artur seine Hand aus der Schlinge. Um sein Handgelenk war ein ringförmiger dunkler Striemen. »Danke«, murmelte er undeutlich, hatte aber plötzlich das Gefühl, das sei etwas wenig. Loben und danken war nicht gerade seine Stärke. Manchmal fragte er sich, wie sehr Richard wohl darunter gelitten hatte.

»Das hast du gut gemacht«, ergänzte er hölzern. Es hörte sich an wie auswendig gelernt, doch das schien Isabelle nicht zu stören. Sie lächelte.

Mit vorsichtigen Schritten ging Artur zurück zu seiner Matratze, setzte sich stöhnend und rutschte mit dem Rücken bis an die Heizung, die am Mauerwerk des Giebels befestigt war. Die Wärme drang ihm wohltuend in den Rücken.

»Darf ich zu dir?«, fragte Isabelle.

Artur wusste nicht, was er sagen sollte. Isabelle nahm es als ein Ja, glitt neben ihn an die Heizung und legte ihre Hand in seine. Artur war sprachlos. Wie lange war es her, dass er jemandes Hand gehalten hatte?

»Du bist in Ordnung«, stellte Isabelle fest. »Jedenfalls netter, als Mama erzählt hat.«

Ihm kamen erneut die Tränen. Sein ganzes Leben schien sich in ein großes Nichts aufgelöst zu haben, und dieser kleine Moment hier, mit Jesses Tochter, drohte schöner zu werden als alles, was er in den letzten Jahrzehnten erlebt hatte.

»Warum weinst du? Hast du auch Angst zu sterben?«

Artur wischte sich hastig die Tränen von den Wangen. Was sollte er dazu sagen? Ein ›Nein‹ wäre sicher gelogen. Aber er wusste auch, dass es noch weit schrecklichere Dinge gab als zu sterben. Und es verunsicherte ihn zutiefst, dass er nicht wusste, was der Insektenmann mit ihm und Isa vorhatte.

»Was glaubst du, wie wird er das anstellen?«, fragte Isabelle.

»Was?«

»Mein Papa. Was denkst du, wie er mich findet?«

»Ich habe keine Ahnung. Aber auf jeden Fall wird er wie der Teufel suchen.«

Einen langen Augenblick schwiegen beide.

»Du, Artur?« Isabelles Stimme war jetzt ganz leise.

»Mhm.«

»Glaubst du, der Mann lässt uns am Leben?«

Kapitel 25

Diazepam? Jule las verwirrt die winzigen Druckbuchstaben auf der silbrigen Rückseite des Blisters. Sie hatte ihn gerade eben, zusammen mit dem Autoschlüssel, aus Jesses Hosentasche gefischt. Laut der Tablettenpackung hatte Jesse ein Schlaf- und Beruhigungsmittel geschluckt, und sie begriff nicht, warum. Wie viele Tabletten hatte er genommen? Zwei? Und das bei seinem Erschöpfungszustand! Als Arzt musste er doch wissen, dass diese Dosis selbst einen Gorilla schlafen lassen würde wie ein Baby. Hatte er sich schlicht vertan beim Griff in seine Tasche?

Die Kaffeemaschine knatterte lautstark und blies das letzte Wasser in den Filter. Jesse lag auf dem kalten Boden wie ausgeknockt.

Der Autoschlüssel in ihrer Hand war aufgeladen von der Wärme der Hosentasche. Wenn sie von hier wegwollte, war das der passende Moment. Aber wollte sie wirklich? Gestern Nacht, auf dem Parkplatz, hätte sie alles auf sich genommen, nur um Jesse loszuwerden. Und sich dann doch anders entschieden.

Sie hatte im Führerhaus des Lastwagens gesessen und dem Polen dabei zugesehen, wie er Jesse zurückdrängte, ihn schließlich sogar schlug. Plötzlich hatte sich alles gedreht, und ihr waren Zweifel gekommen.

Natürlich fragte sie sich, ob sie angesichts des Schlags auf seine Wunde einfach nur Mitleid mit ihm hatte oder vielleicht sogar ein schlechtes Gewissen. Vielleicht war auch ein Funke Stockholm-Syndrom dabei, und sie begann mit ihrem Entführer zu sympathisieren. Aber im Grunde waren es eher die Zweifel. Mal ganz abgesehen davon, dass Jesses Bemerkung, sie habe doch nur Angst, immer noch tief saß.

Sandra hatte mit ihr über Jesse reden wollen, und ihre Unruhe war selbst übers Telefon mit Händen zu greifen gewesen. Doch bei genauer Betrachtung hieß das noch nicht, dass sie vor Jesse Angst gehabt hatte. Vielleicht hatte sie auch *um* Jesse Angst gehabt. Das war ein himmelweiter Unterschied. Als sie Jesse über Sandras Leiche gebeugt gesehen hatte, waren der Schock und ihre Angst vor ihm so übermächtig gewesen, dass sie vielleicht Sandras knappe Andeutungen falsch eingeordnet hatte.

Auf Jesses Stirn sammelten sich winzige Tröpfchen kalten Schweißes. In der letzten Stunde war er immer wieder kurz davor gewesen, zusammenzuklappen. Dennoch war er vollkommen geradlinig, wenn es darum ging, Isa nicht zu verlieren.

Sie steckte den Volvo-Schlüssel ein und beschloss, Hilfe zu holen. Allein würde sie Jesse nicht bewegen können, und der kalte Boden war Gift für sein steigendes Fieber. Als sie aufstand, bemerkte sie im hinteren Teil der Küche eine verzinkte Tür, vermutlich die Tür zur Kellertreppe. Sie stand einen Spaltbreit offen und bewegte sich ganz leicht im Luftzug. Hinter der frei im Raum stehenden Kochzeile tauchte ein blonder Haarschopf ab.

»He, hallo«, sagte Jule.

Die Kellertür knarrte leise.

»Ich hab dich gesehen, du kannst rauskommen.«

Nichts geschah.

»Ich könnte deine Hilfe brauchen.«

Über der Stahlkante des Küchenblocks tauchten runde,

hellblaue Augen auf. Ein Mädchen, vielleicht zehn oder elf, mit flachsblonden, ungekämmten Haaren.

»Wie heißt du?«, fragte Jule.

Das Mädchen schwieg, wagte sich aber zumindest etwas weiter hervor. Sie war hübsch, auf eine unauffällige Weise, mit blassen Sommersprossen auf noch blasserer Haut. »Ich hab dich noch nie hier gesehen«, sagte sie. Ihre Stimme hatte einen hellen Glockenton mit einer spröden Note.

»Ich bin zum ersten Mal hier«, sagte Jule. »Und du?«

»Nich zum ersten Mal.«

»Ich dachte, es ist noch gar kein Unterricht diese Woche.«

»Nee. Sind Ferien.«

»Und warum bist du dann hier?«

»Die Homies sind immer hier.«

»Verstehe«, sagte Jule. »Und was treibst du hier unten?« Sofort ärgerte sie sich über den Vorwurf, der in ihren Worten mitschwang.

Das Mädchen zögerte, trat von einem Fuß auf den anderen. Das Thema schien ihr unangenehm zu sein, als ob sie bei etwas Verbotenem ertappt worden sei. Vielleicht hatte sie Süßigkeiten geklaut oder etwas anderes.

»Ist schon gut«, meinte Jule. »Musst du mir nicht sagen. Aber vielleicht könntest du mir helfen und jemanden holen. Mein Freund hier«, sie deutete vor sich auf Jesse, »muss ins Bett. Ich brauche ein oder zwei kräftige Leute, die mir dabei helfen.«

Das Mädchen reckte sich auf die Zehenspitzen, blieb jedoch, wo es war.

»Sagst du bitte jemandem Bescheid?«

Sie schüttelte unwirsch den Kopf. Ihre Haare machten einen fettigen Eindruck, als seien sie länger nicht gewaschen worden. Erst jetzt fiel Jule auf, dass ihr linker Kieferknochen etwas schief stand. »Warum nicht?«

»Die sollen nicht wissen, wo ich bin.«

»Hast du was angestellt?«

Sie schüttelte erneut den Kopf. »Wer ist das, der da liegt?«

»Ein Freund von mir. Er heißt Jesse.«

Sie knetete die Lippen, stellte sich abermals auf die Zehenspitzen, was jedoch nicht reichte, um Jesse zu sehen. Die beiden Küchenblöcke, zwischen denen Jesse lag, waren wie Mauern. Vorsichtig, als sei sie besorgt, in eine Falle zu tappen, schlich sie um den einen Block herum, bis zur Ecke. Ihre Augen weiteten sich beim Anblick von Jesse. »Der ist unheimlich«, flüsterte sie.

»Unheimlich? Wie meinst du das?«

Das Mädchen suchte nach Worten, fand aber keine. Der Blick, den sie Jule zuwarf, war reservierter als zuvor, so als wäre Jesses Unheimlichsein ansteckend. Plötzlich reckte sie den Hals wie ein aufgeschreckter Vogel. Hinter Jule hallten leise quietschende Schritte. Die Kleine hatte ein ausgesprochen feines Gehör.

»Hallo? Alois?« Eine unbekannte Männerstimme drang aus dem Flur herein.

Das Mädchen riss erschrocken die Augen auf, legte den Zeigefinger auf die Lippen. »Verrat mich nicht«, flüsterte sie und verschwand geschmeidig wie ein Fuchs durch die nur einen Spaltbreit geöffnete Kellertür. Offenbar fand sie den Weg hinunter blind. Das Tippeln ihrer Füße verlor sich rasch im Dunkeln.

»Alois?«

Jule blinzelte.

In der Küchentür stand ein untersetzter Mann mit gerader Haltung und einem leichten Schiefstand in der Hüfte. Er hatte einen scharf gezogenen dunklen Scheitel und einen harten Zug um den Mund. Seine Augen waren irritierend dunkel und groß, die Tränensäcke geschwollen und von blauschwarzen Schatten umgeben. »Wer sind Sie? Was machen Sie hier?«, fragte er.

»Ich ... äh, bin mit einem Freund hier«, sagte Jule. »Vielleicht können Sie mir eben helfen?«

»Wo ist Alois?«

»Ich weiß nicht, wer Alois ist, aber –«

»Unser Koch.«

»Hier ist niemand. Würden Sie mir bitte helfen?«

»Warum sollte ich Ihnen helfen?« Der Mann wandte sich ab und schickte sich an zu gehen.

»Sie sollen ja auch nicht *mir* helfen, sondern Herrn Berg.«

Er blieb wie angewurzelt stehen. »Wem bitte?«

»Herrn Berg. Jesse Berg.«

»Jesse ist hier?« Er hatte sich umgedreht. Seine dunklen Augen waren schmal geworden, und eine der Leuchten warf ein Streiflicht auf sein Gesicht. »Wo?«

Instinktiv wich Jule zurück, starrte in seine Augen. Sie waren nicht einfach nur dunkel, die Pupillen waren so unnatürlich geweitet, dass von der braunen Iris nur noch ein dünner Rand blieb. »Wer sind Sie?«

»Der Hausmeister. Und Sie?«

»*Sie* sind Markus?«

Die linke Seite der Oberlippe des Mannes hob sich spöttisch. »Offenbar hat Jesse Ihnen von mir erzählt.«

Kapitel 26

1979, Garmisch-Partenkirchen

Sonntags musste Jesse in die Küche. Spülen und Putzen war Homie-Arbeit. Im Gegensatz zu den Innis, deren Eltern für das Internat zahlten, mussten sich die Homies ihre Anwesenheit verdienen, nicht nur in der Schulzeit, auch in den Ferien, wenn die Innis zu ihren Eltern fuhren. Homies hatten keine Eltern. Oder waren von ihnen erlöst worden.

Jesse war das zunächst nur recht. Er war es gewohnt, eine stinkende Zweizimmerwohnung sauber zu halten. Allein, ohne Gesellschaft. Hier unten in der Küche gab es wenigstens Dante, den Koch. Dante war ein mürrischer Zweimetermann, der immer gebeugt ging, da die Türen hier unten zu niedrig für ihn waren. Seine Mundwinkel hingen ebenso herab wie seine Schultern. Ein Kranz grauer Haare rahmte eine schimmernde Glatze, die man jedoch wegen seiner Größe selten sah.

Immerhin sprach Dante ab und an. So lernte Jesse am ersten Sonntag ein paar Dinge über Adlershof. Und darüber, dass Dante gerne aus einer braunen Flasche ohne Etikett trank. Die nämlich warf Jesse versehentlich herunter. Dantes Miene wurde so finster, dass Jesse fürchtete, sich einen Hieb mit der schaufelgroßen Hand zu fangen. »Verdammter nichtsnutziger Bengel«, knurrte Dante. Sein Kopf stieß gegen eine der tiefhängenden Blechlampen, und das Licht tanzte wild auf seinem Gesicht und den Edelstahlflächen. »Die holst du neu.«

Jesse sah ihn abwartend an. Schließlich wusste er nicht, wo.

Dafür, dass er es nicht wusste, kassierte er eine saftige Ohrfeige. Vielleicht hatte er auch frech geguckt, dachte Jesse.

Wie auch immer, seine Wange brannte, als er dem von Dante beschriebenen Weg in den Keller folgte. Die aus Naturstein gemauerte Treppe hinunter, dann den rechten Gang nehmen. Die Ziegelwände waren stumpf und rot. Alle paar Meter hing eine Blechlampe. Jesse musste an den Keller des Wohnhauses in Kiel denken. Dort hatte es auch so schwere Holztüren gegeben. Der Postkartenständer in seinem Kopf drehte sich, und das Bild seiner Mutter unter dem braunen Mantel kam ihm in den Sinn. Ihre Beine, die darunter hervorschauten. Ihre Hand, die ins Leere griff.

Nicht nur, dass sie nicht mehr da war. Selbst die Zeit über, die er mit ihr gehabt hatte, war er immer an den Rand gedrängt worden. Hatte immer bei ihr in der zweiten Reihe gestanden. Er schluckte die bittere Erinnerung hinunter.

Was hatte Dante gesagt? Welche Tür sollte er nehmen? Die fünfte auf der rechten Seite. Mit noch etwas zittrigen Fingern steckte er den Schlüssel ins Schloss. Knirschend schob sich der Riegel zurück. Aber da war noch etwas. Ein Geräusch. Jesse erstarrte. War das etwa Musik? Es klang blechern und dumpf zugleich. Aber es war zweifellos Musik. Wie bei einem Konzert oder in der Oper oder so. Nur ohne Gesang.

Er zog den Schlüssel ab und folgte den Klängen wie einem Duft tiefer in den Flur hinein, um eine Biegung, bis er vor einer weiteren Holztür stand, die sich in nichts von den anderen unterschied, nur dass am Rand der Tür, zwischen Mauer und Eichenholz, ein schmaler Streifen Licht zu sehen war. Gebannt lehnte er sich vor – und hielt den Atem an, denn er sah das Schönste und Unwirklichste, das er je in seinem Leben gesehen hatte. Auf dem Kellerboden war ein großes Quadrat mit matt schimmernden Holzdielen ausgelegt, und im Licht einer mit Drahtgitter umhüllten Kellerlampe tanzte ein Mädchen vor drei provisorisch nebeneinander aufgestellten Spiegeln. Sie musste etwa in seinem Alter sein, trug eine Art schwarzen Badeanzug mit langen Ärmeln, hatte die blonden Haare zu ei-

nem Zopf geflochten, der, wenn sie sich drehte, abhob und einen Bogen beschrieb. Ihre Bewegungen waren manchmal ungestüm, manchmal fließend, und sie schien sich ungehemmt auszuprobieren. In der Schule hatte er schon einmal eine Ballettaufführung gesehen, und auch einmal einen Ausschnitt im Fernsehen, aber niemals so etwas.

Die Bewegungen des Mädchens waren so ernsthaft, so voller Hingabe, dass er Gänsehaut bekam. Dieses Mädchen war alles, was er nicht war. Sie ging in ihren Bewegungen auf und war glücklich, ihr Gesicht glänzte, ihre Bewegungen hatten so etwas ... Reines. Es kam ihm idiotisch vor, das zu denken. Aber es war das einzige Wort, das dazu passte: rein!

Plötzlich traf eine Faust seinen Wangenknochen, und er flog zur Seite, auf den rauen kalten Kellerbeton. Er bekam einen Tritt in die Magengrube, krümmte sich, und ein Paar Hände packten ihn am Hemd und zogen ihn weg von der Tür, in den nächsten Seitengang, wo ihn sein Angreifer gegen die Wand drückte. »Was hast du da zu suchen?«

Jesse starrte in das wütende Gesicht eines vielleicht zwölfjährigen Jungen. »Nichts ... ich hab nur Musik gehört und wollte –«

»Bei Sandra spannen?«

Spannen. Hatte er das getan? Wenn er manchmal im Zimmer gewesen war, wenn Vater es mit einer der Frauen getan hatte ... das hatte mal eine dieser Frauen spannen genannt. Sie hatte gegrinst, ihre Beine gespreizt und hatte sich mit Speichel an den Fingern über den leicht geöffneten Hügel gerieben. Spannen hieß, bei etwas Schmutzigem zuzuschauen. Oder war es auch spannen, wenn man selbst schmutzig war und bei etwas Schönem zusah? »Ich war nur neugierig.«

»Wie Sandra aussieht, wenn sie sich umzieht, ja?« Der Junge hieb ihm erneut in den Magen.

»Ich hab nur gesehen, wie sie tanzt, mehr nicht«, keuchte er.

»Ist schon zu viel, kleiner Pisser. Das hier ist mein Keller, kapiert?«

Mein Zimmer. Mein Bett. Mein Keller. Alles hier gehörte irgendjemandem. Nur Jesse gehörte nichts. Noch nicht einmal eine Matratze. Er nickte. »Wie heißt du?«

Der Junge starrte ihn wütend an. »Richard. Den Namen solltest du dir merken.«

Jesse nickte wieder. Das also war Richard. »Merke ich mir«, antwortete er gepresst.

Richard starrte ihn einen Moment an, unschlüssig, ob Jesses ›Merke ich mir‹ das Eingeständnis einer Niederlage war oder doch eine Provokation. Er entschied sich für Niederlage, oder vielmehr für das Gefühl, als Sieger aus der Begegnung hervorgegangen zu sein.

»Warum tanzt sie hier unten?«, fragte Jesse.

»Was geht's dich an?«

Jesse zuckte mit den Achseln. In seinem Magen tobte ein dumpfer Schmerz, und sein rechter Wangenknochen brannte.

Richard ließ ihn los und wischte sich die Hände an seinem Wollpullover ab, als hätte er sich gerade schmutzig gemacht. »Ist wegen Dante. Er hat's ihr eingerichtet. Hat einen Narren an ihr gefressen. Guckt ihr manchmal selbst zu.« Nach Richards Miene zu urteilen, hätte er am liebsten auch Dante eine verpasst, aber das verbot sich von selbst. »Also, bleib Sandra ja vom Leib. Hörst du?«

Nicken. Immer schön nicken. Das half ja meistens; wenigstens vorläufig. Aber neuerdings fiel ihm das Nicken so verdammt schwer. »Bist du auch ein Homie?«

»Ich?« Richard lachte, voller Verachtung. Im Grunde schien er unsicher. »Weder noch. Und jetzt verpiss dich, du Vogel.«

Das ließ Jesse sich nicht zweimal sagen. Er stieß sich von der Wand ab und ging zu der Tür, die er aufgeschlossen hatte.

»Nicht da lang«, fauchte Richard und verstellte ihm den Weg. »Nach oben!«

Jesse biss sich auf die Lippen, drehte bei, stapfte den Gang zurück und spürte Richards Blick in seinem Rücken.

Als er oben in der Küche ankam, gab ihm Dante drei schallende Ohrfeigen. Eine rechts, weil er so spät zurückkam. Eine links, weil er ohne Schlüssel zurückkam. Und eine weitere rechts, eine besonders kräftige, weil er noch nicht einmal die Flasche dabeihatte.

»Noch mal so eine Nummer, und du verbringst zwei Wochen im Loch«, zischte Dante.

Jesse nickte. Trotz der Schmerzen konnte er an nichts anderes denken als an das Mädchen im schwarzen Badeanzug mit den langen Ärmeln.

Kapitel 27

Markus Kawczynski stand leicht nach vorn geneigt neben Jule und betrachtete eingehend Jesse, der auf dem Küchenboden lag. Seine dunklen, übergroßen Pupillen bewegten sich rasch, und er blinzelte mehrfach. Jule fragte sich, ob er unter Drogen stand; die Augen jedenfalls sprachen dafür. Seine rechte Gesichtspartie schien merkwürdig starr, fast wie bei einem Schlaganfallpatienten, und strahlte Gefühllosigkeit und Kälte aus. Der linke Mundwinkel dagegen war zu einem Lächeln verzogen.

»Was ist mit ihm?«, fragte Markus.

»Er hat ein starkes Beruhigungsmittel genommen.«

»Haben Sie es ihm gegeben?«

»Wie kommen Sie darauf? Nein.«

»Warum hat er es genommen?«

»Er ... ihm geht's nicht besonders.«

Das Lächeln in Markus' Gesicht war jetzt zynisch, die Wut dahinter förmlich greifbar. Für Markus Kawczynski gab es offenbar kein ›Wir sind quitt‹.

»Ist Sandra auch hier?«, fragte er.

Die Art, wie er nach Sandra fragte, ließ sie aufhorchen. Es hatte beiläufig klingen sollen, aber das tat es nicht.

»Sandra ist ... in Berlin.«

»In Berlin. Da schau her. Und wieso hat Jesse stattdessen Sie mit hierhergeschleppt?«

»Das ist eine längere Geschichte«, erwiderte Jule.

»Jesses Geschichten sind immer lang. Und sie enden meistens schlecht. Vor allem für die anderen.«

Jule schwieg betroffen.

»Sie wollen ihn hier wegschaffen?«

Wie er das sagte! Als ginge es um ein Stück Vieh. Markus sah sie abwartend an, hatte den Kopf ein wenig schiefgelegt.

»Der Boden ist zu kalt«, sagte Jule. »Er hat Fieber.«

»Sind Sie auch Ärztin wie er?«

»Nein. Psychologin.«

»Psychologin. Da schau her.« Markus' Blick war bohrend und unheimlich. Sie spürte den Volvo-Schlüssel in ihrer Hosentasche. Ihr Ticket in die Freiheit, weit weg von all dem hier. Doch selbst wenn sie es über sich gebracht hätte, Jesse im Stich zu lassen – viel schwerer wog, dass sie es Sandra schuldig war zu bleiben.

»Also gut«, murmelte Markus, ging an ihr vorbei zur Kellertür und öffnete sie. Mit dem Handrücken schlug er gegen den Schalter, und gelbes Licht erhellte den düsteren Abgang.

»Sie die Füße, ich nehme ihn bei den Schultern.«

»Da runter?« Jule schüttelte den Kopf. »Ich halte es für angebracht, dass er in ein Bett kommt, nicht in den Keller.«

Mit einem Mal wurde Markus' Lächeln verbindlich. Etwas Jungenhaftes schlich sich in seine erschöpften Züge. »Ich tue Ihnen schon nichts. Das hier ist einfach nur der kürzeste Weg zu einem Bett, das ist alles. Da unten ist die Unterkunft des Küchengehilfen. Souterrain. Nicht gerade das Kempinski, aber es wird schon reichen.« Er grinste schief, sah Jules Zweifel und schob nach: »Hören Sie, ich bin nicht gut auf Jesse zu sprechen. Der Scheißkerl hat mich eine Niere gekostet und auch sonst noch einiges. Aber ich bin weder bescheuert noch irre. Warum sollte ich Ihnen etwas antun?«

»Ich ... äh ...« Verlegen wischte Jule sich eine Strähne aus dem Gesicht. »Ich glaube nur nicht, dass ich es schaffe,

Jesse die Treppe runterzutragen. Vielleicht holen wir besser Hilfe.«

Markus schob die Kellertür noch etwas weiter auf. Erst jetzt sah Jule den Treppenlift, der an der Ziegelwand montiert war. Die Sitzschale aus grauem Plastik glänzte im Licht. Markus lächelte, fast schien es, übers ganze Gesicht. »Nur ein paar Meter.«

Jule nickte, lächelte, wie sie immer lächelte. Sie wusste nicht, was sie denken sollte. Markus wirkte plötzlich eher unbeholfen als unheimlich.

»Sie müssen mir nicht helfen. Ich kriege das auch allein hin«, sagte Markus. Entschlossen griff er Jesse unter die Schultern und wuchtete ihn hoch. Jule musste an die frisch genähte Wunde in Jesses Seite denken. Rasch sprang sie Markus bei und nahm die Füße. Als sie Jesse in die Sitzschale hievten, brummte er unwirsch, schlug jedoch die Augen nicht auf.

»Sie müssen aufpassen, dass er nicht vom Sitz fällt«, wies Markus sie an.

Bevor Jule protestieren konnte, hatte er den Knopf betätigt, der Sessel ruckte und fuhr auf einer Schiene längs der Treppe nach unten. Jule stieg parallel zum Stuhl die Treppe hinab, bemüht, Jesse im Sitz zu halten. Als der Lift unten ankam, ruckte sein Körper sanft.

»Na bitte«, murmelte Markus. Seine Schritte auf der Treppe knirschten. Er trug abgestoßene Arbeitsschuhe, schwarz, vermutlich mit eingearbeiteten Stahlkappen.

»Sie die Füße, ich den Oberkörper?«

Markus packte Jesse wieder unter den Achseln. Jule umfasste Jesses Waden und half, so gut es ging.

»Wir müssen da drüben rein«, schnaufte Markus und deutete mit dem Kopf hinter sie. »Am besten, Sie gehen rückwärts.« Jule begann zu schwitzen, obwohl es ziemlich kalt war. Der Boden war aus Beton, die Wände aus altem

Ziegelstein. Die Türen waren aus breiten Holzdielen gefertigt, mit kreuzweise vernagelten Brettern für die Stabilität. In regelmäßigen Abständen waren Kellerlampen an den Wänden montiert. Jule fragte sich, wo hier die Außenwand liegen mochte. Auf der Vorderseite des Gebäudes war ihr kein Souterrain aufgefallen.

»Ein bisschen weiter rechts, nicht dass Sie gegen den Pfosten stoßen«, lotste Markus sie.

Himmel! Warum war Jesse nur so ein Brocken? Mit dem Rücken voran trat sie durch eine der Türen, sah links und rechts vom Rahmen Holzdielen, mit denen die Wände grob getäfelt waren.

»Noch ein paar Schritte«, keuchte Markus, der eindeutig den schwereren Part hatte. »Und jetzt hier auf das Bett.« Gemeinsam hievten sie Jesse seitwärts auf eine Matratze in einem eisernen Gestell. Quietschend bog sich die Federung unter der Last von seinem Körper. Mit einer Bewegung, die Markus wohl schon Tausende von Malen gemacht hatte, löste er einen Karabinerhaken von seinem Gürtel. Die Schlüssel klimperten hell. Zielsicher steckte er einen von ihnen ins Schloss der Tür, zog sie zu und sperrte von innen ab.

Jule starrte ihn an.

»Es hat auch Vorteile, Hausmeister zu sein«, lächelte er.

Kapitel 28

Jule hätte sich am liebsten für ihre Dummheit geohrfeigt. Mit hastigen Blicken erfasste sie die beklemmende Enge des Raums. Er hatte die Maße einer Zelle und war vollständig mit alten Holzdielen ausgekleidet. Boden, Wände, Decke. Selbst die Tür bestand aus dem gleichen Holz und ließ sich jetzt, da sie geschlossen war, kaum von der Wand unterscheiden. Es gab weder ein Fenster noch eine Belüftung oder irgendeine andere Öffnung – bis auf die Ritzen in der Tür, durch die man das Licht im Flur sehen konnte. Die einzige Lichtquelle in der Kammer war eine in die Decke eingelassene Leuchte, geschützt von einem Metallgitter. Einen Schalter für die Lampe konnte Jule allerdings nirgendwo entdecken.

»Setzen Sie sich«, sagte Markus. Der Raum ließ seine Stimme wie tot klingen, ohne jede Resonanz. Seine rauen, schwieligen Finger schoben die Schlüssel auf dem Bund von vorn nach hinten, als seien sie Perlen auf einer Gebetskette.

»Ich stehe lieber. Danke.«

»Ihre Knie«, Markus deutete auf ihre Beine, »sie zittern.«

»Warum haben Sie die Tür abgesperrt?«

»Warum sind Sie hergekommen?«

»Erst sagen Sie mir, warum Sie uns einsperren.«

Markus lächelte nachsichtig. Seine Pupillen schimmerten dunkel. »Haben *Sie* den Schlüssel oder ich?«

Jule kniff die Lippen zusammen und schwieg. Falls er

Drogen genommen hatte, waren es jedenfalls keine, die ihn langsamer denken ließen. Andernfalls konnten die geweiteten Pupillen nur die Nachwirkungen eines nächtlichen Rausches sein.

»Also: Warum sind Sie hier?«

»Wie schon gesagt: Ich bin Psychologin, und ich arbeite mit Kindern. Aktuell arbeite ich an einer Studie über die Adoleszenz von Heimkindern und ihre Entwicklung bis ins Erwachsenenalter. Jesse hat sich angeboten, mir das Heim zu zeigen, in dem er aufgewachsen ist.«

»Studie. Aha. Und das Beruhigungsmittel? Gehört das auch zur Studie?«

»Er hat es aus Versehen genommen, vermutlich weil er es mit einem Schmerzmittel verwechselt hat.«

»Aus Versehen«, schnaubte Markus, »als Arzt, ja?«

»Er ist ... wie schon gesagt, es geht ihm im Moment nicht gut. Er ist verletzt.«

»Was für eine Verletzung?«

Jule deutete auf Jesses Taille. Ohne ein Wort zu sagen, schob Markus Jesses Kleidung hoch, betrachtete den Wundverband. »Was ist passiert?«

»Wie gesagt, eine Verletzung«, sagte Jule.

»Hat er jemanden angegriffen?«

»Nein. Nicht, was Sie denken.«

»So. Was denke ich denn?«

Jule schwieg.

»Sie wissen, was passiert ist?«

»Ich ...«, Jule zögerte einen Moment. Markus, der die meiste Zeit in seiner Rechten die Schlüssel über den Ring geschoben hatte, hielt inne. »Ich weiß nur, was mir Jesse erzählt hat«, sagte Jule.

»Jesses Version, natürlich«, lachte Markus bitter.

»Erzählen Sie mir Ihre«, schlug Jule vor.

»Da gibt es nichts zu erzählen. Es ist nichts passiert.

Wenn Sie seine Psychologin sind, dann sollten Sie das längst begriffen haben. Jedenfalls, wenn Sie gut sind.«

»Sie meinen, dass Jesse psychische Probleme hat?«

»Meinen? Ich weiß es.«

»Was ist denn mit Ihnen? Haben Sie welche?«

Für einen Moment war es still in der Kammer. Nur Jesse gab ein leises Seufzen von sich.

»Sie überschätzen sich«, sagte Markus. Auf seiner Stirn glänzte ein dünner Schweißfilm.

»Was soll das heißen?«, fragte sie leise.

»Wenn Sie glauben, Sie hätten Jesse im Griff, dann überschätzen Sie sich gewaltig.« Seine Finger begannen wieder zu arbeiten, und die Schlüssel klickerten.

»Was um Himmels willen wollen Sie von mir?«

»Sagen Sie mir, was mit Jesse los ist. Was ist falsch mit ihm? Warum macht er das alles?«

»Ich weiß überhaupt nicht, was Sie meinen. Und selbst wenn ich es wüsste, dürfte ich es Ihnen nicht sagen.«

»Also wissen Sie, warum«, drängte Markus. Die Schlüssel flogen nur so durch seine Hand. Klick. Klick-klick.

»Himmel, nein! Das habe ich nicht gesagt.«

»Wegen der Schweigepflicht sagen Sie das nicht, richtig?«

»Wenn er mein Patient wäre, ja! Aber Herrgott, er *ist* nicht mein Patient.«

Klick-klick. Klick-klick.

Markus sah sie mit fiebrigem Blick an. »Wollen Sie einen Rat?«

»Was für einen Rat?«

»Zu Ihrem Patienten, der nicht Ihr Patient ist.«

»Einen psychologischen Rat? Von Ihnen?«

»Bringen Sie ihn weg von hier. So weit wie möglich. Am besten sperren Sie ihn ganz weg, in irgendeine Anstalt. Ich will nicht, dass er hier weiter nachts herumspukt.«

»Wie bitte?«

»Sie wissen schon.«

»Was meinen Sie mit ›nachts herumspuken‹?«

Markus blinzelte. Dreimal, im Rhythmus des Schlüssel-
klickens. »Na, wonach hört sich's denn an? Ich hab ihn gesehen. Hier. Ich hab's auch Sandra erzählt. Vielleicht sprechen
Sie mal mit ihr. Sie kennen sich doch alle, oder?«

Jule sah ihn überrascht an. »Sie haben mit Sandra gesprochen?«

»Klar. Sie ist hergekommen. Am Samstag zwischen den
Jahren.«

Samstag nach Weihnachten, überlegte Jule, das war keine zwei Wochen her. Also hatte Jesse recht gehabt, Sandra
war in Adlershof gewesen. »Wann genau haben Sie denn
Jesse hier gesehen? Und wo?«

»Ist ein paar Wochen her, Mitte November. Immer
nachts.« Er stand kurz ganz still, als würde er den Blick in
sich hinein richten, um sich zu erinnern – oder vielleicht etwas zu erfinden? »Einmal stieg er die Treppe im Haupthaus
hoch, und einmal habe ich ihn ganz oben gesehen, unterm
Dach. Dort, wo die Heimkinder schlafen. Er kam aus der
Mädchentoilette. Ganz schmutzig war er.«

Jule starrte Markus an. Sie spürte sofort die alten Reflexe
in Bezug auf Jesse, obwohl sie es eigentlich besser wissen
musste. Markus Kawczynski nahm offensichtlich Drogen –
ob jetzt gerade oder gestern Nacht spielte keine Rolle. Und
je länger sie ihm zuhörte, umso paranoider erschien ihr
Markus' Verhalten. »Haben Sie mit Jesse gesprochen? Als er
hier war, meine ich.«

»Im Gegenteil. Ich hab mich von ihm ferngehalten. Wir
sind fertig miteinander.«

»Und was hat Sandra dazu gesagt?«

»Sie hat genauso geschaut wie Sie gerade. Sie konnte sich
nicht vorstellen, dass er hier gewesen sein sollte. Deshalb
hab ich sie ja auch zu Wolle geschickt.«

»Wolle? Wer ist das?«

»Wolfgang Seifert. Der Besitzer vom Woll'seifert in der Klammstraße. War damals mit Jesse und mir auf einem Zimmer.«

»Was hat denn Wolle damit zu tun?«

»Ich hab gedacht, wenn sie's jemandem glaubt, dann vielleicht ihm. Sandra hatte mal was mit ihm. Ganz kurz nur. Bevor das mit ihrem ständigen ›Jesse-Jesse-Jesse‹ losging. Hat ihn auch später immer gemocht. Wolle hat nie ein Fass aufgemacht, so wie andere.«

»Also hat Wolle Jesse auch hier gesehen?«

»Nein, das nicht. Aber Wolle hat Jesse durchschaut. Hat sich nichts weismachen lassen nach dem Unfall. Dieses ganze harmlose Getue. Jesse, das arme Opfer. Das hatte er wirklich raus, dass er so ungeschoren blieb. Wolle wusste es besser.«

»Was wusste Wolle besser?«

»Er hat mal ein paar Andeutungen gemacht, dass mit Jesse was nicht stimmen würde. Hätte er selbst gesehen. Wir hatten schon ein paar Bier, als er mir das erzählt hat. Als ich von ihm wissen wollte, was das denn wäre, hat er ein Riesengeheimnis daraus gemacht. Er meinte dauernd, er hätt's dem Direx versprechen müssen, mit niemandem drüber zu reden.«

»Und was könnte das gewesen sein, das er damals gesehen hat?«

Markus zog die Schultern hoch. »Muss ihn auf jeden Fall erschreckt haben. Er hatte richtig Angst. Wollte auf keinen Fall mehr sagen. Nur dass Jesse ihm nicht geheuer sei, das hat er gesagt.«

»Nicht geheuer? Und das reicht Ihrer Meinung nach schon, um jemanden in einer Anstalt wegzusperren?«

»Jesse hat hier nichts zu suchen. Warum geistert er hier nachts rum? Verraten Sie mir das.«

Jule schnaubte. »Verraten Sie mir doch, warum *Sie* hier nachts durchs Haus spuken.«

»Ich bin der Hausmeister.«

»Ach, und die Mädchentoilette reparieren Sie auch nachts?«

Markus' Miene wurde finster. Seine Finger schoben die Schlüssel manisch über den Ring. »Ist Ihre Sache, wem Sie glauben. Aber ich find mich nicht damit ab, dass Jesse hier seine Spielchen treibt. Wie gesagt: Er gehört weggesperrt.«

»Wenn er wach wäre, würde er mir jetzt vermutlich das Gleiche in Bezug auf Sie raten.«

Markus' kalter Blick streifte Jesse. Er blinzelte, zuckte dann mit den Schultern. »Ist er aber nicht.«

»Und jetzt? Wollen Sie uns etwa hier festhalten? Das können Sie nicht.«

Markus, der die ganze Zeit in einer leicht gebeugten Haltung dagestanden hatte, richtete sich auf. Seine Augen glitzerten schwarz, und seine Faust schloss sich um den Schlüsselbund. »Wer sollte das denn verhindern?«

Jule lief es eiskalt den Rücken herunter.

»Mir fällt jedenfalls niemand ein«, sagte Markus. Er trat hinaus in den Flur, drückte einen Schalter, und das Licht in der Kammer verlosch. Die Tür fiel knirschend hinter ihm zu. Jule saß in der Finsternis, hielt den Atem an, wartete auf das unvermeidliche Geräusch. Doch außer ihrem klopfenden Herzen, Jesses tiefen Atemzügen und ein paar sich entfernenden Schritten hörte sie nichts.

Markus hatte nicht abgesperrt.

Kapitel 29

Dienstag, 8. Januar 2013

Artur hatte tatsächlich eine Weile geschlafen, tief und ohne Gespenster. Verwirrt rieb er sich das Gesicht. Nun saß er hier, gefangen auf einem Dachboden, und konnte plötzlich wieder schlafen? Vielleicht war es auch nur die Erschöpfung gewesen. Die letzten Stunden hatten ihn mehr Kraft gekostet, als ihm noch zur Verfügung stand.

Isabelle saß drüben auf ihrer Matratze, die Füße im Schneidersitz verknotet, als hätte sie Bänder und Sehnen aus Gummi. Er erinnerte sich an ihre Hand und wie sie neben ihm gesessen hatte, als er eingeschlafen war. Plötzlich hatte er das Bedürfnis, die Zeit um ein paar Stunden zurückzudrehen.

»Na endlich«, sagte Isabelle. Sie klang ein wenig maulig.

»Hab ich so lange geschlafen?«

»Ewig.«

Er rappelte sich auf. »Ist etwas passiert?«

Sie schüttelte den Kopf, und ihre blonden Locken schaukelten.

Artur rieb sein Handgelenk. Der dunkle Striemen war ein wenig verblasst, aber nicht verschwunden. Im Alter verschwand irgendwie nichts mehr, jeder Schmerz blieb an einem kleben, als hätte man in Haftcreme gebadet.

»Willst du auch was essen?« Isabelle wackelte mit der Tupperdose.

Artur brummte. Für die Dose galt diese Haftcremesache auch. Er wurde das Bild mit der Hand einfach nicht los.

»Du musst aber was essen«, mahnte Isabelle. Artur konnte sich bestens vorstellen, wie oft Sandra diesen Satz zu ihr gesagt hatte.

»Nachher«, murmelte er, worauf sie eine Weile schwieg. Doch die Unruhe war ihr anzusehen.

»Du-u?«

Artur lächelte.

»Was glaubst du, hat der Insektenmann mit uns vor?«

Arturs Lächeln verschwand. Der Insektenmann. Die bloße Erwähnung jagte ihm einen Schauer über den Rücken. Als wäre der Mann mit ihnen im Raum. »Ich weiß es nicht.«

Isabelle nickte stumm. Ihr Kehlkopf hüpfte zweimal in Folge, und sie presste die Lippen aufeinander. Trotz der Bedrohung riss sie sich zusammen. Von allen Kindern, die er in den letzten Jahrzehnten kennengelernt hatte, war Isabelle das mutigste. Er hätte ihr gerne etwas Tröstliches gesagt, aber was hatte er schon anzubieten? Jetzt, da er halbwegs ausgeruht war, versuchte er seine Gedanken zu sortieren.

Natürlich kam ihm als Erstes Rache in den Sinn. Vor dem Unfall hatte es viele gegeben, die Jesse die Pest an den Hals gewünscht hätten. Der Maskenmann hier zielte ganz offenkundig auf Jesse, warum sonst hätte er Isabelle entführen sollen. Die Frage war, wie weit würde er noch gehen?

Und Wilbert? Warum musste er sterben, und was hatte er, Artur, damit zu tun? Genau genommen gab es dafür nur eine Erklärung, aber sie war so abwegig, so verrückt, dass sie keinen Sinn ergab. Das hätte alles ad absurdum geführt. Den Unfall, die Zeit danach. Einfach alles!

Wieder musste er an Wilbert denken.

Das letzte Mal, dass er die Hand mit der ihm so vertrauten Narbe geschüttelt hatte, war 1981 gewesen. Dante hatte ihn damals aus dem Schlaf geholt, mitten in der Nacht. Wilbert stand vor der Tür, trotz seiner Größe nur ein Häufchen Elend. Noch heute schämte Artur sich für sein Verhalten.

Er hatte Angst gehabt. Und irgendwie quälte ihn schon seit Jahren die Frage, ob die Angst es eigentlich besser machte, verzeihlicher. Oder traf das Gegenteil zu? Zeigte sich nicht, wenn man Angst hatte, wer man wirklich war? Er schaute zu Isabelle, die sich entschlossen mit dem Handrücken über die Wange wischte, und bewunderte erneut ihren Mut. Und wünschte sich, davon etwas in sich selbst zu finden.

Er mochte nicht, wer er war. Aber was konnte er jetzt noch daran ändern? Schließlich war er kein Superheld, er war noch nicht einmal sportlich oder kräftig, nur alt und tattrig.

»Isabelle?«

Sie schniefte, das Kinn trotzig vorgereckt. »Ja.«

»Komm doch mal her zu mir.«

Kaum hatte er das gesagt, saß sie schon neben ihm. Sie schien nur darauf gewartet zu haben. Auf ihn, den alten Tattergreis. Zum ersten Mal hatte er das Gefühl, seine zitternden Hände nicht verstecken zu müssen. »Was hältst du davon, wenn wir einen Plan machen?«

»Was für einen Plan?«

Er lächelte verschwörerisch. »Wie wir hier rauskommen.«

Ihre Augen wurden groß. »Aber wie?«

»Ich habe keine Ahnung«, gestand Artur. Aber bevor ihr etwas passierte, schwor er sich, würde er sie hier rausbringen.

Kapitel 30

Heute war alles anders.

Heute schien es um den Plan zu gehen.

Seit sieben Wochen hatte Jesse nun jede Nacht auf dem Fußboden geschlafen, das leere Bett in seinem Rücken. Bei vier gegen einen wäre jeder Widerstand zwecklos gewesen, zumal das freie Bett auch noch Richard gehörte, und der war nun mal der Sohn von Mr Dee.

Dennoch verstand Jesse nicht, warum er das Bett nicht benutzen durfte, wo es doch Nacht für Nacht leer blieb. Bisher hatte Richard nur zwei Mal auf diesem Bett gesessen, nachmittags, als es draußen geregnet hatte. Jesse hatte das Zimmer verlassen müssen, weil offenbar ein Plan geschmiedet wurde.

Heute war der erste Abend, an dem es anders lief. Wie immer lag Jesse zur Abendkontrolle im weichen Bett, nur dass diesmal Richard heimlich unter seinem Bett lag, auf dem Fußboden. Für einen Augenblick ertappte sich Jesse bei der Phantasie, er bräuchte nur auf dem Bett umherzuspringen und Richard bekäme wieder und wieder den Lattenrost ins Gesicht gepresst.

Aber natürlich lag er still, als Artur Messner seinen Kontrollgang machte. Und natürlich räumte er das Bett für Richard, nachdem Mr Dee um halb neun den Homie-Trakt verriegelt hatte. Er legte sich möglichst weit entfernt vom Bett auf die Dielen, wohl wissend, dass sie glaubten, ihn da zu haben, wo sie ihn haben wollten: am Boden, als Hund. Aber im Herzen lag er da wie ein Wolf. Mit funkelnden Augen, spitzen Ohren, sprungbereit.

Eine halbe Stunde lang geschah nichts.

Dann hörte er die heisere Stimme von Alois. »Na, schon Schiss?«

»Blödsinn«, gab Richard zurück. Es sollte wohl klingen wie ein Knurren, doch seine Stimme wirkte hell und kindlich in der Dunkelheit. Schiss?, fragte sich Jesse. Wovor eigentlich?

»Kannst es ja hinterher deiner Sandra erzählen«, wisperte Wolle.

»Sie ist nicht meine Sandra«, zischte Richard, wobei es sich anhörte, als hätte er es durchaus gerne so gehabt. Jesse jedenfalls konnte ihn nur zu gut verstehen. Er wäre gerne in den Keller geschlichen, aber hatte es nicht darauf ankommen lassen wollen. Doch irgendwann würde er es tun, so viel stand fest.

»Vielleicht hält sie ja dann Händchen mit dir«, raunte Alois. »Oder du darfst sie küssen.«

Mattheo und Wolle kicherten leise. Von Markus war wie immer kein Laut zu hören. Markus sagte etwas, wenn er etwas zu sagen hatte. Sonst nicht. Und wenn es um Sandra ging, war er ohnehin wortkarg.

Eine Ewigkeit später raschelte es plötzlich. Alois streckte die Füße aus dem Bett, warf die Decke beiseite. »Dann mach mal das Fenster auf.«

Richard stand ebenfalls auf und ging zum Fenster. Auch die Bettdecken der anderen kamen in Bewegung. Als Richard das Fenster öffnete, strömte kühle Luft ins stickige Zimmer. Seine Silhouette hob sich gegen den mondhellen Himmel ab. Eine zweite Silhouette trat neben ihn. »Ist was anderes als der Weg unten rum, oder?«, fragte Alois gedämpft.

»So anders auch wieder nicht.«

»Ach nee? Dann geh mal vor.«

»Ich bin zwar nicht feige. Aber blöd bin ich auch nicht. Geh doch selber vor.« Alois' Grinsen schimmerte im Mondlicht.

Jesse erhob sich lautlos.

»Soll ich dir zeigen, wie's geht?«, stichelte Alois.

»Tu nicht so überheblich. Du bist beim ersten Mal doch auch hinterher.«

»Und du bist immer durch die Haustür, Mr Sohnemann. Deine Tür ist nie verriegelt.«

»Ich bin hier genauso eingesperrt wie ihr, wann kapierst du das endlich?«

»Jetzt lass ihn«, sagte Markus, bevor Alois etwas entgegnen konnte.

»Gehen wir jetzt endlich?«, flüsterte Mattheo eifrig.

»Du gehst gar nicht«, sagte Markus.

»Wieso nicht?«

»Du bist zu klein. Von der Dachrinne bis zum Fensterstein reichen deine Beine noch nicht.«

»Ich bin längst alt genug.«

»Darum geht's nicht, Mattheo. Du bist einfach zu klein. Tut mir leid.«

»Du bleibst hier«, bestimmte Alois, obwohl schon alles entschieden war, »und bewachst den Neuen. Dass der keinen Mist baut.«

»Ich bleib doch nicht bei dem. Ich gehör dazu.«

»Klar gehörst du dazu. Deswegen musst du ihn ja auch bewachen«, sagte Alois und schwang ein Bein über die Fensterbank und war mit einem Mal draußen auf dem schmalen Stück Dach vor der Regenrinne. Dann schien er in die Tiefe abzutauchen. Seine Hände glitten hörbar über das Zink der Dachrinne. »Kommst du?«

Das galt Richard, der mit sichtlichem Respekt aufs Dach stieg und hinabspähte. Dann tauchte auch er ab, und anschließend Markus und Wolle.

»Blödmänner«, flüsterte Mattheo, sicherheitshalber so leise, dass die Jungs draußen es nicht hören konnten. Er machte einen Schritt aufs Fenster zu und bemerkte erst jetzt, dass Jesse aufgestanden war. »Du rührst dich nicht vom Fleck, Neuer, klar?«

»Warst du schon mal dabei?«, fragte Jesse leise.

»Halt die Klappe.«

Jesse erfüllte ihm den Wunsch und schwieg. Durch das offene Fenster waren immer noch leise Geräusche zu hören, die schließlich verstummten.

»Was machen die?«

»Klappe, hab ich gesagt.«

Jesse ließ sich nicht beirren und trat neben ihn ans Fenster. Mattheo packte ihn am Arm, um ihn aufzuhalten, doch Jesse schüttelte ihn einfach ab und sah in die Nacht hinaus. Vier Schatten huschten über den Hof in Richtung Wald. Er lehnte sich vor. Direkt hinter der Dachrinne wartete der Abgrund. Einen Halt an der Hauswand konnte er nicht ausmachen. Waren die vier in ein Fenster eingestiegen? Jesse nahm seinen Mut zusammen und schwang sich mit klopfendem Herzen aufs Dach.

»He, Neuer! Das darfst du nicht«, maulte Mattheo.

Jesse hielt inne, sah ins Zimmer. »Ich heiße Jesse. Und was ich darf oder nicht, entscheide ich selbst, du Pfeife.«

»Das wird den anderen nicht gefallen. Du kriegst echt Ärger. Mit Markus ist nicht zu spaßen.«

»Hast ganz schön Angst vor Markus, was?«

»Ich? Vor Markus? Nö.«

Jesse packte Mattheo blitzschnell am Kragen und zerrte ihn kopfüber zu sich heraus aufs Dach, so weit, dass Mattheos Beine hilflos über der Fensterbank strampelten. Nur noch eine kleine Handbewegung, und Mattheo würde über die Dachkante in die Tiefe stürzen. »Wenn du mich verpetzt«, zischte er, »dann schmeiß ich dich da runter, klar?«

Mattheo starrte mit weit aufgerissenen Augen hinunter.

»Und das sind vierzehn Meter, richtig?«

Er ließ abrupt los, und Mattheo hatte alle Mühe, nicht das Gleichgewicht zu verlieren. Hastig zog er sich ins Zimmer zurück. In stillem Triumph, mit Mattheos bleichem, ängstlichem

Gesichtsausdruck im Rücken, schob Jesse sich über die Regenrinne, ließ den Körper baumeln und klammerte sich ans Zink. Jetzt konnte er die Hauswand sehen – und das Fenster. Es war geschlossen.

Den Bruchteil einer Sekunde lang überlegte er, ob er aufgeben und seine Kräfte nutzen sollte, um sich wieder hochzuziehen. Aber dann würde selbst Mattheo ihn nicht mehr ernst nehmen.

Er angelte mit den Füßen nach dem schmalen Sims, griff mit einer Hand unter die Dachkante, fand Halt und schaffte es, sich vor dem verschlossenen Fenster auf das Sims zu kauern. Sein Herz schlug wie wild. Hier konnte er nicht bleiben. Mit den Fingern tastete er nach einem Halt an der Wand und stieß auf die Fensterläden. Dann erinnerte er sich an das erhabene, in Stein gehauene Wappen, das mittig aus der Fassade hervorsprang. Es lag etwa sieben Meter rechts von ihm und eineinhalb Meter abwärts. Von dort aus konnte er den tiefer liegenden Balkon erreichen. Auf der Höhe des Fenstersimses ragten schmiedeeiserne Windhaken aus der Wand und verhinderten das Zuschlagen der Läden. Jesse richtete sich vorsichtig auf, fasste nach der Oberkante des rechten Fensterladens, hoffte, dass die Angeln sein Gewicht hielten, setzte den Fuß auf den Windhaken und kletterte weiter zum benachbarten Fensterladen – und von dort aus zum Fenster über dem Wappen. Ein leichter Wind fuhr an der Fassade entlang und ließ einen der Läden klappern. Er schwitzte und drückte für einen Moment seine Stirn gegen die kühle Scheibe. Vom Sims aus hangelte er sich hinab bis zum Wappen.

Als er dann den Balkon darunter erreichte, hatte er das Gefühl, ihm gehöre die ganze Welt. Als er endlich unten angekommen war, war es das ganze Universum. Jetzt galt es nur noch, den Wald zu erobern. Und herauszufinden, was die vier dort trieben.

Kapitel 31

Noch bevor er die Augen aufschlug, nahm Jesse den typischen Geruch wahr, den Holz in einem alten feuchten Keller annimmt. Muffig und drückend. Wie ein Reflex drängte die Vergangenheit in sein Bewusstsein. Die enge Kammer. Finsternis, bis auf ein paar dürre Lichtstreifen. Ausgeliefert sein.

Das Loch hatte ihm immer noch mehr zugesetzt als den anderen, auch wenn er es nie zugegeben hatte. Sobald Dante die Tür verschloss und das Licht ausging, kam es ihm vor, als wäre er verschüttet. In einem finsteren Grab gefangen. Es roch nach Moder, der Geruch von Erde kroch ihm in Mund und Nase, und er bekam Atemnot.

Einmal, als gerade niemand im Loch saß, war er heimlich in den Keller hinuntergeschlichen und hatte die Holzwände mit Essig abgerieben, weil er glaubte, damit ein für alle Mal die Bakterien abzutöten, die den verhassten modrigen Geruch hervorriefen. Zum Schutz vor den Essigdünsten hatte er eine der Gasmasken übergezogen, die er in einer Kiste im unbenutzten Teil des Kellergewölbes gefunden hatte.

Doch der Essig stank bis hinauf in die Küche. Dante hatte ihn prompt erwischt. Der beißende Geruch hatte sich wochenlang im Keller gehalten, doch kaum dass der erste, schlimmste Gestank verflogen war, sperrte Dante ihn für drei Tage ins Loch. Die Essigsäure hatte ihn würgen lassen und schlug ihm so sehr auf den Magen und die Bronchien, dass er damals fast drei Wochen lang krank gewesen war.

Er öffnete die Augen und blinzelte. Es war hell. Gott sei Dank. Um ihn herum war nichts als Holz. Hastig setzte er sich auf. Viel zu schnell, wie ihm der Schwindel zeigte. Seine Hüfte meldete sich mit einem heftigen Stechen. Der Schmerz brachte ihn zur Besinnung. Sandras Tod, Isas Entführung, die letzten Stunden – alles war mit einem Schlag wieder da. Sofort überkamen ihn Schuldgefühle. Er hatte geschlafen! Die Kontrolle verloren. Aber um Himmels willen, wie lange? Und warum war er hier unten? Im Loch?

Auf dem Holzboden neben dem Bett lag Jule, schlafend, auf ein paar fleckigen Sitzkissen. Ihre Beine ragten über die Schwelle in den Flur hinaus, als wolle sie verhindern, dass jemand die Tür schloss.

»He, Jule! Wach auf!« Er rüttelte an ihrer Schulter, und sie fuhr erschrocken hoch. »Was? Jesse?«

Ihm fiel auf, dass sie ein wenig nach Schweiß roch, nicht unangenehm, aber die Ereignisse der letzten Stunden klebten ihr förmlich auf der Haut.

»Wie spät ist es?«, fragte er.

»Was?« Verwirrt strich sie sich die blonden Haare aus dem Gesicht.

»Wie spät es ist.«

Jule schüttelte die Benommenheit ab und atmete tief durch. »Gott, hast du mich erschreckt.«

Jesse rieb sich die Schläfen. Sein Kopf war schwer und fühlte sich träge an. »Wie lange hab ich geschlafen?«

»Keine Ahnung. Eine ganze Weile.«

Jesse zog sein Handy aus der linken Gesäßtasche und drückte den Home-Button, doch das Display blieb dunkel. Auch das noch. Er warf Jule einen raschen Blick zu.

»Sieh mich nicht so an«, wiegelte sie ab. »Auch wenn du es nicht glaubst, ich bin noch nicht einmal auf die Idee gekommen.«

Jesse zögerte, hätte ihr nur zu gerne geglaubt. Er brauchte ja jemanden, dem er vertrauen konnte. Trotzdem fiel es ihm immer noch schwer, dabei war es doch Beweis genug, dass sie immer noch hier war. »Wie um alles in der Welt sind wir ins Loch gekommen?«

»Ins Loch?« Jule sah sich in der Kammer um. »Das hier ist das Loch?«

»Hat Sandra dir nicht davon erzählt?«

»Doch, aber ... ich hatte es mir irgendwie anders vorgestellt.«

»Was ist passiert? Warum sind wir hier?«

In kurzen Sätzen erzählte Jule ihm von den Diazepam-Tabletten, ihrer Begegnung mit Markus und von dem Geheimnis, das Wolle Seifert offenbar mit Artur teilte.

»Also ist Sandra tatsächlich hier gewesen.« Jesse legte die Stirn in Falten. »Ich verstehe nur nicht, warum er behauptet, dass er mich hier gesehen hätte. Ich war nicht hier. Und was soll das mit der Mädchentoilette? Was für eine verrückte, absurde Geschichte!«

»Und was ist mit Wolle? Wusstest du, dass Wolle und Sandra ...?«

»Nein.«

Jule schwieg einen Moment, fast als wäre es *ihr* peinlich, dass Sandra ihm nichts davon erzählt hatte.

»Auch Sandra hatte offenbar Geheimnisse, oder?«, stellte Jesse fest.

»Wusstest du, dass Sandra an dem Abend, als sie umgebracht wurde, mit mir verabredet war?«, fragte Jule leise.

Jesse sah sie verblüfft an. »Nein. Mir hat sie gesagt, sie würde sich ein Tanzstudio ansehen.«

»Wir waren im Einstein verabredet. Sandra wollte mich treffen, weil sie mir unbedingt etwas erzählen wollte. Sie meinte, es ginge um dich und um Adlershof. Ich habe eine halbe Ewigkeit auf sie gewartet. Irgendwann habe ich mir Sorgen gemacht und bin zu ihr gefahren ...«

Jesse brauchte einen Augenblick, um Sandras Lüge zu verdauen. Jetzt verstand er plötzlich Sandras Andeutungen am Tag zuvor, und auch ihre Frage, ob er in der letzten Zeit in Adlershof gewesen sei. Markus hatte es offenbar geschafft, sie zu verunsichern. »Hat sie nicht mehr gesagt? Irgendeine Andeutung, was Wolle ihr erzählt haben könnte?«

»Wir haben nur ganz kurz telefoniert. Aber sie war wirklich beunruhigt.« Jule sah ihn nachdenklich an und fügte hinzu: »Was mich dabei besonders wundert ist, dass Markus nicht unbedingt den Eindruck macht, als könnte man alles glauben, was er erzählt.«

»Wie meinst du das?«

»Er nimmt irgendwas. Koks, Marihuana, ich weiß nicht genau. Ich kenn mich nicht gut genug aus, aber seine Augen waren groß wie Untertassen. Sein ganzes Verhalten war irgendwie … nervös. Manisch.«

Jesse runzelte die Stirn, versuchte, den Markus, den er kannte, mit Drogen zusammenzubringen. Zu Mattheo hätte es gepasst, oder zu Alois. Vielleicht auch zu Wolle. Aber Markus?

»Ich kann mir nicht vorstellen«, sagte Jule, »dass Sandra ohne triftigen Grund so beunruhigt war.«

»Wenn Markus so unglaubwürdig ist, wie du ihn schilderst, dann muss es an dem liegen, was ihr Wolle gesagt hat.«

»Dann fragen wir Wolle am besten selbst, oder?«, meinte Jule. »Das Woll'seifert ist in der Klammstraße, laut Markus. Kennst du die?«

Jesse wusste nicht, ob er dankbar oder misstrauisch sein sollte. Jule schien seine Zweifel zu spüren und lächelte ihn an. Nicht dieses gefällige Lächeln, sondern ein schiefes, ehrliches. »Klar kenn ich die. Ist in der Nähe vom Marienplatz. Und die Klammstraße ist auch nicht besonders lang, insofern sollten wir das Woll'seifert schnell finden.« Jesse wühlte nach dem Autoschlüssel in seiner Hosentasche und stutzte. »Wo ist denn der –« Er sah Jule an. In ihrer Hand baumelte der Volvo-Schlüssel. Ihr Lächeln war erloschen. Auf ihrem Gesicht lag ein entschlossener Ausdruck, der viel besser zu ihren grünen Augen und der rauen, dunklen Stimme passte als zu den weichen Gesichtszügen der Zahnarzttochter. »Ich glaube nicht«, sagte sie, »dass du schon wieder klar genug bist, um zu fahren.«

Es hatte wieder angefangen zu schneien. Kleine Flocken, die verspielt und in großen Abständen vom dunklen Himmel trudelten. Jule fuhr ein wenig unsicher. Die Schneeketten irritierten sie, doch sie hielten den Volvo auf der Straße. Die Scheinwerfer streiften das Engelstor und ließen es als Schatten zurück. Im Rückspiegel versanken die wenigen erleuchteten Fenster von Adlershof hinter dem Horizont.

»Wer ist dieser Wolle eigentlich?«, fragte Jule.

»Er heißt eigentlich Wolfgang Seifert und war mit mir und den anderen zusammen auf dem Zimmer. Soweit ich mich erinnere, ist sein Vater abgehauen, da war er noch ganz klein. Seine Mutter ist wegen irgendeiner dummen Geschichte ins Gefängnis gekommen. Ich glaube, sie hatte Geld unterschlagen. Und im Gefängnis ist ihr dann etwas zugestoßen. Na ja. So hat Wolle auch immer geschaut: als wäre gerade etwas passiert, das besonders traurig ist. Wolle war eine eigenartige Mischung. Lange dunkle Locken. Verschwiegen. Und ziemlich sensibel. Auf der anderen Seite robust genug, um nicht unterzugehen. Eigentlich mochte ihn jeder, aber er fiel nie so richtig ins Gewicht.«

»Und jetzt ist er Kneipenwirt geworden?«

»Hat Markus das gesagt?«

»›Woll'seifert‹ hört sich jedenfalls an wie eine Kneipe.«

Die Scheinwerfer glitten über den Schnee in der Haarnadelkurve. Im Radkasten klapperten die Schneeketten. Garmisch war ein Lichterteppich in der Senke. Auf den Straßen glühten Bremslichter.

»Ganz schön was los da unten«, murmelte Jule.

»Saison«, meinte Jesse. »Wir sind im Skiparadies.«

Wie um seine Behauptung zu unterstreichen, kam der Volvo plötzlich ins Schlittern. Das Lenkrad schlug quer, doch Jule steuerte dagegen, mit fest zusammengebissenen Zähnen. Jesse gab ihr einen Moment, um sich zu beruhigen. »Denkst du, Markus hat etwas mit Isas Verschwinden zu tun?«

»Ich bin nicht sicher. Er verhält sich merkwürdig. Und den Satz ›Du hast sie nicht verdient‹ würde er sicher unterschreiben. Aber wenn er es gewesen wäre, hätte er doch sicher die Gelegenheit genutzt und uns eingesperrt.«

Jesse nickte. Dennoch, Markus war weniger leicht auszurechnen, als es den Anschein hatte. »Wie hat er auf dich gewirkt?«

Jules Antwort kam prompt, ohne Zögern. »Misstrauisch. Und irgendwie kalt, obwohl da ganz viel ist. Als hätte er es sich lange Zeit verkniffen, etwas zu fühlen«, sagte sie und ergänzte: »Einer, der definitiv ein Problem mit Nähe hat.«

Einmal mehr fragte sich Jesse, was wohl ihre ehrliche Antwort wäre, wenn es um ihn ginge.

»Über kurz oder lang braucht so jemand ein Ventil«, fuhr Jule fort. »Aber es müsste irgendetwas vorgefallen sein, damit er zu so etwas ... Furchtbarem greift.«

Den Rest der Fahrt schwiegen sie.

Die ersten Häuser von Garmisch empfingen sie mit hell erleuchteten Fenstern. Hier und da fand sich auch noch Weihnachtsbeleuchtung. Autos mit Dachgepäckträgern und Skiboxen säumten die Straßenränder. Jede Pension schien voll belegt, und auf dem Bürgersteig stiefelten Touristen in alle Richtungen. Die einen noch im Schneeanzug, die Skier geschultert und schwankend wegen der klobigen

Skischuhe oder des einen oder anderen Après-Ski-Glases zu viel. Die anderen bereits geduscht und umgezogen, auf dem Weg, ihren Hunger in den Restaurants rund um den Marienplatz zu stillen. Auch im Supermarkt und bei McDonald's herrschte Hochbetrieb.

Vor dem Kino im Forstamtweg fanden sie einen Parkplatz. Daniel Craig mit gezogener Pistole starrte von einem *Skyfall*-Plakat. Jesse ertappte sich dabei, dass er ihn um die Waffe beneidete – obwohl er die Dinger hasste. Im Sudan hatte er ständig vor Augen gehabt, was sie anrichteten. Doch jetzt lagen die Dinge anders.

Die kalte Luft schnitt ihnen in die Gesichter. Jesse lief mit großen Schritten voraus, während er sich fragte, wie Wolle inzwischen wohl aussehen mochte. Er hatte immer noch den Jungen mit den schulterlangen dunklen Locken vor Augen, und den Brauen, die über der Nase wie ein Spitzdach zusammenliefen. Erst in der Klammstraße verlangsamte er seine Schritte. Kurz hinter dem Wildschütz, einem hell erleuchteten und bis auf den letzten Platz besetzten Restaurant, stand ein breites zweigeschossiges Haus mit einem großen Flachsatteldach, Giebeln aus dunklem Holz und gewaltigen Dachsparren. Die weiße Fassade war einfach und etwas schmuddelig, doch dank der traditionellen Lüftlmalerei mit ihren Figuren und den bunten, stuckartigen Verzierungen um die Fenster wirkte das Haus wie ein bayerisches Kleinod.

Über dem Eingang hing ein von Strahlern beleuchtetes Schild mit der Aufschrift *Zum Woll'seifert*, flankiert von zwei Brauereilogos.

Wie um alles in der Welt kam Wolle zu einem so großen Lokal?

»Schau mal.« Jule deutete auf eine Tafel neben dem Eingang. *Siegerteam des Garmisch-Partenkirchener Hornschlittenrennens 2001, 2004, 2005, Wolfgang Seifert, Ricci Kobert,*

Alois Fürtner, Anton Schaffner. »Da scheint ja jemand seinen Platz gefunden zu haben«, sagte sie.

Jesse nickte. »Gehen wir rein und fragen nach ihm.«

Kaum hatte er die Tür aufgestoßen, drang ihnen Lärm entgegen. Im Lokal war es voll und warm. Etwa siebzig bis achtzig Gäste saßen um tiefhängende Lampen, einige standen an der Theke, zum Teil mit verschwitzten Haaren und in Skianzügen, deren Oberteile ihnen lose um die Hüfte hingen. Es roch nach Menschen, Würstchen, Kraut und Hefeweizen.

»Mehr bayerisches Klischee geht nicht, oder?«, meinte Jule trocken.

»Höre ich da einen gewissen hanseatischen Widerwillen?«

»Bei uns tragen auch nicht alle Schiffermützen.«

Sie schlugen sich zur Theke durch. Am Zapfhahn stand ein rundlicher Mittfünfziger mit gepflegtem Kinnbart und Lacoste-Poloshirt. »Kriagts ihr wos?«

»Zwei Hefe«, antwortete Jesse.

Der Mann nickte und rief: »Zwoa Hefe, Anna.« Dann verschwand er in einem Durchgang hinter dem Tresen und kam mit mehreren dampfenden Gerichten heraus, während Anna, eine dralle Zwanzigjährige mit dunklen Locken, das Bier zapfte.

»Wir suchen den Wirt«, sagte Jesse. »Wolfgang Seifert. Ist er da?«

Die junge Frau verzog den Mund. Sie sah angestrengt und traurig aus, was im Widerspruch zu ihrem farbenfrohen Dirndl stand. »Mein Vater will nicht gestört werden. Kann ich ihm etwas ausrichten?«

Jesse sah sie verblüfft an, kam sich aber gleich furchtbar naiv vor. Was hatte er denn gedacht? Dass er der Einzige war, der ein Kind hatte? »Mein Name ist Berg. Ich war mit Ihrem Vater gemeinsam in Adlershof. Wir haben uns ewig nicht gesehen.«

Annas Miene hellte sich etwas auf, jedoch nur für einen kurzen Moment. »Er will seine Ruhe, egal, wer da kommt, hat er gesagt. Hat's nicht lassen können. Musste es die Tage noch mal beim Hornschlittenrennen versuchen und hat sich prompt eine Rippe geprellt. Jetzt grämt er sich. Und wehe, man bemitleidet ihn. Wenn er seine Launen hat, ist's besser, wenn ihn niemand sieht.«

»Verstehe«, sagte Jesse, fragte sich aber, was genau sie mit ›Wenn er seine Launen hat‹ meinte. »Wo wohnt er denn inzwischen?«

»Seit Mutter tot ist, ist er wieder hier eingezogen.« Sie deutete mit dem Daumen über sich an die Decke. »Ist einfacher, behauptet er. Die Treppe runter, und schon ist was los. Als tät's was helfen.«

»Ich müsste ihn wirklich dringend sprechen«, meinte Jesse. »Es braucht auch nicht lange. Vielleicht würden Sie mich kurz zu ihm lassen?«

»Hier unten mach ich Ihnen nicht auf. Aber Sie können's gern außen rum probieren. Einmal ums Haus, und bei Seifert klingeln. Aber soweit ich weiß, hat er die Klingel abgestellt. Ich hab ihn selbst seit vorgestern nicht gesehen.«

»Leben Sie nicht bei Ihrem Vater?«

»Ich? Bei meinem Vater?« Sie lachte alles andere als fröhlich. »Er ist ein Eigenbrötler. Solange er hier unten in der Wirtschaft ist, da geht's. In Gesellschaft fällt's nicht groß auf. Aber wehe, man ist allein mit ihm.«

Jesse schwieg betroffen.

»Wär vielleicht besser, Sie täten in ein paar Tagen noch mal kommen.«

Ein paar Tage. So viel Zeit hatte er nicht. Jesses Blick fiel auf einen dicken Schlüsselbund, der hinter der Theke auf einem Bord an der Wand lag, direkt neben der Kasse und dem Durchgang zum Küchenbereich. Vermutlich war dort auch die Tür zum Treppenhaus. Plötzlich musste er an seinen eigenen Schlüsselbund denken und daran, dass Marta immer noch sein Portemonnaie hatte.

»Bittschön. Ihr Hefe.« Kondenswasser schwitzte von den Gläsern, als sie das Bier über die Theke schob. Hinter ihnen brach eine große Runde in ohrenbetäubendes Gelächter aus. Jesses »Danke« ging im Lärm unter. Er prostete Jule zu, dann Anna. »Wie ist Wolle eigentlich an dieses Lokal gekommen?«

»Was?« Sie beugte sich vor, um besser hören zu können.

»Wie er an das Lokal hier gekommen ist«, sagte Jesse deutlich lauter.

Anna lachte auf. »Die Geschichte hat er Ihnen nicht erzählt? Na, da haben Sie sich ja wirklich lange nicht gesehen.« Humor blitzte kurz in ihren Augen auf, und Jesse erinnerte sich, dass Wolle früher ein ähnliches Lachen gehabt hatte. Es war nur selten zu sehen gewesen. Eigentlich hatte er ihn immer gemocht, hatte jedoch nie gewusst, woran er bei ihm war.

»Geerbt hat er. Eine total verrückte Geschichte, wie im Film war das. Ein Anwalt hat angerufen, aus San José in Kalifornien. Ich war sieben damals, glaube ich. Eine Tante wär gestorben, sie hätte ihm etwas Geld vermacht. Es war sogar recht viel. Damit hat er's dann gekauft«, sie ließ ihren Finger kreisen, der das ganze Haus einschloss, »und das Woll'seifert draus gemacht. Oder vielmehr, Mutter hat's draus gemacht.«

»Anna!«, rief jemand hinter Jesse. »Woas is jetzt?«

»'tschuldigung. Ich muss«, sagte Anna und eilte hinter dem Tresen hervor zu einem der voll belegten Tische.

Jesse sah rasch zu Jule und deutete zur Kasse hinüber. »Siehst du den Schlüsselbund?«

»Was hast du vor?«

»Ich muss mit Wolle sprechen. Ich will wissen, was er Sandra gesagt hat.«

»Du willst dir den Schlüssel ... wie willst du das anstellen? Hier ist alles voller Leute.«

»Mit deiner Hilfe.«

Sie hob die Augenbrauen.

»Vielleicht wirfst du dein Bier um, oder du fällst Anna in den Arm, wenn sie gerade ein volles Tablett trägt. Je lauter es wird, desto besser.«

Jule schwieg und sah auf ihre Hände, die das Weizenglas festhielten. »Muss das sein?«, fragte sie beherrscht. »Wollen wir nicht erst mal klingeln?«

»Du hast doch gehört, was Anna gesagt hat. Das ist Zeitverschwendung. Er wird nicht aufmachen. Wenn die Klingel abgestellt ist, wird er es nicht einmal hören.«

»Ganz ehrlich, Jesse, mir geht das zu weit und zu schnell.«

»Warum sollte ich die Wunde kleben, wenn ich doch sofort sehe, dass sie genäht werden muss?«

»Der Vergleich hinkt«, widersprach Jule. Sie nahm die Hände vom Glas. »Ich muss kurz auf die Toilette.«

Jesse wollte etwas einwenden, hielt sich dann aber doch zurück. Während Jule sich einen Weg zwischen den Gästen hindurch bahnte, betrachtete er den Schlüsselbund.

Fünf Minuten später kam Jule zurück, mit roten Wangen. Sie nahm einen kräftigen Zug von ihrem Hefeweizen. Heller Schaum blieb an ihrer Oberlippe haften. Sie wischte ihn mit der Unterlippe fort. »Er macht wirklich nicht auf«, sagte sie.

»Was meinst du?«

»Ich hab geklingelt. Wolle macht nicht auf.«

»Und jetzt?«

»Nach der Sache mit dem Tablett entschuldige ich mich, bezahle und gehe. Wenn sie dich mit dem Schlüssel erwischen, zieh mich da bitte nicht mit rein. Ich warte am Auto.«

Kapitel 32

Annas Tablett war mit einem Mineralwasser, drei Hefe-Weizen, zwei Cola und vier Korn beladen. Als es auf den Boden polterte, zersprangen die Weizengläser, die Schnapsgläser hüpften klirrend. Die Getränke spritzten über die Hosen und Schuhe der Umstehenden, und die Gespräche verstummten für einen kurzen Moment, als hätte jemand eine Stopptaste gedrückt. Alle Blicke richteten sich auf Anna und die Scherben um sie herum.

»Ent...schuldigung«, stammelte Jule. »War ich das?«

Annas Antwort hörte Jesse schon nicht mehr. Den Schlüsselbund hatte er im Vorübergehen eingestrichen und war wie selbstverständlich in dem Durchgang hinter dem Tresen verschwunden. Aus der Küche drang das Klappern von Geschirr. Eine Entlüftungsanlage brauste. Links von ihm war die Tür, hinter der er das Treppenhaus vermutete. Er hatte befürchtet, mehrere Schlüssel ausprobieren zu müssen, doch es war nicht einmal abgesperrt. Er schlüpfte rasch durch die Tür und stand in einem weißgefliesten, sterilen Treppenhaus, das nicht im Geringsten zum sonstigen Charakter des Gebäudes passen wollte. Mit raschen Schritten nahm er die Stufen. Die Treppe endete im ersten Obergeschoss vor einer weiteren Tür. Daneben stand eine beeindruckende Sammlung von recht teuren, jedoch kaum gepflegten Männerstiefeln und Wanderschuhen.

Jesse klopfte an die Tür. Erst leise, dann kräftig und laut. Hinter der Tür blieb es still.

Er drehte den Schlüsselbund in der Hand. Durfte er die Tür einfach öffnen? Die Frage beantwortete sich von selbst. Schließlich hätte er den Schlüssel schon gar nicht nehmen dürfen. Von einigen anderen Dingen, die er seit gestern getan hatte, ganz zu schweigen.

Der dritte Schlüssel, den er probierte, passte.

Die Tür schwang auf. In der Wohnung war es dunkel.

»Wolle?«

Er trat ein, knipste das Licht an und schloss die Tür hinter sich. Schlief Wolle bereits? Er spähte ins erste Zimmer. Eine Küche, wenig benutzt, auf der Arbeitsplatte einige leere Korn- und Weinflaschen. Im Waschbecken des Badezimmers klebten lange Haare und Reste von Seife und Zahnpasta. Das Bett im Schlafzimmer war zerwühlt, auf dem Nachttisch standen zwei leere Weinflaschen mit Schraubverschluss. Gläser waren keine zu sehen. Jetzt wusste er, was Anna mit ›seinen Launen‹ gemeint hatte.

Das Wohnzimmer war ungewöhnlich groß und beherbergte ein Sammelsurium aus schweren neubayerischen Weichholzmöbeln, dunkleren Antiquitäten in einem bedauernswerten Zustand und einem modernen Tisch mit gerippten Metallbeinen. Eine Wendeltreppe schraubte sich durch die Decke in den Dachboden.

»Wolle?«

Immer noch keine Antwort.

Die Treppe zitterte, als Jesse sie betrat. Er stieg nach oben bis fast unter die Dachsparren. Kalte Zugluft kam ihm entgegen. In dem winzigen Flur oben gab es nur zwei Türen. Er öffnete die, hinter der er das größere Zimmer vermutete. Eisige Luft fuhr ihm ins Gesicht. Im Zimmer war es dunkel, doch die Dachfenster waren alle geöffnet, so dass von der Straße das Licht der Laternen ins Zimmer fiel.

Jesse stockte der Atem.

Um eine Strebe des Firstbalkens war ein Seil geschlungen, an dem ein Mann hing. Die offenen Fenster links und rechts von ihm sahen aus wie Flügel. Unter seinen nackten, schlaffen Füßen lag ein umgestürzter Hocker. Daneben hatte sich ein dunkler, scharf riechender Fleck ausgebreitet. Schneeflocken irrten um die leblose dunkle Gestalt und zerliefen am Boden zu Pfützen.

»O Gott«, flüsterte Jesse. Er zwang sich, das Licht anzuschalten. Wolles Gesicht war bleich und aufgedunsen, seine Augen hervorgequollen. Seine früher vollen Locken waren fransig und ergraut, aber er trug die Haare immer noch lang. Seine Kleidung wirkte ungepflegt, und als Jesse näher trat, fielen ihm die schmutzigen, schlecht geschnittenen Fuß- und Fingernägel auf. Die Haut um Wolles Handgelenke war gerötet, fast wie aufgerieben. Spuren von Fesseln, dachte Jesse. Jetzt wurde ihm auch innerlich kalt.

Er hastete in die Küche, fand ein Baumwollhandtuch in einer Schublade, tränkte es mit Wasser und Spülmittel und begann systematisch alle Lichtschalter, den Handlauf der Wendeltreppe und den Schubladengriff sowie die Armatur in der Küche abzuwischen. Auch die feuchten Spuren seiner Sohlen wischte er fort.

Leise verließ er die Wohnung, lief die Treppe hinunter und schloss die Hintertür auf. Die Luft war eisig. Der Schnee fiel dicht und seelenruhig vom Himmel, während sein Puls raste. Mit dem Handtuch wischte er den Schlüsselbund sauber, warf ihn in den Flur und zog die Tür zu.

Dann stapfte er los, zurück zum Wagen. Seine Fußspuren würden bald im Neuschnee versinken. Das Bild von Wolles herabhängendem Körper blieb. Er fragte sich, was er Jule sagen sollte. Die Wahrheit? Dass vermutlich jemand Wolle umgebracht hatte? Am Vorabend hatte Jule ihn noch für Sandras Mörder gehalten. Sie hatte gerade erst begonnen, ihm zu vertrauen. Ein weiterer Mord würde das alles sofort wieder in Frage stellen. Denn schließlich ging es bei dem Geheimnis zwischen Wolle und Artur doch um ihn.

Kapitel 33

Endlich war etwas passiert. Die Nacht im Wald war wie eine Feuertaufe für ihn gewesen. Die anderen hatten ihn zwar nicht bemerkt, da er sich im Unterholz versteckt gehalten hatte, doch allein die Tatsache, dass er nun wusste, was sie trieben, änderte alles für ihn.

Und offenbar nicht nur für ihn. Es lag schon seit Tagen etwas in der Luft. Ihre Blicke waren anders. Irgendwie vorsichtiger. Ausweichender. Sie beobachteten ihn heimlich. Nicht nur Richard, Markus, Alois, Wolle und Mattheo. Auch die anderen Homies. Die Blicke der Innis zählten nicht, die schauten sowieso nur von oben auf sie herab.

Am Freitag nach dem Mittagessen war Jesse in der Küche beschäftigt. Dante überließ ihm wortlos das Feld, um im Hof zu rauchen, als Sandra auftauchte, auf ihrem Weg in den Keller. Sie huschte an ihm vorbei und streifte ihn, nur ganz leicht, es war wie ein geflüstertes Hallo. Er drehte sich um und sah ihr nach. Im Türrahmen zum Keller blieb sie stehen, schaltete das Licht ein, sah ihn an. »Was schaust du so?«

»Du schaust doch auch.«

»Ich schau nur, warum du schaust.«

Jesse musste grinsen. »Glaub ich nicht.«

Sie schwieg einen Moment. Strich sich die Haare aus dem Gesicht und hob das Kinn. Wie eine Gestalt aus Licht. Als würde sie tanzen.

»Die anderen schauen im Moment auch dauernd«, meinte Jesse, als wäre das die Erklärung für seinen Blick.

»Wundert dich das?«, fragte Sandra.

Jesse sah sie ehrlich verwirrt an. »Irgendwie schon«, gab er zu.

»Keiner versteht die Sache mit dem Fenster.«

»Welches Fenster?«

»Das Fenster war zu.« Sie sah ihn lange an, mit dunkelblauen Augen. Wartete auf eine Erklärung.

Langsam dämmerte es ihm. Mattheo hatte gequatscht. Seine Miene verfinsterte sich.

»Wie bist du da runtergekommen?«, fragte Sandra.

»Na, vermutlich geklettert, oder?«

Sie kicherte. »Hab ich denen auch gesagt. Richard meinte, das wäre unmöglich. Alois hat gar nichts gesagt.«

»Und Markus hat natürlich auch nichts gesagt.«

»Markus sagt selten was.«

Jesse nickte. Das Einverständnis über die Sache mit dem Klettern und über Markus' Schweigsamkeit verband sie miteinander. Es war ein gutes Gefühl, erhebend. Irgendwie hatte er plötzlich den Eindruck, sich revanchieren zu müssen. »Richard guckt dir manchmal zu«, sagte Jesse heiser.

»Zugucken? Wobei?«

Jesse deutete mit dem Kopf in Richtung Keller. Sandra wurde augenblicklich rot und knetete ihre Hände. »Hat er ... hat er was erzählt?«

»Nein. Ich ... er ...«

»Was?«

Jetzt wurde Jesse rot. Mit einem Mal begriff Sandra. Ihre Gesichtsfarbe wechselte zu einem blasseren, wütenden Rot. »Du hast auch zugesehen«, zischte sie.

»Ich ... hab nur gesehen, wie du tanzt. Es sah«, er schluckte, »echt geil aus.«

Verdammt! Hatte er das wirklich gerade gesagt?

Sandras blaue Augen wurden mit einem Mal eisig. »Die anderen haben recht. Du bist nichts weiter als ein kleiner dummer Straßenköter«, stieß sie wütend hervor, wirbelte herum und verschwand im Keller, bis ihr offenbar einfiel, dass es keine gute Idee war, unter diesen Umständen noch in ihrem Raum zu tanzen. Flugs drehte sie um, rauschte wutschnaubend an ihm vorbei. Erneut berührte sie ihn, doch diesmal war es kein geflüstertes Hallo, sondern ein ausgewachsener Stoß, der ihn fast straucheln ließ. Dann war sie fort, und Jesse fühlte sich schmutzig. Auch wegen der Gedanken, die ihm in der letzten Zeit durch den Kopf gingen, wenn er Sandra sah. Nur deshalb war ihm ja dieses Wort herausgerutscht. Er wandte sich dem dreckigen Geschirr zu. Kurz darauf roch er eine Nikotinwolke. Dante war zurück.

Am Abend stieg er wie gewohnt ins Bett. Artur Messner machte seine Runde, sein Blick blieb kurz an Jesse hängen, nachdenklich, als könnte Messner all den Schmutz in ihm sehen, all das Falsche, und all das, was er nicht war und nie sein würde.

›Geil‹, hatte er gesagt. Als ob da sein Vater aus ihm gesprochen hatte! War nicht gerade das so wunderbar an Sandra, dass sie so rein war? Doch warum bekam er dann einen trockenen Mund, wenn er daran dachte, mit ihr etwas Schmutziges zu tun? Was hätte sein Bruder wohl zu ihr gesagt? Vielleicht: ›Es sah schön aus.‹ Das wäre richtiger gewesen. Netter. Besser.

Aber er war nicht sein Bruder. Er war nicht dieses bessere Ich.

In Wahrheit hatte er es geil gefunden. Auch wenn es noch so falsch war.

Als Messner die Tür zum Homie-Trakt abschloss, blieb er einfach im Bett liegen. Es war ihm egal, ob sie ihn aus dem Bett zogen, ihn verprügelten oder was auch immer. Vielleicht würde er zurückschlagen. Vielleicht auch nicht. In diesem Moment wusste er nicht, ob er Hund oder Wolf war.

Doch niemand sagte etwas. Jesse blieb ungestört in seinem Bett liegen.

In dieser Nacht träumte er von einer niedrigen versifften Höhle und wie er dort mit Vater festsaß. Unter einem zusammengefallenen Feuer gab es noch einen Rest Glut. Der hintere Teil der Höhle verschwand in der Finsternis. In diesen Teil wagte er sich nicht. Denn dort lag Mutters Leiche. Sein unsichtbares besseres Ich hielt Wache bei ihr. Und der verhasste Mann mit der Narbe war irgendwo da draußen, in der schwarzen, regnerischen Nacht, auf der Flucht vor ihm. Irgendwann würde er ihn zu fassen bekommen und töten, das nahm er sich vor. Und dieses kleine Besserwisser-Ich am besten gleich mit.

Kapitel 34

Jule hatte ihn bereits kommen sehen und erwartete ihn mit laufendem Motor. Jesse schwang sich hastig auf den Beifahrersitz. Schnee rieselte von seiner Jacke, als er die Tür zuschlug.

»Und?«, fragte sie.

»Fahr schon mal los«, erwiderte Jesse.

»Warum? Ist was passiert?«

»Nein, nein«, wiegelte er ab. »Aber das Wetter wird nicht gerade besser. Und der Schnee auf den Straßen immer mehr.«

Jule fuhr behutsam an, und der Cross Country holperte aus der Parklücke.

»Vorn rechts, und dann wieder rechts auf die Zugspitzstraße«, dirigierte Jesse.

Konzentriert lenkte Jule den Wagen zwischen den eng parkenden und teils von Schnee verhüllten Autos hindurch. Jesse war froh über die Dunkelheit. Es würde auch so schon schwer genug werden, sie zu belügen. Er konnte sich keine weiteren Diskussionen über das Einschalten der Polizei leisten. Er musste Prioritäten setzen; das hatte er bei ›Ärzte ohne Grenzen‹ gelernt. Die Toten waren tot. Jetzt ging es um Isa.

»Erzähl schon. Hast du mit ihm gesprochen?«

»Ich hab ihn getroffen, ja.« Er atmete tief durch. »Aber ich bin genauso schlau wie vorher.«

»Er hat nichts gesagt? Aber Markus meinte doch, er weiß

etwas. Das einzige Problem war, dass Artur ihn darum gebeten hatte, zu schweigen.«

»*Gebeten*«, murmelte Jesse. »Wohl eher gezwungen.«

»Dann muss Artur aber eine Menge zu verlieren haben.«

Jesse nickte. Falls es für Artur überhaupt noch etwas zu verlieren gab. Vielleicht war Artur ja nicht nur verschwunden, sondern auch tot, wie Wolle und Sandra. Sein Herz krampfte sich zusammen, als er an Isa dachte.

»Und du meinst, daran hält sich Wolle nach so langer Zeit immer noch?«

»Geheimnisse waren bei Wolle schon immer gut aufgehoben. Und wer weiß, womit Artur ihn unter Druck gesetzt hat.« Jesse sah durch die Windschutzscheibe auf die Straße. Links schlich der Marienplatz vorbei. Ein paar Halbstarke wechselten die Straßenseite, und Jule musste abrupt bremsen. »Hornochsen«, schimpfte sie leise. Hinter ihnen hupte jemand, und sie fuhr wieder an. »Aber es kann doch nicht sein, dass wir jetzt genauso schlau sind wie vorher. Was hat er denn gesagt, was wollte Sandra von ihm?«

»Das Gleiche wie ich. Etwas über dieses Geheimnis erfahren, das angeblich nur Wolle kennt. Und Artur. Deshalb wäre sie zu ihm gekommen.«

»Und er hat ihr nichts gesagt?«

»Jedenfalls behauptet er das.« Jesse wand sich förmlich vor Unbehagen. »Ich meine, vielleicht hat er ihr ja etwas gesagt, aber es mir trotzdem verschwiegen.«

»Warum denkst du das?«

»Liegt das nicht auf der Hand? Sandra mochte er, mir gegenüber war er immer reserviert.«

»Hast du ihm gesagt, dass sie tot ist? Und dass ihr Tod vielleicht etwas mit dieser alten Geschichte zu tun haben könnte?«

»Damit er am Ende mich verdächtigt? Oder bei der Polizei nachfragt? Nein.«

Jesse wartete nur darauf, dass Jule ihm Vorhaltungen machen würde, doch sie schwieg. Für einen Moment war nur das Klirren der Schneeketten zu hören.

»Da vorn musst du links«, sagte Jesse mit belegter Stimme. Das Lügen strengte ihn an, und das Innere des Wagens wurde ihm zu eng. Jule bog schweigend ab, und er fragte sich, ob sie etwas ahnte. Nach den letzten Häusern am Ortsrand von Garmisch wurde es mit einem Schlag finster. Schneeflocken trieben ins Scheinwerferlicht. Jesse sah Wolles leblose Gestalt unter dem Dachbalken baumeln. Er musste an seine Tochter Anna denken, und sie tat ihm leid.

»Jetzt kann uns nur noch Artur helfen«, sagte Jule leise und riss ihn aus seinen Gedanken. »Nur dass Artur nicht da ist.«

»Wo soll er schon hin?«, sagte Jesse, doch es klang wenig überzeugend. »Vielleicht ist er ja zurück in seinem Zimmer.«

»Von dem wir noch nicht einmal wissen, wo es ist.«

»Vielleicht doch«, murmelte Jesse. »Mir ist da etwas eingefallen.« Natürlich konnte Arturs Zimmer überall in dem weitläufigen Gebäude sein, doch so wie er Richard einschätzte, hatte er seinen Vater aus dem Weg haben wollen, nachdem er die Leitung übernommen hatte. Für Richard hatte es nie etwas Schlimmeres gegeben, als im Schatten seines Vaters zu stehen. Und im ganzen Gebäude gab es eigentlich nur eine Ecke, wo Artur so weit weg von allem war, dass sein Schatten nichts und niemanden mehr berührte: das alte Giebelzimmer im Westflügel.

Sie parkten den Volvo wieder auf dem von Tannen gesäumten Platz in der Nähe des Torhauses. Irgendwie war es Jesse lieber, den Wagen mit dem Berliner Kennzeichen nicht für alle sichtbar vor dem Haupthaus abzustellen. Jemand hatte die Zufahrtswege notdürftig geräumt; Jesse erinnerte sich, dass früher ein alter Hanomag-Traktor mit einem Schneepflug dafür benutzt worden war.

Sie mussten klingeln, und Philippa öffnete eine kleine Ewigkeit später mit säuerlicher Miene die Tür. Sie trug einen Rollkragenpullover und darüber einen Frotteebademantel. »Hat Herr Messner Ihnen keinen Schlüssel gegeben?«

»Nein, das hat er wohl versäumt. Vielleicht könnten Sie mir einen geben?«

»Da müssen Sie schon ihn fragen.«

»Tue ich dann wohl«, meinte Jesse. »Wissen Sie, ob Artur Messner inzwischen wieder da ist?«

»Artur Messner?« Philippa stutzte, fing sich aber rasch wieder. Offenbar hatte sie Artur vergessen. »Zum Mittagessen war er nicht da. Danach war ich den ganzen Tag im Ostflügel. Ich hab schließlich noch etwas anderes zu tun, als dauernd nach ihm zu sehen.«

»Herrgott, er ist ein alter Mann. Da sieht man doch mal nach, wenn er plötzlich länger abwesend ist«, sagte Jesse.

»Ich bin weder seine Tochter noch seine Altenpflegerin«, erwiderte Philippa schlecht gelaunt. Jesse hatte dennoch den Eindruck, dass sich eine Spur von schlechtem Gewissen in ihr Gesicht geschlichen hatte.

»Er wohnt im Westflügel, im Giebelzimmer, oder?«

»Warum fragen Sie, wenn Sie's schon wissen?«

»Danke, dann sehen wir jetzt selbst nach ihm.« Jesse stampfte sich den Schnee von den Schuhen und ließ Philippa stehen.

Das Treppenhaus war menschenleer. Draußen war auch niemand zu sehen. Im Hof glomm eine einzelne Laterne, durch deren Kegel gelb leuchtende Flocken fielen. Jule folgte ihm schweigend über die knarzende, breite Holztreppe, den Gang entlang in den Westflügel, über eine weitere, ungleich engere Treppe bis in den hintersten, obersten Winkel des Gebäudes. Die Stiegen der letzten Treppe waren so schief und steil, wie er sie in Erinnerung hatte. Schon für einen jüngeren Mann als Artur waren sie eine kleine Herausforderung. Die Renovierung war nicht bis hierher vorgedrungen. Die Drehlichtschalter aus Bakelit stammten noch aus der Vorkriegszeit, die Tapete war rissig, und im Naziboden kippelten einzelne Holzstäbe. Am Ende des Ganges war eine Tür, an der ein weißer, zurechtgeschnittener Papierschnipsel klebte. In zittriger Schrift hatte jemand mit einem Filzstift *A. Messner* darauf geschrieben.

Jesse dachte an das polierte Messingschild und die frisch lackierte Tür des Direktorenzimmers im zweiten Stock. Dankbarkeit war noch nie Richards Stärke gewesen. Er hatte immer gewartet, bis seine Zeit kam, und sich dann das genommen, was er wollte. Und das, obwohl er von allen am besten dran war. Selbst wenn Artur ihn nicht immer liebevoll behandelt hatte, manchmal vielleicht sogar mit übergroßer Strenge oder mit einer gewissen Gleichgültigkeit, um allen zu zeigen, dass sein Sohn nicht bevorzugt wurde – das hier war erbärmlich.

Jule sagte nichts, schien jedoch das Gleiche zu denken. »Meinst du, er schläft schon?«

»Artur ist sein ganzes Leben lang nicht früh schlafen gegangen. Wir mussten immer bis weit nach Mitternacht warten, bis es bei ihm dunkel war.«

»Warten? Um was zu tun?«

Jesse winkte ab und klopfte stattdessen an die Tür.

Drinnen blieb es still.

Bitte nicht schon wieder, dachte er. Seine Nackenhaare stellten sich auf. Er klopfte erneut, und als sich wieder nichts tat, drückte er die Klinke. Zu seiner Überraschung ging die Tür auf. Im Zimmer war es dunkel. Wie in Sandras Wohnung. Wie bei Wolle. Vor dem Fenster ließ der Widerschein des Hoflichtes den fallenden Schnee wie Staubflocken tanzen. Das Flurlicht zeichnete seinen und Jules Schatten auf einen zerschlissenen Teppich mit orientalischen Ornamenten. Artur hatte die Dinger nie leiden können.

»Artur?«

Keine Antwort.

»Vielleicht ist er doch nicht da?«, flüsterte Jule.

Jesse zögerte. Fürchtete sich, das Licht anzuschalten. Er straffte die Schultern, tastete nach einem Schalter, fand aber nur wellige Tapete. Im selben Moment warf ihn etwas um, mit so großer Wucht, dass er gegen die Tür stürzte und mit dem Kopf dagegenschlug. Jule schrie auf. Von rechts sah Jesse eine rasche Bewegung kommen und drehte instinktiv den Kopf beiseite, so dass die Faust nur seinen Kieferknochen traf. Sein Kopf knallte erneut gegen die Tür. Helle Flecken tanzten vor seinen Augen. Jemand hastete an ihm vorüber, stieß Jule gegen die Wand, rannte den Gang entlang und verschwand die steile Treppe mit geübten Schritten nach unten.

Er versuchte, sich aufzurappeln, wollte der Gestalt nachlaufen, war aber zu benommen. Schwer atmend blieb er stehen, die Hände an die Wand gestützt.

»Alles in Ordnung?«

Er spürte Jules warme Hand auf seinem Rücken. Nickte, obwohl sein Schädel ordentlich brummte.

»Sicher?«

Wieder Nicken. Wie früher. Nicken hieß immer, es geht schon, obwohl nichts mehr ging. Aber es musste ja gehen. »Hast du ihn gesehen?«

»Nein. Nur so etwas wie eine dunkle Wollmütze von hinten. Das Gesicht konnte ich nicht erkennen. Es ging alles viel zu schnell«, sagte Jule. »Aber von der Statur her war es ein Mann, da bin ich sicher. Hast du ihn gesehen? Oder erkannt?«

»Nein.«

»Was glaubst du, hat er in Arturs Zimmer gemacht?«

Jesse nahm die Hände von der Wand. Allmählich verebbte der Schwindel. »Wir sollten nachsehen.«

Jule nickte beklommen. Auch ihr saß die Erinnerung an den Vorabend im Nacken. Unsicher trat sie über die Schwelle ins Zimmer.

»Der Lichtschalter müsste irgendwo rechts sein«, meinte Jesse.

Einen Augenblick später flackerte die Deckenlampe auf. In der dreiarmigen Jugendstilleuchte dümpelten Energiesparlampen vor sich hin. Jesse hasste die Dinger. Man schaltete das Licht ein, und hell wurde es erst Minuten später.

Die Einrichtung des Zimmers war eine Mischung aus zu alt und zu billig. Vor dem Fenster stand ein betagter samtroter Ohrensessel neben einer Stehlampe und einem Tischchen mit billigem Mosaik. Der Esstisch mit den zwei einfachen Holzstühlen war schlicht, das sorgfältig gemachte Bett hatte ein Fuß- und ein Kopfteil mit bayerischen Schnitzereien und die winzige Küchenzeile sicher vierzig Jahre auf dem Buckel. Jesse ging mit raschen Schritten durchs Zimmer zu einer schmalen Tür. Das Bad war grün, schlecht gefliest und roch nach altem Mann, wie das ganze Zimmer. Nur der alte Mann war nicht da.

»Meine Güte, ist das deprimierend«, murmelte Jule.

»Ich glaube kaum, dass er freiwillig so lebt«, sagte Jesse und fragte sich, ob Artur überhaupt noch allein in die Badewanne steigen konnte.

»Hier ist ein Foto von dir«, sagte Jule im Nebenzimmer.

Jesse trat neben sie. Auf dem mittleren von drei Bildern erkannte er sein Gesicht. Er wusste sogar, wann Artur das Bild gemacht hatte: unmittelbar nach seinem Abitur. Da hatte er ihm auch die Armbanduhr geschenkt. Richards Blick hatte damals Bände gesprochen.

Das rechte Bild zeigte einen vielleicht dreijährigen Jungen an der Hand seiner Mutter. Richard.

»Hier bist du noch mal.« Jule deutete auf das linke Bild, das die ganze Bagage im Neuschnee zeigte. »Er scheint dich ja wirklich zu mögen. Dein Bild hängt hier, als wärst *du* sein Sohn – und nicht Richard.«

»Vermutlich ist das ein Teil des Problems«, meinte Jesse. Sein Zeigefinger machte eine kreisende Bewegung, die das ärmliche Zimmer umfasste. Sein Blick jedoch hing an dem Gruppenbild im Schnee. Er konnte sich nicht daran erinnern und war sich sicher, dass es vor dem Unfall gemacht worden war.

»Was ist das denn?«

Jesse folgte Jules Blick. Die Kühlschranktür stand ein Stück weit offen, als hätte Artur vergessen, sie zu schließen. Neugierig öffnete er sie ganz. Im Inneren fand sich nichts als eine angebrochene Flasche Wasser, ein paar Lebensmittel und eine erschreckende Menge kortisonhaltiger Medikamente. Seltsam war jedoch, dass auch die Klappe des Gefrierfachs nicht geschlossen war. Er sah hinein, fand jedoch nichts als eine dicke Eisschicht an den Innenwänden.

»Leidet Artur an Demenz?«, fragte Jule.

»Du meinst, er hat vergessen, die Kühlschranktür zu schließen?«

»Das wäre typisch.«

Jesse schüttelte den Kopf. »Das Wasser ist noch kalt, und das Gefrierfach ist nicht einmal angetaut.« Er sah sich im Zimmer um. Es lag einiges herum, doch die Dinge wirkten eigenwillig sortiert. Die sich auflösende Ordnung eines alten, einsamen Mannes. Nichts deutete darauf hin, dass jemand Arturs Habseligkeiten durchwühlt hatte. »Ich glaube eher, dass wir den Kerl mit der Wollmütze beim Durchsuchen des Kühlschranks überrascht haben. Aus irgendeinem Grund hat er etwas im Kühlschrank oder im Gefrierfach vermutet. Die Frage ist nur, was.« Nachdenklich schloss er die Tür, betrachtete den Kühlschrank von außen. Der Griff war ein flaches großes Quadrat, auf der Scharnierseite prangte der alte *Siemens*-Schriftzug, darüber ein langes S von einem I gekreuzt. Die Küche schien noch aus den Sechzigern zu stammen. Er öffnete die Tür, durchsuchte den Kühlschrank noch einmal, fand jedoch nichts Auffälliges.

Erschöpft ließ er sich in den Ohrensessel fallen. Die ausgeleierten Sprungfedern protestierten knarzend. Sein Kiefer schmerzte von dem Faustschlag, und sein Kopf brummte. Es war zum Verzweifeln. Isa war immer noch verschwunden und er nicht einen Schritt weiter. Wenn er wenigstens mit Artur hätte sprechen können. Irgendetwas wusste Artur, da war Jesse sich sicher. Und das nicht erst seit Markus' Andeutungen. Jesse machte sich bittere Vorwürfe, dass er ihn nicht schon viel früher gezwungen hatte, all die Dinge herauszurücken, die er zu verheimlichen schien. Doch Artur war schon immer eigensinnig und geheimniskrämerisch gewesen. Jule hatte recht. Er musste viel zu verlieren haben.

»Wo zum Teufel bist du, alter Mann?«, murmelte er. »Ich brauche deine Hilfe.«

Kapitel 35

Artur lag auf seiner Matratze und starrte dahin, wo sich der Dachfirst in der Finsternis verbarg. Ob es wohl spät genug war?

Den ganzen Tag hatte er mit dem Schmieden von Fluchtplänen verbracht, hatte sich das Hirn zermartert – und die meisten Ideen verworfen. Fast alles scheiterte an seiner mangelnden Vitalität.

Neben ihm schlief Isabelle mit einem leisen Pfeifen beim Ausatmen. Sie hatte ihre Matratze neben seine gezerrt. Er war die ganze Zeit versucht, beruhigend über ihren kleinen Kopf mit den seidigen Haaren zu streicheln, doch er hatte Angst, sie zu verschrecken. Er wollte nicht kaputtmachen, was sie ihm an Vertrauen entgegenbrachte. Alte Männer, die kleine Kinder streichelten, waren schließlich verdächtig. Das trichterte doch wohl heute jede Mutter ihrem Kind noch und nöcher ein.

Gleich würde er sie wecken müssen. Er hatte es ihr versprochen.

Die einzige Fluchtmöglichkeit schien das Fenster in der Giebelwand zu sein. Ihr Entführer hatte eine waagerechte Reihe aus Brettern davor verschraubt, so dass man das Fenster weder öffnen noch einschlagen konnte. Man konnte noch nicht einmal hinausschauen. Nur etwas Licht drang durch die Ritzen zwischen den Brettern.

Natürlich war es verrückt, dass er als alter Mann auf die Idee kam, aus einem Giebelfenster zu fliehen, aber zunächst einmal hatte er sich gedanklich darauf beschränkt, aus diesem Spitzboden herauszukommen. Mehr war ohnehin nicht planbar. Es kam ja doch immer anders. Man musste flexibel bleiben. Reagieren können. Erst einmal einen Schritt tun – und dann sehen, was der nächste brachte.

Die Schwachstelle, auf die sich seine Überlegungen richteten, waren die Schrauben, mit denen die Bretter in der Holzverkleidung um das Fenster befestigt waren. Sie hatten einen Kugelkopf mit Schlitz. Eine Senkholzschraube mit Kreuzschlitz hätte alles zunichtegemacht, aber an dieser Stelle war der Mistkerl mit der Gasmaske offenbar nachlässig gewesen.

Zunächst hatte er es mit dem blauen Verschluss der Plastikwasserflasche probiert, doch der Deckelrand war zu dick und zu rund, um in den Schraubenschlitz zu passen. Der Flaschenhals dagegen ließ sich etwas zusammendrücken und passte sogar zum Schlitz, nur leider erwies sich das Plastik als zu weich, um die festsitzende Schraube herauszudrehen.

Kurz bevor die Sonne unterging, verhakte sich sein Blick am Zinkeimer. Vielmehr an dessen unterem Rand. Denn unterhalb des Eimerbodens stand ein schmaler Steg über, wie eine kreisrunde große Form zum Ausstechen von Plätzchen. Er musste es nur schaffen, diesen Rand geradezubiegen, dann wurde aus dem Eimer vielleicht eine Art primitiver Schraubenzieher. Das Problem war der Lärm. Denn die Kraft seiner Hände reichte bei weitem nicht aus. Er würde den Eimerboden so lange bearbeiten müssen, bis er halbwegs gerade war. Und der beste Zeitpunkt dafür war vermutlich nachts, wenn ihr Entführer nichts mitbekam.

Er tastete nach Isabelles Schulter und rüttelte sanft daran. »Ich glaube, es ist so weit«, flüsterte er.

Sie war sofort wach. »Warum flüsterst du? Wir machen doch jetzt eh Lärm, oder?«

Artur musste lächeln. Lange Zeit hatte er sich kindlicher Logik verschlossen. Es wäre hinderlich gewesen in seinem Beruf, seiner Position. Wo wäre er hingekommen, wenn er immer alles verstanden hätte?

Aber jetzt und hier war das etwas ganz anderes.

»Na ja«, sagte er leise. »Man kann nie wissen, oder?«

»Was, glaubst du, macht der Insektenmann mit uns, wenn er uns hört?«

Artur schluckte. »Er wird uns nicht hören.«

»Ich hab aber Angst«, flüsterte Isabelle.

»Wenn er kommt, sage ich ihm, ich wäre im Finstern über den Eimer gestolpert.«

»Okee«, meinte Isabelle, doch sie klang nicht überzeugt.

»Es geht los. Nicht erschrecken.«

Er fasste den Eimer mit beiden Händen und schlug ihn mit ganzer Kraft auf den Boden. Die Holzdielen vibrierten, und der Krach fing sich im Dachstuhl wie in einem Resonanzkörper. Am liebsten hätte er sich die Ohren zugehalten. Stattdessen schlug er weiter. Zweimal, dreimal, viermal – konzentriert, immer auf dieselbe Stelle. So schnell hintereinander, wie es nur ging, als würde der Lärm weniger auffallen, wenn er schnell vorbei war.

Als er aufhörte, brannte die Stille in Arturs Ohren.

Sie wagten beide nicht zu atmen. Horchten, ob Schritte die Treppe heraufgepoltert kamen oder sonst irgendein Laut zu hören war.

Irgendwann hielt Isabelle das Schweigen nicht mehr aus. »Meinst du, er hat etwas mitbekommen?«

»Er wäre schon hier, wenn er uns gehört hätte«, raunte Artur.

»Und wenn er noch überlegt, wie er uns bestraft?«

»Er würde erst mal wissen wollen, was wir hier machen. Ich glaube, er ist nicht da.«

»Du meinst, wir sind ganz allein hier?« Isabelle schien

plötzlich unsicher, was unheimlicher war: die völlige Einsamkeit oder die Anwesenheit des Entführers. »Was ist, wenn er uns einfach vergessen hat?«

»Ich befürchte, er kommt wieder.«

»Ich hoffe, er hat einen schlimmen Unfall«, murmelte Isabelle.

Nur dass solche Menschen nie Unfälle haben, dachte Artur bitter. Unfälle haben immer nur die anderen. Er nahm den Zinkeimer und befühlte den unteren Rand. Er hatte sich tatsächlich verbogen; ein kurzes Stück war jetzt annähernd gerade.

»Hat es geklappt?«, fragte Isabelle.

»Wir müssen bis morgen früh warten. Ich brauche etwas Licht.«

Isabelle seufzte. Die Federkerne in den Matratzen knarzten, als sie sich hinlegten. Die Wolldecken waren erstaunlich sauber, vielleicht sogar neu, als wären sie extra angeschafft worden.

»Du, Artur?«

»Hmm.«

»Wie war mein Papa eigentlich damals so?«

»Hm. Das ist gar nicht so leicht zu sagen.«

»Wieso?«

Er schwieg einen Moment. Gefährliches Terrain.

»Hast du ihn gemocht?«

»Ja. Hab ich.«

»Und die anderen? Haben die ihn auch gemocht?«

»Deine Mutter zum Beispiel, die hat ihn immer sehr gemocht«, wich Artur aus.

»Na ja, erst nicht so. Oder erst schon, dann wieder nicht, und dann doch«, sagte Isabelle. »Hat sie jedenfalls gesagt.«

»Das hört sich ja ganz schön kompliziert an«, brummte Artur.

»Aber was ist mit den anderen?«, insistierte Isabelle.

Artur seufzte. »Jesse war nicht immer einfach.«

Isabelle kicherte im Dunkeln. »Das sagt Mama auch immer. Er hat zwei Seiten, sagt sie.« Und nach einer Pause: »Ich kenne nur die eine.«

»Das ist gut so«, murmelte Artur. »Lass uns versuchen zu schlafen. Ich bin müde.«

»Okee«, sagte Isabelle und klang enttäuscht. Immerhin schien sie ihre Angst für den Moment vergessen zu haben. Artur schloss die Augen, doch seine Gedanken rasten. Selbst seine Schmerzen, die er sonst mit Kortison in Schach hielt, konnten ihn nicht ablenken. Die Gespenster waren bedrohlich wie nie. Er versuchte sich auf den nächsten Morgen zu konzentrieren, auf die Schrauben, den Eimer, die Bretter. Er würde wohl kaum durch ein Giebelfenster fliehen können. Aber vielleicht konnte Isabelle es. Schließlich war sie Jesses Tochter. Vielleicht lag ihr das Klettern im Blut. Wie alt war wohl Jesse gewesen, als er zum ersten Mal mit den anderen an der Fassade hinuntergeklettert war?

Er hatte sich oft gefragt, ob er nicht besser hätte aufpassen müssen. Er hatte ja immer geahnt, dass die Jungs gelegentlich aufs Dach stiegen. Aber er hatte angenommen, dass es vielleicht besser war, wenn sie sich so austobten als anders.

›Anders‹ hatte es leider trotzdem gegeben.

Kapitel 36

Im März lag immer noch Schnee. Jesse schlief nun Nacht für Nacht im Bett. Die anderen schnitten ihn zwar immer noch, doch sie unterließen es, ihn zu schikanieren. In der Zwischenzeit war niemand mehr aus dem Fenster geklettert, wohl einfach, weil es dafür zu kalt war. Solange das Dach vereist war, war ihnen der Weg versperrt. Jetzt, da es taute, änderten sich die Bedingungen.

Er sah zum Fenster, während Messner von außen ihre Tür abschloss. Er konnte Messner immer weniger leiden. Immerzu machte er einen auf klassische Bildung. Manchmal hatte er den Verdacht, dass sie immer wieder ins Rektorenzimmer gerufen wurden, damit Messner mit seinen Büchern angeben konnte. Er glaubte nicht, dass Messner viel las. Zu sagen hatte er jedenfalls nicht viel.

Nachdem der Alte gegangen war, herrschte gespannte Stille. Der Vollmond stand wie mit dem Rasiermesser ausgeschnitten am Himmel, nichts verschattete die Sterne, und die Milchstraße glich einer Staubwolke aus Licht.

Perfekte Bedingungen. Jesse wusste, was sie heute Nacht vorhatten. Er hatte die anderen tuscheln sehen, hatte gesehen, dass Sandra Richard einen Vogel gezeigt und er das mit einem Grinsen quittiert hatte. Er schien es als Bewunderung misszuverstehen. In Sandras Blick lag tatsächlich beides, auch wenn sie es nie zugegeben hätte. Und sie schaute ihn oft an. Den Sohn vom Direx. Den Kronprinzen. Das Leben war einfach unfair. Richard hatte alles. Eine Familie, genügend Geld, ein Schloss, eine Homie-Clique, er konnte gehen, wohin er wollte, wann auch immer er wollte. Sogar mit den Innis war er gleichauf.

Jesse dagegen war nie gleichauf. Mit niemandem. Und gehen, wohin er wollte, das konnte er erst recht nicht. Er steckte fest in seinem Schmutz. Kein Wunder, dass Sandra Richard ansah und nicht ihn. Sie beide hatten ihr beim Tanzen zugesehen. Doch ihm nahm sie es übel. Richard dagegen nicht.

Es wurde Zeit, etwas daran zu ändern. Er hasste es, dass sich immer andere vor ihn drängten. Dass immer andere besser waren. Erst unsichtbare Brüder, dann Kronprinzen.

»Heute komme ich mit«, sagte er in die Stille. Leise, aber bestimmt.

Keine Reaktion. Hatte er sich geirrt?

»Ach nee, wohin denn?«, fragte Alois.

»In den Wald, wohin denn sonst«, gab Jesse zurück.

»Vergiss es. Du hast ja wohl 'ne Macke.«

»Ich komme mit«, insistierte Jesse.

»Nein!« Alois starrte ihn wütend an.

»Sssst«, zischte Markus. »Du weckst noch alle auf.«

»Wenn der mitkommt, komme ich auch mit«, nörgelte Mattheo.

»Klappe«, schnauzte Alois. »Der kommt ja nicht mit.«

»Und du schon mal gar nicht«, wies Markus Mattheo zurecht.

»Ihr könnt doch gar nichts machen«, sagte Jesse. »Ich lass mich doch von euch nicht aufhalten.«

Alois sprang auf. »Markus, Wolle, helft mir.« Mit einem Mal stand er neben Jesse am Bett. Wolle war fast genauso schnell. Die beiden packten Jesse. »Markus«, keuchte Alois, »ich brauche was zum Festbinden.«

Jesse bäumte sich auf. Noch nie hatte er sich geprügelt, er war höchstens verprügelt worden, meistens von Vater. Er war gut darin gewesen, es zu erdulden und durchzustehen. Aber *das hier war etwas anderes. Eine ungeheure Wut brannte in seinem Magen, er riss die Arme hin und her, bekam irgendwie die Rechte frei und verpasste Alois einen Schlag in die Magengrube. Stöhnend krümmte sich der Junge. Aber schon im nächsten Moment schlug er wutentbrannt zurück, gegen Jesses Kinn. Jesse schmeckte Blut, gab aber keinen Ton von sich. Stattdessen trat er nach Wolle, der immer noch versuchte, ihn festzuhalten.*

»Aufhören, ihr Vollidioten! Sofort aufhören!«, rief Markus. »Wollt ihr das ganze Haus wecken?«

Die drei hielten inne. Für einen Moment war nur ihr keuchender Atem zu hören.

»Lasst ihn los, verdammt. Das hat doch keinen Zweck.«

»Klar hat's Zweck«, mokierte sich Alois. »Wenn du helfen würdest, dann könnten wir den Arsch einfach festbinden.«

»Und morgen ist er dann bei Mr Dee und packt aus, hm?«

»Dann werfen wir ihn aus dem Fenster«, schlug Mattheo eifrig vor.

Die anderen schwiegen.

»Habt ihr doch selber gesagt.«

»Hier wird niemand aus dem Fenster geworfen«, sagte Markus ruhig. »Und du, du Pimpf, hältst die Klappe.«

Mattheo schwieg gekränkt.

Jesse stand auf, ging ins Bad und wischte sich mit kaltem Wasser das Blut vom Mund. Dann baute er sich vor den Jungs auf: »Und wenn ihr euch auf den Kopf stellt, ich komme mit.«

»Von mir aus«, meinte Markus.

»Ist das dein Ernst?«, blaffte Alois.

»Er weiß doch eh schon alles.«

Stille.

»Na schön«, sagte Alois bitter. »Er trifft ja sowieso nicht. Ist ja der Sohn eines Säufers.«

Der Zorn kam wie eine tosende Welle. Blitzschnell war Jesse bei Alois und hieb ihm seine Faust ins Gesicht. Mit einem er-

stickten Schrei taumelte Alois zurück und hielt sich die Nase. Jesse wollte sich auf ihn stürzen, aber Markus' kräftige Hand packte ihn am Arm. »Das reicht.«

Jesse gab nach. Sein Atem ging so schnell, als wäre er den Weg nach Garmisch hinunter und wieder zurück gerannt. Alois hockte auf der Bettkante, ein Schatten im Mondlicht, der sich das Gesicht hielt und jammerte. Jesse war verblüfft. Spürte eine tiefe Zufriedenheit. So also fühlte es sich an. So war es also, wenn man sich nahm, was man wollte. »Ich komme mit«, sagte er noch einmal.

»Schon gut«, brummte Markus. »Aber jetzt lass uns hinlegen, falls uns jemand gehört hat. Ist noch viel zu früh.«

Sekunden später lagen alle in ihren Betten. Die Prügelei hallte in Jesses Kopf nach.

Als sie zwei Stunden später aus dem Fenster stiegen, weinte Mattheo vor Wut und Enttäuschung, dass er als Einziger zurückbleiben sollte.

Diesmal war der Weg leichter. Sie stiegen ein Stockwerk tiefer in das Fenster ein, das Richard zuvor für sie geöffnet hatte, schlichen an den knarrenden Stellen des alten Parketts vorbei durch den Flur und das Treppenhaus hinab. Am Hinterausgang der Küche wartete Richard. Er starrte Jesse an wie ein Gespenst. »Was soll das denn?«

»Frag nicht.« Alois warf Jesse einen gehässigen Blick zu. Unter seiner Nase war ein breiter Streifen getrockneten Blutes, das er mit dem Handrücken quer über seine Wange verschmiert hatte.

»Jesse kommt mit«, sagte Markus bestimmt.

Richard hob die Augenbrauen, warf Jesse einen finsteren Blick zu, doch er widersprach Markus nicht. Stattdessen öffnete er mürrisch die Tür. Gemeinsam liefen sie hinüber zum Schuppen. Richard entriegelte das Vorhängeschloss, verschwand in der Dunkelheit und kam mit zwei Paar Lederhandschuhen und dem restlichen Gerät zurück.

Es war hundskalt, als sie im Gänsemarsch durch den Schnee hinter dem Schuppen stapften und dann in Richtung Wald einbogen. Die Rückseite von Adlershof ragte wie eine Festung in ihrem Rücken auf. Hinter einem der Dachfenster meinte Jesse Mattheo zu erkennen, obwohl das eigentlich nicht möglich war; schließlich ging ihr Zimmer nach vorn raus.

Als sie auf der kleinen Lichtung angekommen waren, nahm Richard die Waffe aus der Hülle. Der mattschwarze Stahl zeichnete sich deutlich vor dem hellen Schneegrund ab. Richard stellte den Fuß in den Steigbügel am vorderen Ende des Laufs, hielt die Waffe senkrecht und stemmte sich mit seinem ganzen Gewicht auf das hintere Ende mit dem Kolben. Markus und Wolle hatten die Lederhandschuhe übergezogen, packten links und rechts die Sehne und zogen sie mit vereinten Kräften nach oben, bis der Abzug einrastete.

»Du zuerst«, sagte Markus und reichte Jesse die gespannte Armbrust und einen Bolzen. Eine fiebrige Erregung überkam Jesse, als er den Bolzen in die Rinne legte und das schwere Gerät hob. Ein einzelner Baum auf der Lichtung ragte aus dem Schnee wie ein vielarmiger Dämon. Der Mond goss Silber über alles.

»Die helle Stelle da.« Markus deutete auf den breiten Stamm. Vor längerer Zeit war dort ein Ast abgesägt worden, und die Schnittstelle war etwa tellergroß. »Drei Schüsse. Wenn du jedes Mal triffst, hast du noch einen – und darfst bestimmen, wer sich beim vierten Schuss unter das Ziel stellen soll.«

»Weiß ich«, zischte Jesse. »Hab euch schließlich gesehen beim letzten Mal.« Seine Arme zitterten, als er zielte. Die Armbrust war schwer. Viel schwerer, als er gedacht hatte. Dazu strich ein frostiger Wind über die nächtliche Lichtung.

»Stell dir einfach vor, es wäre jemand, den du hasst«, flüsterte Richard. »Vielleicht dein Vater oder so.«

Jesse blinzelte. Woher wusste alle Welt von seinem Vater? Wie hatte sich das herumgesprochen? Und dann so falsch!

Am liebsten hätte er geschrien: Ihr wisst nichts. Gar nichts! Er schloss kurz die Augen. Das Gesicht seines Vaters blitzte auf, nicht das Gesicht seines Vaters, wie es heute war. Nicht das des Säufers, des brutalen verzweifelten Mannes, vor dem er hatte fliehen müssen. Sondern das Gesicht, wie es früher gewesen war. Auf der Postkarte. Das strahlende Gesicht eines stolzen Mannes, wie das von diesem Christopher Reeve in dem Superman-Film, von dem er ein Bild in der Zeitung gesehen hatte. Und dieser Superman flüsterte ihm ins Ohr: »Du hast mich verraten! Deinen eigenen Vater. Du bist ein Nichts, eine einzige Enttäuschung. ER hätte das nie getan!«

Jesse biss sich auf die Lippen und schlug die Augen wieder auf. Hob die Armbrust noch etwas mehr, korrigierte nach links. Ja, er stellte sich vor, dass vor dem Baum jemand stünde, dass der helle Kreis ein Gesicht wäre. Das von seinem besseren Ich. Und die Äste des Baumes seine Arme, und die schorfige Rinde seine Verkleidung.

»Siehst du ihn, deinen Vater?«, flüsterte Alois.

»Das ist nicht mein Vater«, hauchte Jesse. Die Schulterstütze drückte eisig gegen seine Wange.

»Und deine Mutter? Was ist mit der?«

Der Wind von vorn war so kalt wie die Waffe. Jesses Augen begannen zu tränen. Sein Finger krümmte sich. Der Bolzen sirrte los und traf ins Mark.

Der zweite Schuss ging vor Aufregung über den ersten Treffer daneben.

Beim dritten Mal Anlegen entdeckte er hinter dem Baumstamm etwas zwischen den Büschen. Eine schlanke, hohe Gestalt auf vier Beinen. Vielleicht ein Rehkitz. Seine Finger kribbelten plötzlich vor Erregung. Niemand anders schien das Tier bemerkt zu haben. Ohne lange darüber nachzudenken, korrigierte er seine Position, zielte ein wenig nach links, auf den Leib des Tiers. Als er abdrückte, raschelte es im Gehölz, und das Kitz verschwand. Irgendwie war er enttäuscht. Nachdem schon der zweite Schuss danebengegangen war, gestand er sich ein, dass ihm gerne wenigstens dieser Treffer gelungen wäre.

Alois' Grinsen leuchtete im Mondlicht, als er die Armbrust nahm. Er traf dreimal nacheinander. »Ich wähle Jesse«, sagte er voller Genugtuung.

Jesse ging langsam hinüber zum Baum. Der harsche Schnee knirschte wie dünnes, brechendes Eis unter seinen Füßen. Er drückte sich mit dem Rücken an den Baumstamm. Die helle Stelle mit dem abgesägten Ast war vielleicht dreißig Zentimeter über seinem Kopf. Er hätte gerne die Augen geschlossen, als Alois anlegte. Doch er gönnte ihm den Triumph nicht. Mit aufgerissenen Augen stand er da. Wartete. Fühlte das Blut in seinen Adern. Jeden Gedanken. So klar wie nie zuvor.

Wenn Alois ihn jetzt treffen würde, dann war es vielleicht die Strafe dafür, dass er auf das Rehkitz angelegt hatte.

Als der Bolzen auf ihn zuschoss, gab es von einer Sekunde auf die andere nichts mehr. Nur Stille. Der Wind hielt die Luft an. Sein Kopf war vollkommen leer.

Der Bolzen bohrte sich ins Herz des Baums.

Keine Strafe, dachte er.

Was war schon ein Rehkitz.

Kapitel 37

Was für ein Kontrast. Jesse schluckte seine Wut herunter und bemühte sich, das polierte Messingschild mit der Gravur *Dr. Richard Messner, Privat* nicht zu beachten, obwohl das eigentlich kaum möglich war.

Seine Fingerknöchel schlugen hart gegen die Tür. Es dauerte eine Weile, bis drinnen der Schlüssel umgedreht wurde. Ganz wie früher, dachte er. Ohne abzuschließen, geht es bei Familie Messner nicht. Früher hatte Artur ihre Tür abgeschlossen, heute schloss Richard sich selbst ein. Im Türspalt erschien das müde Gesicht seines Schulkameraden. Er hatte offenbar geschlafen, doch selbst jetzt lagen seine Haare noch wie frisch gekämmt.

»Du?« Richards Blick wanderte von Jesse zu Jule und wieder zurück. »Was willst du?«

»Es geht um deinen Vater«, sagte Jesse. »Wir müssen reden.«

Richard legte die Stirn in Falten. Dann öffnete er die Tür und wies ihnen wortlos den Weg zu seinem angrenzenden Arbeitszimmer.

Das Direktorenzimmer war so, wie Jesse es in Erinnerung hatte. Die Mahagoni-Vertäfelung traf nicht ganz den britischen Stil des Hauses. Ebenso wie der Boden war sie um 1940 von einem Nazibonzen eingepasst worden und verlieh dem Zimmer etwas Herrisches. Die aufgereihten Bücher und Akten hinter den Glasscheiben der eingelassenen Regale wirkten weltmännisch und deuteten auf eine Bildung hin, die weder Artur seinerzeit gehabt hatte noch Richard heute. Dennoch hatte es Jesse damals zutiefst beeindruckt.

Richard trug einen Morgenmantel und darunter einen gestreiften Schlafanzug. Seine Filzhausschuhe glitten schonend über das Parkett. Hinter dem schweren Schreibtisch, auf Arturs ehrwürdigem Ledersessel, ließ Richard sich nieder und musterte sie wie zwei lästige Insekten, die seine Nachtruhe störten. »Also, was ist mit Vater?«

Jesse und Jule nahmen ungefragt auf zwei Stühlen vor dem Tisch Platz. »Hattest du nicht heute früh schon gesagt, er sei nicht da?«, fragte Jesse.

»Ja, freilich. Aber er ist ja nicht senil. Und an- und abmelden muss er sich auch nicht. Er ist ja schließlich kein Strafgefangener.«

Vielleicht nicht direkt, dachte Jesse. Trotzdem lief es darauf hinaus. »Heute Morgen hatte ich noch den Eindruck, du würdest ihn suchen und dir Sorgen machen.«

»Natürlich.« Richard breitete die Arme aus. »Er ist mein Vater. Ich mache mir ständig Gedanken, wie es ihm geht. Viel zu oft vermutlich. Aber würdest du mir jetzt bitte mal sagen, was los ist? Warum hast du mich aus dem Bett geholt?«

»Wir wollten Artur vorhin besuchen. Aber er war nicht da. Und seine Tür war nicht abgeschlossen.«

»Und?« Richard runzelte erneut die Stirn, sein Lächeln wirkte überheblich. Ganz offenkundig nahm er sie nicht ganz für voll.

»Wir wollten sichergehen, dass ihm nichts passiert ist, wir haben nachgesehen …«

»… und statt Artur dort zu finden«, ergänzte Jule, »sind wir von einem Mann überrumpelt worden, der das Zimmer Ihres Vaters durchsucht hat. Er hat Jesse niedergeschlagen und ist geflüchtet.«

»Grundgütiger!« Richard sah Jesse prüfend an. Erst jetzt schien ihm die leichte Schwellung an seinem Kiefer aufzufallen. »Habt ihr ihn erkannt? Könnt ihr den Mann beschreiben?«

»Es ging alles viel zu schnell«, sagte Jule. »Eine schwarze Mütze, und er war in etwa so groß wie Jesse.«

Richard sah jetzt doch ehrlich bestürzt aus. »Habt ihr eine Ahnung, was der Mann gesucht hat?«

»Nein«, meinte Jule. »Aber –« Jesse stoppte sie mit einem Wink. Es schien ihm besser, die Sache mit dem Eisfach nicht zu erwähnen. »Er hat das Zimmer jedenfalls nicht auf den Kopf gestellt«, sagte er. »Ich vermute, wir haben ihn gestört.«

Richard hob die Brauen, die langsam so zottelig wurden wie die seines Vaters. »Was sollte Vater denn da oben verstecken?«

Jesse sah Richard schweigend an. Plötzlich herrschte eine gespannte Stille im Raum. Die Holzvertäfelung bei der Heizung knackte.

»Ihr glaubt doch nicht ernsthaft«, sagte Richard mit bemüht spöttischem Unterton, »dass mein alter Herr irgendwelche Geheimnisse hat ...«

»Ehrlich gesagt«, erwiderte Jesse, »das würde ich Artur ganz gerne selbst fragen. Aber er ist ja nicht da. Und langsam mache ich mir wirklich Sorgen um ihn.«

Richard schnaubte und winkte ab. »Ach was. Der alte Narr ist nicht unterzukriegen. Er hat seinen eigenen Kopf, mit 'ner Menge Flausen drin. Hat mir schon des Öfteren einen Streich gespielt. Immer dann, wenn's gerade nicht passt. Manchmal stibitzt er sich abends auch eine Flasche von meinem Wein. Dabei verträgt sich der Alkohol nicht besonders gut mit seinem Rheumamittel. Ich hab fast das Gefühl, als hätten wir die Rollen getauscht. Er das Kind, ich der Erwachsene.«

Für einen Moment hatte Richard fast verständnisvoll geklungen, als würde er die Schrullen seines alten Vaters zwar lästig, aber durchaus liebenswert finden.

»Du meinst also«, fragte Jesse, »er taucht von allein wieder auf?«

Richard zuckte mit den Schultern. »Freilich.«

Angesichts der beiden Toten fand Jesse das ›Freilich‹ mehr als unpassend. Aber was hätte er sagen sollen? Richard wusste nichts von den Morden, und dabei musste es auch bleiben. Zumindest vorläufig. »Und der Kerl in Arturs Zimmer?«, fragte Jesse. »Du hast auch keine Idee, wer das gewesen sein könnte?«

»Ich? Absolut nicht. Aber ehrlich gesagt finde ich es höchst beunruhigend, dass hier jemand umherschleicht, fremde Zimmer durchwühlt und dich niederschlägt.«

»Sollten wir nicht vielleicht besser die Polizei rufen?«, warf Jule ein.

Jesse sah sie scharf von der Seite an. Auch Richards Augen waren schmal geworden. Der Gedanke an die Polizei schien ihm ebenso wenig zu gefallen wie Jesse. »Das wäre wohl etwas voreilig«, wiegelte er ab. »Wer weiß, was dahintersteckt. Am Ende etwas ganz Harmloses. Vielleicht war es auch Alois, der ihm noch etwas aus der Küche bringen wollte, und ihr habt ihn einfach nur überrascht.«

»Harmlos?« Jule sah Richard ungläubig an. »Immerhin hat der Mann –«

»Alois?«, unterbrach Jesse sie. »Wer ist Alois?«

»Fürtner. Unser Alois, von früher.« Richard lächelte. »Er ist jetzt Koch hier. Hat in Grainau in einem Hotel gelernt und eine Zeitlang viel gewechselt. Vor drei Jahren musste ich unserem damaligen Koch kündigen. Da kam mir Alois gerade recht.«

Jesse sah Richard verblüfft an. »Da hast du ja hier fast alle Homies aus unserem Zimmer beisammen. Alois als Koch,

Markus als Hausmeister und Wolle mit seiner Wirtschaft unten in Garmisch.«

»Nicht jeder will von hier weg.«

»Und Mattheo? Lebt er auch hier in der Nähe?«

»Mattheo arbeitet bei der Post, hier in Garmisch. Er ist Postbote. Kommt jeden Tag einmal hier rauf. Bis auf sonntags.«

Richard beobachtete ihn und schien auf eine Reaktion zu warten. Da sie ausblieb, zuckte er schließlich mit den Achseln. »Es war nicht alles gut hier, unter der Fuchtel meines Vaters. Aber für manche hat's anscheinend gereicht. Alois und die anderen hatten ja auch nicht gerade den besten Schulabschluss. Da nimmst du eben, was du kriegen kannst. Postbote, Gastronomie ...«

»Markus hätte doch durchaus studieren können.«

»Markus ist ... na ja, speziell.«

»Was genau meinst du mit ›speziell‹?«

»Ich kenne nur einen, der so sehr an diesem alten Kasten hängt wie Vater. Und das ist Markus. Als hätte er hier Wurzeln geschlagen. Aber gut: Wo willst du auch hin, wenn du in den Bergen aufgewachsen bist? In die Stadt? Fühlst du dich da wohl? Ich meine, wo du jetzt wohnst?«

»Es geht.«

»Also nein.«

»Wie gesagt: Es geht.«

»Und dabei hast du das Beste, was es hier gab, mitgenommen.«

Jesse schwieg. Irgendwann lief jedes Gespräch mit Richard auf Sandra hinaus. Das war schon immer so gewesen. Nur dieses Mal war es vielleicht von Nutzen. »Wie lange ist das jetzt eigentlich her, dass du Sandra gesehen hast?«

»Wieso?«

»Sie war doch kürzlich hier, oder?«

»Nicht dass ich wüsste.« Richard schürzte die Lippen

und schüttelte den Kopf. Jesse konnte nicht erkennen, ob er log oder die Wahrheit sagte.

»Sag mal, wohnt Alois inzwischen auch hier oben?«

»Ja. Genau wie Markus. Beide im zweiten Stock, im Nordflügel.«

Im Nordflügel also. Jesse nahm sich vor, Markus so bald wie möglich einen Besuch abzustatten. Er überlegte, ob es klug wäre, Richard noch auf den Unfall anzusprechen. Aber vermutlich war Richard der Letzte, der ihm freiwillig etwas erzählen würde. Bisher machte er eher den Eindruck, als hätte er keinerlei Interesse an einem offenen Gespräch. Die alte Mauer des Schweigens. »Wie läuft eigentlich das Internat? Es sieht aus, als würdest du finanziell ganz gut dastehen.«

»Sagen wir, ich wirtschafte gut. Warum fragst du?«

»Ach, nur so, aus Interesse.«

»Jesse, ganz ehrlich«, sagte Richard. »Ich plaudere gerne mit dir. Wirklich. Aber ich muss früh raus.« Er gähnte, obwohl die Müdigkeit in seinem Gesicht wie fortgewischt war. »Lass uns morgen noch einmal nach Vater sehen. Vermutlich finden wir ihn schnarchend in seinem Bett.« Er stand auf und zog seinen Morgenmantel glatt. Die Audienz war beendet.

An der Tür rief er Jesse halblaut nach: »Ach, bevor ich es vergesse: Falls du mit Sandra telefonierst, bestell ihr doch einen Gruß von mir. Und deiner Tochter bitte auch. Unbekannterweise.«

Jesse presste die Zähne zusammen, dass es weh tat. Hinter ihm drückte Richard leise die Tür ins Schloss. Das Klicken hallte im leeren Flur. Jule und er gingen den Gang hinunter zum Treppenhaus. Vor den Fenstern fielen Schneeflocken groß wie Bettfedern.

»Gott, war das ein Drumherumgerede«, sagte Jule leise.

Jesse legte den Finger auf die Lippen und lotste sie um die Ecke in ein dunkles Klassenzimmer. Die Schemen von zwei

Dutzend Stühlen, die umgekehrt auf den Tischen standen, zeichneten sich vor den Fenstern ab. Auf die Tafel hatte jemand mit weißer Kreide wirres Zeug gekritzelt.

»Richard hat gute Ohren.« Jesse schloss die Tür, und es wurde noch ein wenig dunkler.

»Hör mal, ich weiß ja inzwischen, dass du nicht die Polizei rufen willst«, begann Jule.

»Ach ja, und warum schlägst du es dann immer noch vor?«, unterbrach Jesse sie scharf.

»Ich wollte Richards Reaktion sehen. Er sah aus wie der Teufel, dem man Weihwasser anbietet. Das war doch merkwürdig, oder?«

»Ja und nein«, meinte Jesse. »Er hat einen Ruf zu verlieren. Das war früher schon so, als Artur Adlershof geleitet hat, und heute ist es vermutlich noch schwieriger. Denk mal an die öffentlichen Skandale um Landschulheime oder Internate, wie zum Beispiel die Odenwaldschule. Obwohl es in manchen Momenten richtig und gut ist, sicherheitshalber die Polizei zu rufen, es hat auch zwangsläufig Folgen. Es entsteht sofort der Eindruck: Hier stimmt etwas nicht. Selbst wenn alles in Ordnung ist, etwas bleibt immer kleben.«

»In Sachen Verschweigen seid ihr euch ja offenbar einig.«

»Was soll das denn jetzt wieder heißen?«, fragte Jesse gereizt.

»Vielleicht hätte es nicht geschadet, wenn du etwas offener gewesen wärst.«

»So. Offener. Wie stellst du dir das denn vor? Hallo, Richard, meine Tochter ist entführt worden, und Sandra wurde umgebracht. Aber bitte ruf nicht gleich die Polizei, wir müssen erst mal reden ... etwa so?«

»Jetzt sei doch nicht gleich so ruppig. Ich meine doch nur, dass du ihn nach dem Unfall hättest fragen können. Oder nach Wolle und Markus.«

»Hast du nicht gemerkt, wie er auf die Themen ›Artur‹ und ›Geheimnis‹ angesprungen ist? Er wollte wissen, ob *wir* etwas wissen.«

»Glaubst du immer noch, es geht nur um deinen Unfall?«

Jesse schwieg. Nachdenklich ging er zu einem der Fenster und sah hinaus.

»Im Moment kommen wir jedenfalls nicht weiter«, meinte Jule.

Die wirbelnden Schneeflocken kamen Jesse vor wie das Durcheinander in seinem Kopf. »Das hängt alles irgendwie zusammen. Sandra, Isa …« Und Wolle, ergänzte er im Stillen, »… und dann Arturs Verschwinden. Richards merkwürdiges Verhalten. Und der Mann, der in Arturs Zimmer war.«

»Wenn der Mann in Arturs Zimmer etwas mit Isas Entführung zu tun hat, dann weiß er jetzt jedenfalls, dass du ihm auf den Fersen bist.«

Und das wiederum, dachte Jesse, bringt Isa in Gefahr. Ihm wurde heiß und kalt zugleich. Er dachte an sein Handy, das mit leerem Akku in seiner Tasche steckte. Der Entführer hatte doch seine Nummer! Vielleicht gab es ja eine weitere Warnung von ihm oder ein Lebenszeichen von Isa.

»Jesse?«

»Hm?«

»Was machen wir jetzt?«

»Einen Abstecher auf unser Zimmer. Ich brauche ein Ladegerät.«

Kapitel 38

Mittwoch, 9. Januar 2013

Es war dunkel, und das würde es auch noch eine Weile bleiben. Wenn man nicht schlief – oder nur schlecht –, verlängerte sich die Nacht unerträglich, das hatte Artur schon oft erfahren. Und wenn man gefangen gehalten wurde, dann noch einmal um das Doppelte.

Unentwegt musste er an das Loch denken. Er hatte es nie gewagt, die Internatskinder dort einzusperren, obwohl der ein oder andere verzogene Balg das sicher hätte vertragen können. Aber seine Furcht, die Eltern könnten den Vertrag kündigen, war immer zu groß gewesen. Schließlich hatte er jede Mark gebraucht. Bei den Heimkindern, oder den ›Homies‹, wie Richard sie früher in seiner kindlichen Begeisterung für alles Amerikanische genannt hatte, da hatte er sich weniger Sorgen gemacht. Die Zuschüsse vom Jugendamt waren so oder so sicher, wer hätte dort schon etwas gegen ihn vorbringen wollen? Die Wisselsmeier? Wohl kaum. Auch wenn sie äußerlich wie ein formloser Teig schien, innen war sie wie Kruppstahl. Um die Heimkinder im Zaum zu halten, war es einfach nötig gewesen, sie gelegentlich festzusetzen. Womit hätte er sonst drohen sollen?

Damals hatte er allerdings keine Vorstellung davon gehabt, wie es sich anfühlte, eingesperrt zu sein. Jetzt saß er selbst in einem Loch und machte sich plötzlich Vorwürfe – ein weiteres Gespenst, das ihn plagte. Manchmal fragte er sich, warum er heute so vieles anders sah. Es kam ihm beinah vor, als hätte er einen Wandel durchgemacht wie Jesse.

Der tatsächlich der Einzige gewesen war, der das Loch *wirklich* verdient hatte. Zumindest vor dem Unfall.

Die Frage war nur, welcher Unfall ihn selbst, Artur, dazu bewegt hatte, sich zu verändern.

Vielleicht Richard?

Um sich abzulenken, horchte er auf Isabelles friedliches Schnaufen und versank in ihrem leisen Ein- und Ausatmen.

Als er Schritte auf der Treppe hörte, schreckte er hoch. Sie klangen schnell und wütend; was er ganz und gar nicht verstand. Die Sache mit dem Eimer war doch schon Stunden her, und seitdem hielten sie vollkommene Ruhe.

Die Luke schwang auf und fiel krachend auf die Dielen. Eine gleißend helle Lampe blendete sie, wurde zitternd auf den Boden gestellt und warf von unten ein scharfes Licht auf den Mann, der durch die Luke zu ihnen heraufstieg. Sein Schatten wuchs bedrohlich und schwebte im spitzen Winkel des Dachstuhls. Die Gasmaske verwandelte ihn in ein Wesen aus einem fiebrigen Alptraum. Der Insektenmann. Das Seil und die Axt – beides trug er offen in der Hand – jagten Artur Angst ein. Isabelle war aus dem Schlaf geschreckt und drückte sich schutzsuchend an ihn.

Wortlos kam der Mann auf sie zu, griff Isabelle in die Haare und zog sie hoch. Isabelles Schrei gellte in Arturs Ohren.

»Sieh genau hin. Das ist alles deine Schuld, Artur Messner«, knurrte der Mann. »Das ist ein Vorgeschmack auf das, was euch erwartet.« Unter der Maske klang seine Stimme hohl.

Starr vor Angst sah Artur zu, wie die Gestalt Isabelle an den Haaren zum Tisch hinüberzerrte und ihren Arm auf der Platte festzurrte.

»Aua«, schrie Isabelle.

»Bitte, nein«, stöhnte Artur. Ihm kam in den Sinn, dass er so etwas sagen müsste wie ›Nehmen Sie mich!‹, doch er brachte es nicht über die Lippen.

»Das wär nicht nötig gewesen, wirklich. Aber du wolltest es ja nicht anders.«

»Was denn, um Gottes willen? Was denn?«

Die Insektenaugen blitzten im Licht. Der Mann hob die Axt.

Isabelle schrie erneut, zog den Kopf zwischen die Schultern und kniff die Augen zu. »Nein, bitte, nein, nein, nein!«

Artur zerriss es das Herz. »Was denn?«, schrie er. »Was hab ich falsch gemacht?«

»Wo ist die Hand, die ich dir geschickt habe?«

Mit einem Mal begriff Artur. Das Gefrierfach. Der Mann war in Adlershof gewesen und hatte dort nach der Hand mit der Narbe gesucht. Es war *wirklich* seine Schuld. Warum nur hatte er wegen dieser verfluchten Hand gelogen? Natürlich war da die verrückte Hoffnung gewesen, dass jemand die Hand neben der Mülltonne finden könnte und die Polizei rief. Er hatte sich an einen idiotischen Strohhalm geklammert und war aufgeflogen. Wie hatte er früher die unzähligen dümmlichen Lügen seiner Zöglinge verachtet, sich im Stillen oder laut darüber lustig gemacht. Sich aufgespielt. Und jetzt? War er genauso.

»Es … es tut mir leid«, stammelte er. »Sie ist … ich meine, liegt neben der Mülltonne. Der Mülltonne beim Torhaus. Bitte! Lassen Sie die Kleine. Sie haben recht. Es ist …«, er musste husten. Bitterer Magensaft war ihm in die Kehle gestiegen. »Es ist meine Schuld.«

»Überleg, was du sagst. Wenn du wieder lügst –«

»Nein, bitte! Ich schwöre«, flehte Artur. »Sie ist da. Wirklich.«

Der Mann ließ die Axt sinken. Sein Ausatmen drang leise durch den Tubus der Maske. Im harten Licht der auf dem Boden abgestellten Lampe schwebten Staubflocken um seine Gestalt.

Isabelle schniefte zittrig, öffnete die Augen. Ihr erster

ängstlicher Blick galt der Axt. Ihre hochgezogenen Schultern sanken ein wenig herab. Ihr zweiter Blick traf Artur, so bittend und verzweifelt, dass Artur sich elend fühlte.

»Dir liegt was an der Kleinen, oder?«

Artur sah zu Boden und schwieg.

»Dafür hasse ich dich noch mehr«, schrie der Mann plötzlich.

Artur zuckte zusammen, starrte ihn verwirrt an. »Wer sind Sie?«, rutschte es ihm heraus.

Hinter der Gasmaske zeigte sich nicht die kleinste menschliche Regung. Der ganze Körper des Mannes verharrte, als ob er es bereute, seinen Hass offenbart zu haben.

»Was wollen Sie eigentlich mit der Hand?«, fragte Artur.

Die Stille, die nun eintrat, war so bedrückend, dass Artur wünschte, er hätte die Frage für sich behalten. Der Mann ließ den Arm mit der Axt nach unten hängen und drehte den Stiel mit halben Umdrehungen in der Hand, so dass der Keil nervös kreiselte.

»Die Hand«, sagte der Mann, »ist das eine. Viel schlimmer ist, dass du mich belogen hast. Du hast mich schon einmal belogen. Und dafür werdet ihr bezahlen.«

Artur zuckte zusammen. *Bezahlen. Ihr.* Irgendwie hatte er sich die ganze Zeit vorgemacht, es könnte einen Weg aus alldem hier geben. Er könnte halbwegs ungeschoren davonkommen, weil es eigentlich gar nicht um ihn ging. Es ging um Jesse und um Isa. Er war doch nur durch einen dummen Zufall beim Torhaus erwischt worden!

Und jetzt sollte *er* bezahlen?

Und Isabelle auch, für *seine* Lügen?

Der Insektenmann griff nach der Lampe und kletterte wieder die Stiegen hinab. Das Licht verschwand zitternd mit ihm. Als die Klappe zuschlug, war die Finsternis vollkommen.

Trotzdem meinte er, Isabelles Blick auf sich zu spüren,

und wäre am liebsten vor Scham im Boden versunken. Ihm war, als könnte sie auf den Grund seiner Seele blicken und sehen, was er war – und was er nicht war.

»Ich helfe dir«, flüsterte er. »Mit dem Seil.«

Sie gab keine Antwort.

Mühsam stand er auf und fingerte zitternd an dem Knoten herum. Manchmal spürte er ihren Atem an seiner Wange. Ihm war, als stünden in der Dunkelheit um ihn herum Gespenster, und sie alle deuteten mit dem Finger auf ihn. Er hätte gerne eine Flasche Riesling gehabt, oder besser zwei, in seinem kargen Zimmer mit dem blöden alten Perser und dem durchgelegenen Bett. Oder wenigstens Kortison, um das Rheuma zu lindern. Aber er hatte nichts. Das hier, dieser Dachboden, war die Essenz von allem. Bis hierhin war er gekommen. Bis hierhin war er *davongelaufen*. Doch jetzt war Schluss damit. Seine Finger pulten an dem Knoten. Direkt neben seinem Ohr, in der Finsternis, schniefte Isabelle. Doch sie sagte kein Wort.

Ja, hier ging es um Jesse. Und es ging um seinen Freund – nein, dieses Wort stand ihm nicht mehr zu –, es ging um Wilbert, der wirklich einmal ein Freund gewesen war. Es ging um Isabelle. Und es ging um ihn, Artur! Mit dem Knoten zwischen seinen Fingern löste sich der Knoten in seinem Kopf. Mit einem Mal hielt er die Fäden in der Hand. Und dachte zum ersten Mal klar und deutlich, was er sich die ganze Zeit geweigert hatte zu sehen. Weil er es für unwahrscheinlich gehalten hatte. Für verrückt. Er wusste, wer der Insektenmann war. Es gab nur eine Möglichkeit. Nur eine Erklärung. Er verstand nur nicht, was er wollte. Was sein Plan war und *wie* sie bezahlen mussten.

»Danke«, murmelte Isabelle. Ihre kalten Finger streiften seine, als sie die Hand aus der Schlinge zog.

»Tut mir leid«, flüsterte Artur heiser. Ihm fehlte die Kraft, sich im Dunkeln zu seiner Matratze vorzutasten, also ließ er sich neben dem Tisch zu Boden sinken und setzte sich mit ausgestreckten Beinen. Plötzlich merkte er, wie Isabelle nach ihm tastete. Sie fand seine Beine, rutschte näher, schlang ihre dünnen Arme um ihn und drückte ihn fest. Ihre Wange lag an seinem Hals, und er spürte, wie ihre Tränen ihm in den Kragen liefen. »Artur, ich will hier raus. Bitte, bitte, bring mich hier raus.«

Er schluckte, verkniff sich das Weinen. »Es tut mir leid, wirklich.«

In diesem Moment begriff er, dass es ohne ihn dieses wunderbare Mädchen nie gegeben hätte. Vielleicht machte es seine Schuld ein wenig kleiner, aber seine Verantwortung, wenigstens Isabelle zu retten, war dafür umso größer.

Kapitel 39

Es war zu finster, zu nass und zu glatt. Jesses erste Nacht auf der Lichtung war inzwischen mehr als ein Jahr her. Ein missratener Frühling hatte sich eingestellt, und der Vollmond verbarg sich hinter einer Wand aus Regen. Heute Nacht würde niemand aus dem Fenster steigen. Also lag er da, wie so oft, mit seinem schwarzen Loch in der Brust, und lauschte dem Prasseln auf den Dachpfannen.

Jeder Tropfen ein Bolzen.

Tok. Tok tok. Tok tok tok ...

Das Geräusch, mit dem die Pfeile über einem ins Holz schlugen, war immer Bedrohung und Erlösung zugleich. Auch den anderen ging es so. Und niemand blieb verschont. Es war ein gefährliches Spiel. Eine Vereinbarung, es auszureizen. Etwas zu spüren, und wenn es nur Angst und Schmerz waren.

Er gehörte nun dazu. Irgendwie. Im Gegensatz zu Mattheo, dem Markus immer noch verbot, mitzukommen. Er hatte ein Bett, zum ersten Mal so etwas Ähnliches wie Freunde. Genau genommen hatte er ein neues Leben, ja vielleicht sogar eine Art Zuhause. Das schwarze Loch aber blieb. Er konnte spüren, wie dieses Wissen an ihm fraß, das Loch größer wurde. Als hätte jemand die Chance auf ein wirklich besseres Leben vor langer Zeit aus ihm herausgeschnitten.

Da das Gefühl übermächtig wurde, stand er auf und ging zur Toilette. Der Holzboden knackte, als er den Flur kreuzte. Rechter Hand war die verschlossene Tür zum Treppenhaus. Gegenüber im Bad brannte Licht. Drei Waschbecken, drei Du-

schen, drei Toiletten – alles dicht an dicht auf einer Seite. Auf der anderen Seite war eine Dachschräge, die etwa eineinhalb Meter über dem Boden begann.

Er blinzelte ins grelle Licht, blieb vor dem mittleren Waschtisch stehen und ließ kaltes Wasser über seinen Puls laufen. Im Spiegel mied er sein Gesicht, sah an sich vorbei. Sein Blick blieb an der Revisionsklappe unter der Dachschräge hängen. Sie war unscheinbar, etwa von der Größe eines Kellerfensters, sah aber aus wie eine schlecht getarnte Geheimtür. Neugierig drehte er sich um. Was genau war eigentlich hinter dieser Klappe?

Jesse betrachtete die vier Schrauben, die die Platte in der Wand hielten. Schlitzschrauben. Er würde einen Schraubenzieher brauchen, aber er wollte nicht warten. Vielleicht der Stöpsel? Er zog den länglichen Metallstopfen aus dem Waschbecken. Am unteren Ende ragte eine Metallschraube mit flachem Kopf heraus, dünn genug, um sie als Schraubenzieher zu benutzen.

Schon nach jeweils einer halben Drehung löste sich die innere Verriegelung, und die Platte ließ sich aus der Wand nehmen. Sie war lediglich mit vier Drehhaken in der Laibung befestigt. Jesse kniete nieder und streckte den Kopf durch die Öffnung. Dachschräge und Verkleidung bildeten einen dreieckigen Kriechgang, der sich links und rechts im Dunkeln verlor. Die Luft war muffig, die Tropfen auf den Dachpfannen waren hier deutlich lauter zu hören.

Jesse sah sich prüfend um.

Dann schob er sich rückwärts in den Gang, zog die Platte von innen in den Rahmen und drehte die Haken in Position. Das Licht des Badezimmers stanzte einen hellen Rahmen in die Dunkelheit. Mit klopfendem Herzen und auf allen vieren kroch er los. Mit etwas Glück würde der Gang an der verschlossenen Tür des Jungstraktes vorbeiführen. Und es müsste doch mit dem Teufel zugehen, wenn es nicht eine weitere Revisionsklappe jenseits der Tür gab.

In der vollkommenen Dunkelheit kam er nur langsam vorwärts. Hin und wieder legten sich Spinnweben über sein Gesicht und rissen, wenn er vorwärtskroch. Seine Hände tasteten über den staubigen Holzboden. Vermutlich waren sie inzwischen schwarz. War er nicht schon längst an der verschlossenen Tür vorbei?

Er hielt inne. Um ihn herum war es vollkommen finster. Wie wollte er eigentlich eine andere Revisionsklappe erkennen, wenn dahinter kein Licht war? Und vor allem: Was würde passieren, wenn einer seiner Zimmerkameraden das Licht im Bad löschte? Wie sollte er dann zurückfinden?

Er beschloss umzudrehen. Morgen Nacht würde er mit einer Taschenlampe zurückkehren. Auf dem Rückweg malte er sich seine neue Freiheit aus. Das hier war sein Weg aus Alcatraz, diesem legendären Gefängnis, Richard hatte großspurig von dem Film erzählt. Das ausbruchsicherste Gefängnis von ganz Amerika. Und er, Jesse, war nur zwölf, aber der klügste aller Insassen, der König der Ausbrecher.

Aber wo, verdammt, blieb die Klappe, der helle Rahmen? Er hätte doch längst daran vorbeikommen müssen? Jesse erstarrte. Hatte tatsächlich jemand das Licht gelöscht?

Einmal mehr drehte er um. Tastete mit den Fingern nach der Verkleidung. Irgendwie musste eine solche Klappe doch wenigstens zu spüren sein. Langsam kroch er weiter, die Fingerspitzen immer an der Wand. In regelmäßigen Abständen spürte er alte Holzverlattungen, auf denen die Verkleidung aufgesetzt war. In den Zwischenräumen achtete er auf jede Vertiefung oder Wölbung. Bis er endlich eine feine Rille ausmachte. Dankbar tastete er nach den Haken an den Ecken, löste sie und stieg ins Bad. Im Spiegel sah er sich selbst als Schatten vor der dunklen Wand. Er wollte gerade das Licht einschalten, als ihm plötzlich auffiel, dass etwas nicht stimmte.

An der Wand hingen vier Waschbecken. Nicht drei.

Wo um alles in der Welt –

Ein Geräusch im Flur ließ ihn zusammenfahren. Nackte Füße auf Holzdielen. Dann knarzte die Tür. Eine schlanke, graue Gestalt betrat den Raum. Gleich würde das Licht angehen, und er würde dastehen wie ein Idiot, mitten in einem fremden Bad. Lautlos huschte er hinüber zu der Gestalt, umschlang sie von hinten mit der Rechten, hielt ihr mit der Linken den Mund zu und zischte: »Sssssscht!« Ein erstickter Schrei drang durch seine Hand. Der schlanke Körper war stocksteif vor Schreck.

»Nicht erschrecken!«, flüsterte Jesse. »Ich tue dir nichts.«

Keine Regung. Bis auf das Herz. Mit seiner Rechten spürte er deutlich, wie es hart und schnell unter der Brust schlug.

»Versprichst du, nicht zu schreien, wenn ich meine Hand wegnehme?«

Ein zaghaftes Nicken.

Jesse löste vorsichtig die Hand über dem Mund und streifte lange Haare. »Wer bist du?«

»Sandra«, flüsterte die Gestalt.

O Gott, natürlich! Das war es also. Er war drüben bei den Mädchen gelandet. Auf der anderen Seite des Treppenhauses. Sandras Herz raste immer noch, und plötzlich wurde ihm bewusst, wo seine Hand lag. Rasch ließ er los und war froh, dass es dunkel war und sie nicht sehen konnte, wie rot er wurde. »Ich äh ... wollte dich nicht erschrecken«, murmelte er.

»Jesse, bist du das?«

»Ja.«

»Bist du verrückt? Was machst du hier? Wie bist du hier reingekommen?«

»Ich hab einen Weg gefunden.«

»Ist dir klar, was Messner mit dir macht, wenn er dich hier erwischt?«

»Wie soll er mich denn erwischen?«, fragte Jesse trotzig. »Der würde ja noch nicht mal hier hoch kommen, wenn es brennt.«

Sandra schwieg. Und schien zu überlegen. »Was für ein Weg?«

Jesse fasste im Dunkeln nach ihrem Arm und zog sie zur Wand hinüber. »Du musst dich hinknien.«

Ihre Hände ertasteten die Öffnung. Der Regen klang, als wollte er direkt durch die Dachpfannen schlagen. »Ist ja irre«, flüsterte sie. »Und da bist du durch?«

»Klar«, gab Jesse zurück, ganz König der Ausbrecher.

Geschmeidig kletterte Sandra in den Gang. Im Flur flammte plötzlich Licht auf, Schritte kamen näher. Ohne auch nur eine Sekunde zu zögern, schlüpfte Jesse durch die Öffnung, zog sie zu und verriegelte von innen. »Psst«, flüsterte er unnötigerweise. Sandra gab keinen Laut von sich.

Im Bad ging das Licht an. Sandra sah gebannt auf den scharfen hellen Rahmen um die Klappe. Ein Schimmer fiel auf ihr Gesicht. Um ihre Lippen war die Haut schmutzig von Jesses Hand, und auch auf ihrem hellen Nachthemd war ein dunkler Abdruck, genau auf ihrer Brust.

Ein einzelner Furz erscholl, und sie mussten beide kichern.

Nach der Klosettspülung ging das Licht aus, und sie blieben im Dunkeln zurück, nur das Prasseln des Regens im Ohr.

»Hast du Angst?«, fragte Jesse.

»Nö«, meinte Sandra. Für Jesse klang es nach einem Nö, das man sagt, wenn man doch etwas Angst hat.

»Ich dachte immer, du bist an der Hauswand runtergeklettert. Aber du bist durch den Gang, oder?«

»Nee. Den Gang habe ich erst vor kurzem entdeckt.« Dass er nicht wusste, welche Ausgänge der Gang sonst noch hatte, verschwieg er. Bis ihm einfiel, dass Sandra nun vielleicht dachte, dass er nur aufschneiden wollte und log, damit sie weiterhin glaubte, er wäre die Hauswand hinabgeklettert. »Also eigentlich habe ich den Gang erst gerade eben entdeckt. Ich weiß gar nicht, wohin der noch führt.«

Sie schwiegen einen Moment in der Dunkelheit.

»Irre.«

»Was?«

»Alles. Der Gang. Dass du die Hauswand runtergeklettert bist.«

Jesses Brust drohte vor Stolz zu platzen.

»Weiß Richard von dem Gang?«

»Wieso Richard? Ich sag doch, ich hab ihn gerade eben erst entdeckt.«

»Ich dachte nur ...« Plötzlich schien sie verlegen.

»Was denn?«, bohrte Jesse.

»Ist schon gut.«

»Jetzt sag schon.«

»Ich ... na ja«, wand sich Sandra, »wir sind ... zusammen.«

Jesse schluckte. Zusammen. Wie sich das anhörte! Saublöd und erwachsen. Das stolze Gefühl in seiner Brust wurde von dem schwarzen Loch verdrängt, das schon immer dort gewesen war und wuchs und wuchs. Richard hatte doch ohnehin schon alles. Und jetzt auch noch das hier. Gottverdammte zweite Reihe. »Ich will nicht, dass Richard von dem Gang erfährt«, sagte er schroff.

Stille und Regen.

Ein kühler Luftzug kam von irgendwo aus der Tiefe, strich ihm über die Haut. »Das ist mein Geheimnis. Also ... unser Geheimnis.«

»Ist okay«, sagte Sandra leise. »Ich hab auch Geheimnisse.«

Jesse entspannte sich etwas. Sandra hatte etwas an sich, das ihn glauben ließ, dass sie wirklich den Mund hielt. »Was für Geheimnisse denn?«

»Na, Geheimnisse sind doch Geheimnisse, weil man sie nicht verrät.«

»Du meinst das Tanzen?«

Sie schwieg.

»Woher kannst du das eigentlich so gut?«

»Fandst du es wirklich gut?«, fragte sie leise.

»Wunderschön«, rutschte es Jesse heraus. Im nächsten Augenblick spürte er die Hitze in seinem Gesicht und war dankbar für die Dunkelheit, die ihn umgab.

»Nicht irgendwie ... unanständig?«

Jesse wusste sofort, warum sie das fragte. »Nein«, log er. Ein zweites Mal würde er nicht einfach ›geil‹ sagen. Was man fühlte, musste man ja nicht immer gleich zugeben. Vor allem wollte er nicht, dass sie sich schmutzig vorkam. Er wusste ja, was es hieß, sich schmutzig zu fühlen. »Überhaupt nicht.«

Wieder blieb es einen Moment still, aber Sandras Erleichterung war greifbar.

»Ich hab's von meiner Mutter«, gestand sie schließlich. »Das Tanzen, meine ich.«

In Jesses Gedanken schossen Bilder einer Bühne in einem großen weißen Theater mit Säulen und Skulpturen. »Wo hat sie denn getanzt?«, fragte er neugierig.

Sandra blieb seltsam lange still.

»Lebt sie noch?«, fragte er schließlich leise, obwohl er die Antwort bereits ahnte. Er konnte sie förmlich im Dunkeln den Kopf schütteln sehen.

»Sie ist gestorben.«

»Und dein Vater?«

»Abgehauen. Schon vor langer Zeit.«

Stille und Regen. Einmal mehr.

»Und bei dir?«, flüsterte Sandra. »Was ist mit deiner Mutter?«

Er hatte gewusst, dass die Frage kommen würde. Hatte sie gefürchtet. Verdrängt. Jetzt war sie da. Und mit ihr die verdammte Postkarte, der braune Mantel, die Beine, die unter dem Saum hervorschauten.

Jesse schluckte. »Sie ist tot. Wie deine.«

»Das tut mir leid«, sagte Sandra.

»Sie ist umgebracht worden«, brach es aus ihm hervor.

»O Gott. Von wem denn?«

Für einen Moment spürte Jesse den Impuls, ihr alles zu er-
zählen. Seine frühesten Erinnerungen, das, was er von Vater
wusste, einfach alles. Aber er schwieg. Vielleicht weil er Angst
davor hatte zu erzählen, was später passiert war. Der Schmutz
sollte sie nicht berühren. Das war etwas zwischen Vater und
ihm. Etwas, wofür Vater nichts konnte, was niemand ver-
stehen würde. Hier dachten ja ohnehin schon alle, sein Vater
wäre nichts als ein unerträglicher Säufer und weiß Gott noch
was sonst. Nein, das hier war sein Geheimnis. Schließlich hatte
Sandra auch geschwiegen, als es um ihre Mutter ging.

»Ist er ... im Gefängnis?«

»Du meinst den, der das getan hat?«

»Den Mörder.« Das Wort klang noch ungeheurer, wenn
jemand wie sie es aussprach, dachte Jesse. »Nein. Er ist tot«,
sagte er und meinte eigentlich, dass er ihn am liebsten tot se-
hen würde.

»Bist du froh darüber? Dass er tot ist, meine ich? Ich wäre
es, glaube ich.«

»Nein«, sagte Jesse ganz instinktiv. Er war ja noch nicht tot.
Wirklich froh konnte er erst sein, wenn es geschehen war.

»Ich wäre wirklich froh«, sagte Sandra. Ihre Stimme war
jetzt ganz nah. Ihr Atem lag warm auf seinem Gesicht. »Ich
bewundere dich«, flüsterte sie.

»Wofür?«

»Also, wenn jemand meine Mutter umgebracht hätte, ich
würde ihn tot sehen wollen. Aber du sagst, es macht dich nicht
froh, dass er tot ist. Ich kenne keinen, der das hier so sehen
würde. Keinen, ehrlich!«

Jesse war verwirrt wegen des Missverständnisses. Plötzlich
spürte er ihre Finger, die unsicher nach ihm tasteten, über
seine Stirn abwärtsstrichen, über Nase und Lider bis zum
Mund. Er roch ihren Atem. Ein Rest von Zahnpasta und Milch.
Ihre Finger hinterließen etwas Staub auf seinen Lippen. Mit
einem Mal drückte sich etwas Festes und dennoch Weiches

feucht auf seinen Mund. Für einen winzigen Augenblick, einen Flügelschlag, schienen ihre Lippen aneinanderzukleben, sich nicht lösen zu können. Es war seltsam und fremd und dabei so klar und groß, dass etwas in ihm aufleuchtete, als würde sich sein ganzes Leben in diesem einzigen Augenblick verändern.

Kaum eine Sekunde, nachdem sich ihre Lippen von den seinen gelöst hatten, spürte er bereits einen ersten Schmerz.

Die Stille dauerte zu lange. Ihre Stille. Und seine eigene auch.

»Entschuldige«, hauchte sie schließlich.

»Warum?«

»Ich ... das bleibt unser Geheimnis, ja?«

Er war außerstande, darauf die richtige Antwort zu geben.

»Ich bin doch mit Richard zusammen.«

Richard. Wie könnte er das vergessen.

Es gab einen Besseren.

Diese Typen wie Richard, die hatten einfach alles.

»Aber wir können uns trotzdem hier treffen und reden, oder?« Ihre Stimme klang angespannt, als fürchtete sie, dass er nein sagen könnte. »Vielleicht Freitag nächste Woche?«

Fast alles!, dachte Jesse. Er hatte fast alles.

Kapitel 40

In ihrem Zimmer roch es, als wäre dort früher einmal über einen langen Zeitraum nicht geheizt worden. Die Wände hatten Feuchtigkeit geatmet, die bis ins Bett gekrochen war. Der muffige Geruch hatte sich gehalten, obwohl die Matratze ganz und gar trocken wirkte. Jesse fragte sich, wie lange es wohl her war, dass Kristina hier gewohnt hatte.

Er saß auf der Bettkante. Nur eine der beiden Nachttischlampen brannte; ihr gelber Schirm warf ein giftiges Licht auf die grüne Wand. Die andere Lampe hatte Jesse ausgesteckt, um das Handy aufzuladen. Nun galt es, zu warten. Im blanken Display spiegelte sich sein Gesicht als gelber Schatten. Er musste unentwegt an Isa denken. Der kleine Stofflöwe fiel ihm ein, er griff in seine Arzttasche und löste den Anhänger vom Schlüsselbund. Mit dem Daumen strich er über die Zotteln der blonden Mähne.

Das Handy erlöste ihn mit einem Signalton. Er steckte den Löwen in die Hosentasche und tippte den vierstelligen Code ein. Das Logo des Mobilfunkbetreibers erschien in der Ecke des Displays, daneben drei von fünf Punkten.

»Und?«, fragte Jule. Sie saß neben der Kommode auf einem einfachen Holzstuhl und schien nicht viel ruhiger zu sein als er selbst.

»Nichts. Keine Nachricht, kein Anruf in Abwesenheit.« Jesse rieb sich den Nacken. Hinter seinen Schläfen lauerte ein drückender Kopfschmerz. »Ist das jetzt gut oder schlecht?«

»Falls uns vorhin der Entführer begegnet ist, ist er jedenfalls gewarnt. Aber ich finde es eigenartig, dass er sich nicht meldet. Logisch wäre doch, dass er dir jetzt erst recht droht.«

»Mir wäre fast lieber, er würde es tun, dann hätte ich wenigstens Gewissheit.«

»Vielleicht schweigt er deshalb.«

»Oder es hat nichts miteinander zu tun.«

»Ein Zufall?« Jule sah ihn skeptisch an. »Glaubst du das wirklich?«

»Eigentlich nicht. Und du?«

»Ich bin Psychologin.«

»Was willst du damit sagen?«

»Psychologen glauben noch weniger an Zufälle als Ärzte.«

»Und warum meldet er sich dann nicht?«

Jules Blick wanderte zu dem Gemälde über dem Bett, auf dem Adlershof im Morgenlicht glühte. »Was ist, wenn er nie vorhatte, sich zu melden? Wenn er einfach nur mit Isa verschwinden will?«

»Aber er hat sich gemeldet. Und wenn es der Mann aus Arturs Zimmer ist, warum ist er dann noch hier?«

»Du hast recht, es passt nicht«, meinte Jule.

»Aber was will er, wenn er sich nicht meldet? Was hat er vor?«

»Das Einzige, was mir noch einfällt, ist Rache. ›Du hast sie nicht verdient.‹ Du sollst dich schuldig fühlen. Und die Ungewissheit, was mit Isa passiert, ist doch quälender als alles andere.«

Jesse schwieg bedrückt. Eine Weile starrten sie beide auf das Bild.

»Der Mann, der dich vor Arturs Zimmer niedergeschlagen hat«, sagte Jule schließlich, »der hat eine Mordswut auf dich. Er wollte fliehen und nicht erkannt werden, aber gleichzeitig hat er versucht, dir mitten ins Gesicht zu schlagen. Weißt du, was ich meine? Es ging ihm nicht darum, dich auszuschalten, er wollte dir weh tun.«

Jesse sah sie skeptisch an. »Und das willst du auf die Schnelle erkannt haben?«

»Glaub mir, ich hab bei meiner Arbeit schon eine ganze Menge Prügeleien zwischen Jugendlichen mitbekommen. Ich weiß, wie einer zuschlägt, wenn ihn so richtig die Wut packt. Der Pole auf dem Parkplatz, das war zum Beispiel eher Kalkül – und das, obwohl er vermutlich angetrunken war. Die Art, wie er zugeschlagen hat, war beherrscht, der wollte dich vor allem ausschalten.«

»Also Wut und Rache«, stellte er fest.

»Aber wofür?«

»Wir drehen uns im Kreis. Es muss etwas mit der Zeit zu tun haben, an die ich mich nicht erinnere. Die Zeit vor dem Unfall.«

»Oder mit dem Unfall selbst. Es muss einen Grund geben, warum Markus glaubt, dass du psychisch krank bist.«

»Das hat er tatsächlich so gesagt?«

»Er meinte, ich sollte dich einweisen lassen.«

»Okay«, sagte Jesse mühsam beherrscht. »Das reicht.« In ihm brodelte es. Er stand so rasch auf, dass die Wunde in seiner Seite stechend schmerzte. Fluchend öffnete er seine Arzttasche und nahm zwei Tabletten. Diesmal die richtigen. »Ich will, dass der Mistkerl mir das ins Gesicht sagt. Und ich würde wetten, dass er doch irgendetwas über Wolle und Artur weiß.«

Jule hob bremsend die Hände. »Ich bin mir nicht sicher, ob du so bei ihm weiterkommst.«

»Was meinst du mit ›so‹?«

Jule schwieg, schenkte ihm einen langen Blick.

»Himmel. Ja! Ich reiß mich zusammen. Wie der Pole in deinem schönen Beispiel.«

»Dafür ist der Pole ein Scheißbeispiel. Der hatte nämlich gar nicht genau verstanden, worum es ging.«

»Schön«, sagte Jesse. »Erweiterter Polen-Modus. Okay?«

Jule seufzte. »Erweiterter Polen-Modus ist okay.« Ihr war nicht wohl dabei, das konnte Jesse deutlich sehen. Aber inzwischen war sie zu sehr Teil der Suche nach Isa, als dass sie ihn allein hätte gehen lassen können.

Den Weg in den zweiten Stock des Nordflügels hatten sie schnell zurückgelegt. Dort, wo die Lehrer- und Angestelltenzimmer lagen, reihten sich gleichaussehende Türen aneinander. An einer stand auf messingfarbenem Plastik: *Hausmeister.*

Jesse sammelte sich, versuchte seinen schnellen Pulsschlag zu dämpfen. Es misslang ihm so gründlich, dass er einfach klopfte.

Als niemand öffnete, musste er beinah lachen. Es war grotesk. Egal, ob er klingelte oder klopfte, und egal, wo – das Ergebnis war offenbar immer das gleiche. Er klopfte erneut, laut und lang anhaltend.

Beim dritten Mal wurde plötzlich die Nebentür aufgerissen, und ein wütendes bärtiges Gesicht erschien. »Was zum Geier soll der Radau? Habt's ihr mal auf die Uhr –« Der Mann verstummte, als er Jesse sah. Er kniff die Augen zusammen, wie jemand, der auf kurze Distanz nicht mehr gut sieht. »Jesse, bist du das?«

»Hallo, Alois«, sagte Jesse.

»Heilige Scheiße. Das gibt's doch wohl nicht.« Alois trat aus der Tür ins Flurlicht. Er trug Unterwäsche, und aus dem Ausschnitt seines Unterhemds quoll dunkler Haarwuchs, der, dünner werdend, über die Schultern bis zu den Handrücken reichte. Das Kinn verschwand unter einem graumelierten Vollbart, der Schädel dagegen war blank wie ein frisch gepelltes Ei. Sein Blick fiel auf Jule, die etwas zurückgewichen war. »Und ... Sakra! Sandra! Dich hätt ich fast nicht wiedererkannt. Hast' die Haare gefärbt?« Er grinste verkniffen. Dann wurde ihm bewusst, dass sie beide vor der Tür seines Nachbarn standen. »Sucht's ihr den Markus? Der ist fort.«

»Fort?«, fragte Jesse.

»Na, weg. So um halb elf hab ich die Tür gehen gehört. Seitdem ist er noch nicht wieder zurück.« Er sah von Jesse zu Jule und kniff erneut die Augen zusammen. »Du bist gar nicht Sandra, oder?«

»Nein. Das ist Jule, eine Freundin. Jule – Alois«, stellte Jesse die beiden vor. Alois streckte Jule die Hand hin, und sie nahm sie widerstrebend. Alois schien es völlig normal, einer wildfremden Frau in Unterwäsche gegenüberzutreten. Jesse war nicht sicher, ob es ihm nicht vielleicht sogar ganz gut gefiel. Auch die Uhrzeit schien ihm plötzlich egal zu sein. »Wenn ihr auf ihn warten wollt«, er wies mit dem Daumen hinter sich, auf seine geöffnete Tür. »Bittschön.«

Alois' Reich bestand aus zwei Zimmern. Einem Schlafzimmer und einem Wohnraum mit einer kleinen Küchenzeile. Aus einem Kühlschrank jüngeren Datums holte er drei Null-fünfer-Dosen Hefeweizen, öffnete sie und stellte sie klappernd auf den gefliesten Couchtisch, über dem ein sich abwärtsringelnder klebriger Fliegenfänger hing. Jule hatte in einem schweren Stoffsessel mit bayerischem Muster Platz genommen. Mit einem Seufzen ließ sich Alois neben Jesse auf die Couch fallen und kratzte sich den nackten Schenkel. Die Heizung bullerte und trieb allen die Röte in die Wangen.

»Was hat euch hierher verschlagen?« Ein rascher interessierter Seitenblick von Alois auf Jule bestätigte Jesses Vermutung. Sie gefiel ihm. Jesse überlegte, inwieweit er Alois trauen konnte. Er gehörte zu denen, die er am längsten nicht mehr gesehen hatte. Bereits mit sechzehn war Alois in eine Lehre abgetaucht, damals mit noch nicht einmal halb so vielen Haaren am Körper. Doch Alois war bisher der Einzige, der ihm hier einen einigermaßen freundlichen Empfang bereitete. »Ich schlafe schlecht ...«, begann Jesse.

Alois schnaubte. »Schau an.« Er nahm einen großen Schluck aus der Bierdose. »So geht's mir auch.«

»... wegen des Unfalls.«

»Tut's immer noch weh, die Wunde?«

»Viel schlimmer ist, ich weiß bis heute nicht, was damals eigentlich passiert ist. Und das lässt mir keine Ruhe.«

Alois hob die Brauen und blies Luft aus den Wangen. »Da bist aber ganz schön spät dran. Und dann willst ausgerechnet den Markus fragen? Der ist eh schon schlecht auf dich zu sprechen, wegen der Sache damals.«

»Du meinst die Geschichte im Eßsaal.«

»Die Geschichte mit Sandra eigentlich.« Alois sah zu Jule hinüber, als wollte er überprüfen, ob sie irgendwie ungehalten reagierte. »Er war sauwütend wegen Sandra. Aber eigentlich«, er zwinkerte Jule zu, »waren wir alle nur neidisch.« Er grinste.

»Ist gut, Alois.«

»Ist gut, ist gut«, äffte Alois ihn mit wackelndem Kopf nach. »Kriegt die beste Maid ab und tut, als wär's nix. Dabei warst echt unten durch.«

Jesse wusste, was jetzt kommen würde. Am liebsten hätte er Alois gebremst, er wollte an alles Mögliche denken, aber ganz sicher nicht an Sandra. Andererseits schien Alois in Stimmung zu sein zu reden, und vielleicht, wenn er nur lang genug redete, würde er etwas über den Unfall und die Zeit davor erfahren.

»Die Sandra hat damals nämlich so eine Kette gehabt.« Mit seinen fleischigen Fingern zeichnete Alois ein V auf die behaarte Brust. »Hatte sie mal zum Geburtstag von ihrer Mutter geschenkt bekommen. Die Mutter war«, er sah Jesse an und räusperte sich, »na ja. Blöde Geschichte jedenfalls, das mit ihrer Mutter. Auf jeden Fall war die Kette nach dem Schwimmen irgendwann weg, im See verschwunden. Ich schwör Ihnen«, sagte er, senkte den Kopf und sah Jule tief in die Augen, »wir sind alle nach der Kette getaucht. Alle. Also, alle Jungs.«

Jule tat ihm den Gefallen und nickte.

»Aber keiner hat sie gefunden. Und dann ist er gekommen.« Alois' Kopf ruckte in Jesses Richtung. »Vier Monate später war's. Da hat Jesse die Kette gefunden. Und ich sag Ihnen, die Sandra hat keine Miene verzogen, als er ihr das Ding gegeben hat. Aber ich hab sie zufällig eine halbe Stunde darauf gesehen. Da waren ihre Augen rot und haben geglänzt vor Glück.«

Jesse spürte Jules Blick und wich ihm aus. Er musste an den regnerischen Tag im Schuppen denken. Sandra hatte ihn hineingezogen, zwischen die Skier, und ihn geküsst. So überfallartig, als wäre es etwas Verbotenes und als müsse sie sich selbst überrumpeln. Ihre Wangen hatten geglüht, und ihr Blick war unsicher gewesen. Zwischendurch hatte er das Gefühl gehabt, sie wartete die ganze Zeit darauf, dass etwas Unangenehmes passierte. Doch es war nichts anderes passiert, als dass sie sich weiter geküsst hatten. Mattheo hatte später vorwurfsvoll gefragt, wo er denn gewesen sei, die ganzen drei Stunden. Dabei hatte er es nur zu gut gewusst – schließlich war es ja er gewesen, der es Markus später gesteckt hatte.

»Aber wissen Sie, was das Komische war?«, fragte Alois.

Jule schüttelte den Kopf und lehnte sich interessiert vor. Für einen Moment ruckten Alois' Pupillen tiefer, doch der Ausschnitt von Jules Strickpullover war nicht tief genug, als dass sich das Schielen lohnte.

»Na ja. Das war ja nach dem Unfall. Und nach dem Unfall, also, da hatte der Jesse irgendwie das Schwimmen verlernt. Einfach vergessen, wie alles Mögliche andere auch.«

Jule runzelte die Stirn.

»Komisch, oder? Kann nicht richtig schwimmen, aber holt die Kette aus dem See. Das haben sich einige gefragt. Aber wissen Sie was? Ich hab's später rausgekriegt, wie er's gemacht hat.« Seine Finger malten ein Rechteck in die Luft und er grinste schlau. »Ein Foto. Er ist mit einem Foto von der Sandra runter nach Garmisch, hat's dem Goldschmied Fliehinger gezeigt und mit dem Finger auf die Kette an ihrem Hals getippt.« Alois grinste triumphierend. »Hat der Fliehinger mir selbst erzählt. Er hat sie dann nachgemacht. Was er nicht erzählt hat, war, woher Jesse das Geld hatte.« Er sah Jesse durchdringend an. »Aber manche Sachen fragt man besser nicht, oder?«

»Es war kein Gold, die Kette war nicht echt«, sagte Jesse. »Sandra hat es später gemerkt. Es war wirklich peinlich.«

Für einen Moment schwiegen alle.

Jesse hatte die Kette mit der kleinen, sonnenförmigen goldenen Fassung und der einzelnen Perle immer noch vor Augen. Am Ende hatte Sandra sie lieber getragen als das Original. Sogar nach der Trennung hatte er sie einmal zufällig damit beim französischen Bäcker getroffen. Sie hatte versucht, ihre Jacke zusammenzuraffen, doch er hatte die beiden goldfarbenen Linien in ihrem Dekolleté verschwinden sehen.

»Wie hast du die Kette damals bezahlt?«, fragte Jule.

»Ich hab Klavier gespielt.«

»Du hast was?«

»Die Frau vom Fliehinger war krank, bettlägerig. Sie hat früher Klavier gespielt und mochte es sehr. Ich bin jede Woche einmal hin und hab für sie gespielt. Sie war glücklich, und ich hatte meine Kette.«

»Du kannst Klavier spielen?« Alois sah ihn an wie einen Außerirdischen. »Woher denn das? Hier gab es doch gar kein Klavier.«

Jesse zuckte mit den Achseln. »Ich konnte auch nur ein paar Stücke, aber die gingen ganz gut.«

Alois schüttelte den Kopf und sah kurz auf Jesses Finger, als könnte er so überprüfen, ob das der Wahrheit entsprach. »Na ja.« Er wischte die Geschichte mit einer Handbewegung vom Tisch. »Damals haben aber alle gedacht, der Jesse hätte die Kette gestohlen, um sie dann wieder auftauchen zu lassen. Gab ein paar krachende Gründe dafür. Die ganze Sache mit dem Unfall, dass du immer behauptet hast, der Markus sei's gewesen, aber auch wegen der Geschichte mit Sandra und der Kette war der Markus damals so sauwütend.«

»Wütend war ich auch«, meinte Jesse. »Weil er nicht zugeben wollte, dass er damals auf mich angelegt hat. Vielleicht wollte er ja nicht schießen, vielleicht war es wirklich ein Unfall. Aber er hätte es wenigstens zugeben können. Stattdessen war er feige. Hat nichts gesagt, einfach nichts. *Keiner* von euch hat was gesagt.«

»Und wenn's nix zu sagen gab?«

»Ich bitte dich!«

»Ich mein ja nur so. Warum bist du so sicher, dass er's war? Und warum kannst du's nicht einfach gut sein lassen, die alten Geschichten? Hast doch mehr erreicht als wir alle. Schau dich an. Arzt und so. Feiner Zwirn.« Mit zwei Fingern zwirbelte er an Jesses Pullover. Alois sah zu Jule hinüber, zwinkerte ihr zu und meinte: »Ich hab ihn früher nicht leiden können, wirklich. Vor dieser Sache war er so eine sture Arschgeige. Danach ist er irgendwie umgänglicher geworden. Na ja, nicht immer.« Er grinste und nahm einen weiteren Schluck Bier. »Und nicht zu allen.«

»Ich verstehe, ehrlich gesagt, immer noch nicht, was passiert ist«, sagte Jule. »Ich weiß nur, dass Jesse irgendetwas in den Rücken bekommen hat. Einen Pfeil, ein Messer, was auch immer.«

»Ein Bolzen. Ein Armbrustbolzen war's. Mehr weiß keiner«, sagte Alois.

»Mehr *sagt* keiner«, korrigierte Jesse.

Jule sah Alois ungläubig an. »Ein Teenager bekommt einen Armbrustpfeil in den Rücken, und niemand weiß etwas? Solche Waffen sind doch auffällig. Die liegen doch nicht einfach so rum.«

Alois ließ die Bierdose in seiner Hand kreisen und sah in die Öffnung, als suche er etwas auf dem Grund der Dose.

»In Arturs Schuppen war eine Armbrust«, sagte Jesse.

»Wofür hatte Artur eine Armbrust?«

»Keine Ahnung. Richard hat jedenfalls immer den Schlüssel geklaut.«

»Wieso immer?«, fragte Jule.

Jesse zuckte mit den Schultern. »Wir waren nachts öfter im Wald und haben da geschossen. Immer bei Vollmond.«

»Mit der Armbrust?«

»Klar. War ja sonst nix los«, murmelte Alois.

»Und worauf habt ihr geschossen?«

»Auf einen Baum, draußen, auf der Lichtung. Und zum Spaß hat sich immer einer von uns an den Baum stellen müssen, unter das Ziel«, meinte Alois, vermied es jedoch, den Blick zu heben.

»Ihr habt *aufeinander* geschossen?« Jule sah fassungslos vom einen zum anderen.

»Nicht aufeinander. Immer knapp drüber.«

Es war still im Zimmer, nur die Heizung knackte. Der spiralförmige Fliegenfänger drehte sich sanft in der aufsteigenden warmen Luft.

»Wir waren Jungs. Teenager halt«, verteidigte sich Alois. »Da macht man so was eben.« Er legte den Kopf in den Nacken und trank. Als er die Dose absetzte, glänzte Schaum in seinem Bart.

Jule brauchte einen Moment, um die lapidare Erklärung zu verdauen. »Wer ist denn *wir*?«

»Markus, Richard, Wolle, Alois, Mattheo und ich«, sagte Jesse.

»Mattheo eigentlich nicht, erst ganz zuletzt«, ergänzte Alois.

»Ach, wirklich?«, fragte Jesse.

»Kannst du dich nicht an die Nacht erinnern, in der er dabei war?«, fragte Alois verblüfft.

Jesse hatte schon tausendmal versucht, sich an die Geschehnisse der einzelnen Nächte zu erinnern, aber alles, was er vor Augen hatte, war dieses Bild einer Horde Jungs, die bei Vollmond auf die Lichtung gingen, um dort zu schießen. Er sah die Armbrust vor sich, er sah die bleichen Gesichter jedes Einzelnen im Mondschein, aber abgesehen von diesen Bildern erinnerte er sich nicht daran, was genau passiert war. Später war er immer wieder allein zur Lichtung geschlichen, sogar nachts, hatte dort Stunden verbracht, in der Hoffnung, Erinnerungen zurückzuholen. Aber er fand immer nur lose Einzelteile, wie unsortierte Fotos ohne jede Beschriftung. Warum zum Teufel ließ ihn sein Gedächtnis so hartnäckig im Stich? Er drückte die kalte Bierdose gegen seine Schläfe. Der Stress und die Hitze im Zimmer machten ihm zu schaffen. »Können wir ein Fenster aufmachen?«

»Mitten im Winter?«, fragte Alois entsetzt. »Es ist arschkalt.«

»Kannst du dich jetzt erinnern oder nicht?«, hakte Jule nach.

»Nicht an die Nacht, die Alois gerade meinte. Aber ich weiß, dass wir immer da waren.«

»Habt ihr nach dem Unfall noch einmal nachts geschossen?«

Jesse schüttelte den Kopf. Alois ebenfalls.

»Wer hat dir denn davon erzählt, was ihr damals getrieben habt?«

Für diese Antwort musste Jesse nicht lange überlegen. »Artur. Als ich im Krankenhaus war.«

»Artur wusste von unseren Ausflügen?«, fragte Alois ungläubig.

»Nur ungefähr. Er hat sich das wohl irgendwie zusammengereimt. Vielleicht hat ihm auch Richard etwas verraten. Ich habe ihn damals angefleht, mir zu sagen, was passiert ist. Er sagte, er wüsste es nicht genau. Er ging aber von einem Unfall aus und hat gesagt, das käme eben davon, wenn man sich nachts aus dem Haus schleicht und mit verbotenen Dingen hantiert. Mattheo hat mir dann später Genaueres erzählt.«

»Mattheo«, schnaubte Alois. »Der hatte es echt nötig. Einmal mitkommen, sich bis zum Hals einscheißen und dann groß erzählen.«

»Und wie bist du darauf gekommen, dass Markus in der Unfallnacht geschossen hat? Hat das auch Mattheo erzählt?«

»Er hat wie alle anderen behauptet, er wäre nicht dabei gewesen. Als wäre ich allein in den Wald gegangen, um mir einen Pfeil zu fangen!« Jesse sah wütend zum Fenster und nahm einen Schluck aus der Dose. Das Hefeweizen rann ihm die Kehle hinab wie Eiswasser. »Er hat nur von den Malen davor erzählt. Und dass ich Markus gegen mich aufgebracht hätte. Ich weiß noch genau, dass er gesagt hat: ›Wenn man nicht drüber zielt, sondern direkt drauf, dann muss man sich nicht wundern, wenn der Ofen aus ist.‹«

»Du hast auf Markus gezielt?«

»Gezielt wohl schon. Aber geschossen habe ich nicht.«

»Aber er auf dich? Warum hätte er das tun sollen?«

»Entweder es war wirklich ein Unfall, oder es ging um Sandra«, sagte Jesse.

»Du meinst, er wollte dich *umbringen*, weil er verliebt in Sandra war?«

»Er war mehr als verliebt.«

»Woher weißt du das? Von Mattheo?«

»Nicht nur. Auch nach dem Unfall sind wir ständig aneinandergeraten. Markus hat sein ganzes Leben lang keine andere Frau als Sandra angesehen. Ich würde vermuten, bis heute. Stimmt's, Alois?«

Alois sah von seiner leeren Bierdose auf. Er nickte stumm. Überhaupt war er auffällig still geworden. Das Gespräch hatte einen Verlauf genommen, der ihm nicht recht zu sein schien. Jetzt stand er auf, ging zum Kühlschrank und nahm sich eine neue Dose.

»Können Sie sich daran erinnern, dass Jesse auf Markus angelegt oder geschossen hat?«, fragte Jule. »Das muss dann doch eigentlich in der Nacht gewesen sein, als Mattheo dabei war.«

Alois öffnete das Hefeweizen, und Schaum quoll aus der Dose. »Das ist so lang her, das weiß ich jetzt auch wieder nicht. Wir haben doch alle auf alle angelegt.«

»Das hat sich vorhin noch anders angehört«, sagte Jesse. »So, als könntest du dich recht genau erinnern.«

»Ich kann mich sehr genau erinnern, dass der Mattheo nur ein einziges Mal dabei war. So ist's.« Zur Bekräftigung nahm Alois einen langen Zug aus der Dose. Dann wischte er sich die Lippen mit dem Handrücken ab. »Und ich weiß, dass der Mattheo manchmal einen Riesenscheiß erzählt.«

»Was denn für einen Scheiß?«

Alois zuckte mit den Achseln. »Frag ihn halt selbst. Morgen früh kommt er eh und bringt die Post. Wenn's mit dem Schnee geht.«

»Du weißt doch irgendwas. Warum sagst du's nicht einfach?«

»Ist mir zu kompliziert.«

Jesse starrte ihn an. »Das kann nicht dein Ernst sein.«

»Weißt du, was das Problem mit dir ist?«, fragte Alois. »Immer wenn man dir was sagt, wird gleich 'ne Riesensache draus. Aus jeder Kleinigkeit. Und dann rennst du direkt los und stößt irgendwelche Verdächtigungen aus.«

»Du hast keine Ahnung, worum es hier geht, Alois. Bitte. Es ist wirklich wichtig.«

»Wenn du wieder gut schlafen willst, sprich mit dem Mattheo. Oder klär es mit Markus direkt. Ich setz mich nicht in die Nesseln. Und jetzt lasst's mich bitte schlafen.«

Fassungslos sah Jesse zu, wie sich Alois erhob. In seiner Unterwäsche wirkte er so hilflos wie stoisch. Ein glatzköpfiger Berg, der plötzlich beschlossen hatte, dichtzumachen. Die Mauer, dachte Jesse verzweifelt, war genauso dick wie früher. Jeder schwieg auf die gleiche Weise. Indem er mit dem Finger auf einen anderen zeigte. Und der wiederum zeigte auf den Nächsten.

Als wären sie alle nicht dabei gewesen, dachte er wütend.

Kapitel 41

Dieses Mal sollte Mattheo dabei sein. Sie beschlossen es während des Matheunterrichts, mit unter dem Tisch herumgereichten Zetteln. Doch Jesse war es gleich. Er sah nur die Blicke, die Richard mit Sandra wechselte. Jeder Blick war ihm einer zu viel.

Während er und die anderen Homies nach der letzten Unterrichtsstunde regelmäßig Hilfsdienste leisteten, mussten Sandra und Richard ebenso wenig ackern wie die Innis. Richard, weil er der Sohn vom Direx war, und Sandra, weil Dante, der stets mürrische Koch, einen Narren an ihr und ihrer Tanzerei gefressen hatte. Statt also mit Jesse in der Küche zu arbeiten, stahl Sandra sich wie immer die Treppe hinab in den Gewölbekeller.

Kurz darauf brummte Dante, er müsse etwas zu trinken holen. Der Sturz über der Kellertreppe war viel zu niedrig für ihn, so dass er sich ungelenk duckte und seine verschwitzte Glatze zwischen dem grauen Haarkranz sichtbar wurde. In gekrümmter Haltung verschwand der Zwei-Meter-Koch im Gewölbe.

Wütend schrubbte Jesse die Reste aus den Töpfen. In Gedanken war er im Kriechgang unter dem Dach. Nach ihrer ersten Begegnung hatten er und Sandra sich dort noch drei weitere Male heimlich getroffen. Geküsst hatte sie ihn nicht mehr. Doch er war sicher, dass er inzwischen dreimal so viel über Sandra wusste wie Richard. Sandra vertraute Jesse mehr und mehr, und zunehmend schlich sich Unbehagen in ihre

Stimme, wenn sie über Richard sprachen, oder sie blockte ab, beinah ebenso hartnäckig, als ginge es um ihre Mutter.

Für Jesse war jedes dieser Treffen etwas Besonderes, wenn auch nicht so besonders wie das erste. Ihm fehlte das laute Prasseln des Regens auf den Dachpfannen. Um sich besser zu verstehen, hatten sie näher aneinanderrücken müssen. Jetzt gab es nur manchmal ein Knacken im Gebälk, das ihn an ein Lagerfeuer erinnerte. Warm und verzehrend.

»Mann, willst du das Ding durchscheuern?«

Jesse schrak auf. Neben ihm stand Richard, mit rosigen Wangen und leicht feuchten Haaren, als hätte er sich gerade frisch geduscht.

»Kannst ja mithelfen. Dann geht's schneller.«

Richard zuckte mit den Schultern, während Jesse wütend die Innenwand des Topfes scheuerte. »Danke, hab was Besseres vor.« Sein Grinsen ließ keinen Zweifel daran, dass ihm Jesses Blicke in Richtung Sandra längst aufgefallen waren.

»Kommst du dir nicht schäbig vor, immer hinter der blöden Ritze zu stehen wie ein Gaffer?«

Richards Grinsen wurde flacher. »Hinterher lässt sie mich meistens rein. Außerdem weiß sie ja, dass ich da bin. Sie will bloß allein sein.«

»Vielleicht hofft sie ja, sie wär wirklich allein. Solange du nicht mit ihr drinnen bist, kann sie ja noch daran glauben.«

»Wie kommst du denn darauf?«

»Vielleicht hat sie es mir ja gesagt«, log Jesse.

»Gesagt? Wann?«

»Wir reden oft«, erwiderte Jesse ausweichend.

Richard schnaubte verächtlich. »Klar. Wenn du mal nicht Töpfe schrubbst. Aber selbst dann klebt dir ja noch der Dreck deiner Familie an den Fingern.«

»Immer noch besser als Mundgeruch«, entgegnete Jesse.

Richard starrte ihn an. »Mundgeruch?«

»Hat sie gesagt.«

Richard lief rot an und ballte die Fäuste, dennoch wagte er es nicht, sich auf Jesse zu stürzen. Jesse war gut in Form, das wusste Richard inzwischen, und was Prügeleien anging, mied Richard unnötige Risiken. Er fand, er besaß andere Waffen.

»Vielleicht bist du ja inzwischen genauso besoffen und krank im Kopf wie dein Vater«, zischte Richard. »Deshalb jetzt noch mal zum Mitschreiben: Sie will, dass ich zusehe. Das weiß ich wohl besser als du!«

»Du hast ja keine Ahnung«, sagte Jesse leichthin. In seinem Inneren brodelte es.

»Nein, du Vollidiot. Du hast keine Ahnung. Sie liebt es, wenn ich ihr durch den verdammten Schlitz zusehe, weil sie genauso ist wie ihre Mutter. Es macht sie heiß, verstehst du?«

»Was ... was willst du damit sagen?«

»Na, was wohl? Ihre Mutter war eine Nutte. Hat für Kerle getanzt. Nackt.« Er wackelte mit der Brust in Jesses Richtung und fuhr sich mit der Zunge über die Lippen.

»Du lügst!«

»Sie hat's mir selbst erzählt, du Spinner.«

»Nein.«

»Doch.«

»Nein!«, schrie Jesse außer sich und schleuderte den Topf in den gegenüberliegenden Stahlschrank mit den bereits gespülten Töpfen. Es krachte ohrenbetäubend, und das Schmutzwasser spritzte in alle Richtungen.

Richard wich zurück, blass, aber mit einem triumphierenden Gesichtsausdruck. Er wusste, dass er gewonnen hatte.

»Was ist hier los, verdammt?«, polterte eine laute Stimme. Jesse fuhr herum. In der Kellertür stand Dante, mit rotem, erregtem Gesicht und fiebrigen Augen. Seine weiße, fleckige Hose saß schief auf seiner konturlosen Hüfte und war falsch geknöpft.

Jesse starrte auf die Hose wie auf einen Fleisch gewordenen Alptraum.

»Was zur Hölle ist hier los?«, brüllte Dante. Seine schaufelartige Hand wies auf das Chaos der Töpfe.

»Er hat die Nerven verloren«, sagte Richard ruhig und deutete mit einer Kopfbewegung zu Jesse. »Wollte, dass ich mithelfe, da hab ich ihm erklärt, dass ich regelmäßig Papa helfe und dass das hier nicht meine Aufgabe ist.«

Dantes Blick bohrte sich in den von Jesse. »Du wirst jeden einzelnen von diesen Töpfen saubermachen. Blitzblank. Und wenn du fertig bist, dann schmierst du sie persönlich mit Küchenabfall wieder ein und fängst noch mal von vorn an.«

Jesses Mund klappte auf und wieder zu.

Hinter Dante kam Sandra die Treppe hoch, offenbar ebenfalls aufgeschreckt von dem Lärm. Sie erfasste die Situation mit einem Blick, schlug die Augen nieder, lief tänzelnd zwischen den Spülwasserpfützen auf dem Boden hindurch zur Tür in Richtung Haupthaus. Ihre blonden, zum Pferdeschwanz gebundenen Haare wippten, als sie um die Ecke bog.

»Kann ich gehen?«, fragte Richard.

»Klar kannst du gehen«, knurrte Dante. »Und du«, fuhr er Jesse an, »was glotzt du so blöd? Fang endlich an.«

Fünf Stunden später stampfte Jesse die Treppe ins Dachgeschoss hinauf. Seine Hände brannten vom Scheuern, seine Arme schmerzten vom Handgelenk bis hinauf zur Schulter. Doch das alles war nichts im Vergleich zu dem, was in seinem Inneren brodelte. Er hatte akzeptieren können, dass Sandra mit Richard zusammen war, dass sie es vielleicht sogar sein musste, weil ihr keine Wahl blieb. Sie war ein Homie wie er. Wenn sie hier rauswollte, dann war Richard ihre Fahrkarte. Und Fahrkarten hatten einen Preis. Aber warum ausgerechnet diesen? Er konnte es immer noch nicht richtig glauben. Doch ihr Blick hatte Bände gesprochen. Ihr Blick und Dantes Hose. Wenn er nur gekonnt hätte, er hätte Dante und Richard umgebracht.

Warum zum Teufel hatte sie sich ausgerechnet gegenüber Richard geöffnet und ihm von ihrer Mutter erzählt? Begriff sie denn nicht, wie Richard mit Geheimnissen umging?

Artur Messner schloss unmittelbar, nachdem er im Homie-Trakt ankam, die Tür ab. Jesse warf Messner noch einen hasserfüllten Blick zu. Er wusch sich rasch im Bad mit kaltem Wasser, schnitt sich eine hässliche Fratze im Spiegel und fiel in sein Bett. Niemand sagte ein Wort. Die Geschichte hatte sich bereits herumgesprochen. Jesse starrte auf den satten Vollmond. Trotz der Erschöpfung konnte er es kaum erwarten, aus dem Fenster zu steigen.

Die Lichtung war ein Feld aus kaltem Silber, der Baum ein Gerippe. Mattheo war freudig erregt und schlotterte zugleich vor Angst. Seine Zähne schlugen aufeinander, und die Armbrust zitterte so sehr, dass keiner seiner Schüsse traf. Jesse riss ihm die Waffe aus der Hand, spannte die Armbrust ohne fremde Hilfe, legte mit grimmiger Konzentration auf den Baum an, schoss, traf und legte wieder an, wie im Rausch. Als der dritte Bolzen die helle Stelle am Baum traf, ließ er die Armbrust sinken. Seine Stimme war eisig und schnitt in die gespannte Stille. »Ich wähle Richard.«

Mattheo seufzte erleichtert, während Richard mit finsterer und rachsüchtiger Miene zum Baum hinüberstapfte.

»Und stell dich ja gerade hin«, zischte Jesse.

Richard ließ sich betont viel Zeit, bis er mit dem Rücken zum Stamm und dem Gesicht zu Jesse gewandt stehen blieb. Er war gewachsen, und die helle Schnittstelle begann kaum fünfzig Zentimeter oberhalb seines Kopfes. Sein finsterer Gesichtsausdruck wich jetzt einer aufgesetzten Gleichgültigkeit.

Jesse spannte zum vierten Mal die Armbrust. Mit einem Klicken sprang die Sehne über den Haken. Er bemühte sich, ruhig zu atmen, dennoch zitterte er, als er den Bolzen in die Rille legte. Dann hob er die Armbrust und zielte. Diesmal musste er sich kein Gesicht am Baum vorstellen. Diesmal sah er direkt in Richards Gesicht, mitten auf den Punkt zwischen seinen Augen. Menschen wie er hatten alles und mussten doch alles zerstören!

Richard kam ihm vor wie sein verhasster unsichtbarer Bruder. Dieses ewige blöde bessere Selbst, das er genau hier mit einem Schuss in den Baum ausgelöscht hatte.

Und trotzdem war es ihm nicht gelungen, ihn zu töten. Weil er so verflucht unsichtbar war und tief in ihm steckte.

Doch hier stand wieder so einer, nur diesmal aus Fleisch und Blut.

Einer, der ihm im Weg stand. Einer, den die anderen vorzogen. Einer, der sich einbildete, besser zu sein. Sie waren alle gleich, diese Typen mit ihrem Abo auf den ersten Platz im Leben. Und all die anderen fielen auf diese Typen herein. Seine Mutter, sein Vater, Sandra ...

»Jesse?«, raunte Markus. »Du musst höher zielen, hörst du?«

Richards Blick hatte jede Gleichgültigkeit verloren. Er starrte geradewegs auf den Pfeil.

Was hatte dieser Scheißkerl gedacht? Dass es ewig so weiterging? Dass er keinen Preis bezahlen musste, niemals, für nichts? Dass er einfach tun konnte, was er wollte? Sich nehmen konnte, was er wollte?

Er hatte genau den Richtigen vor sich. Den, der ihm seine Mutter genommen hatte, seinen Vater – und Sandra würde er sich auch nehmen ...

»Jesse! Höher, verdammt!«, sagte Markus.

»Wenn du Mitleid mit ihm hast, dann kannst du ja tauschen«, knurrte Jesse.

Mit einem Mal war es noch stiller als zuvor. Der Wind strich über das Gras der Lichtung. Am Himmel schob sich eine Wolke vor den Mond und nahm Jesse die Sicht. Was blieb, waren zwei runde helle Schemen, knapp übereinander. Er zielte weiterhin auf den unteren.

»Jesse«, rief Richard. Seine Stimme war hell vor Angst. »Es tut mir leid!«

Jesse bewegte sich nicht einen Millimeter. Er hatte angelegt. Wenn er nicht schoss, würde sich nichts verändern. Es blieb immer alles beim Alten, wenn man nichts tat. Und am Ende stand man allein da. Ohne Mutter, ohne Vater, ohne Familie, während einer wie der da alles hatte und sich einen Dreck drum scherte.

»Jesse!«

Er konnte nicht mehr unterscheiden, wer seinen Namen brüllte. Es war auch egal.

Die Wolke flog vorbei, der Mond goss Licht aus, und er sah Richards angstgeweitete Augen, sein verschwitztes Gesicht. Zentimeterweise rutschte er am Stamm nach unten. Der Stoff seiner Kleidung rieb über die Rinde.

»Jesse, bitte!«

Wie viele Zentimeter war Richard bereits nach unten gerutscht? Weit genug? Lohnte es sich zu korrigieren? Er krümmte den Finger, wusste, dass die Münder der anderen sich instinktiv öffneten, ohne dass sie es wagten zu atmen. Richard schluchzte, sank noch tiefer. »Bitte! Bitte nein.«

Jesse fragte sich, ob seine Mutter auch um ihr Leben gebettelt hatte. Ob ihr Wilbert genug Zeit dafür gelassen hatte. Auch Wilbert war einer von diesen Erster-Platz-Typen. Wenn man sie nicht aufhielt, dann töteten sie einen.

Wieder hatte er seine Mutter vor Augen. Nein, sie konnte nicht gebettelt haben. Dafür war sie zu stolz gewesen. Zu strahlend. Nicht so erbärmlich wie dieses winselnde Etwas am Baum, das sich vor Angst in die Hosen schiss.

Er drückte ab.

Mit einem trockenen Knall verließ der Bolzen die Rille, schoss auf Richard zu. Niemandem blieb Zeit für einen Schrei. Der Bogen vibrierte noch, als der Bolzen kaum eine Handbreit über Richards Kopf in den Baum schlug.

Nach diesem Geräusch war lange nichts zu hören.

Vielleicht auch nur kurz, aber dafür war es so still, dass es umso länger schien.

Dann ging Jesse los, mit raschen Schritten zum Baum hinüber. Markus folgte ihm alarmiert. Richard saß am Boden, atmend und schluchzend. Jesse hoffte, dass er sich vor Angst vollgepinkelt hatte. Er starrte mit Wolfsaugen auf ihn herab. »Du hast sie nicht verdient«, knurrte er. Bevor Markus eingreifen konnte, schleuderte er Richard die Armbrust in den Schoß. »Was für ein Scheißspiel, oder?«

Er drehte sich auf dem Absatz um und trabte los, zurück zum Haus. Der Wald flog an ihm vorbei, als gelte es, zu flüchten. Nicht er vor dem Wald, sondern der Wald vor ihm, dem Wolf.

Kapitel 42

Mittwoch, 9. Januar 2013

Das erste Licht des Tages sickerte durch die Ritzen zwischen den Brettern. Artur verschlief es. Schließlich war er den größten Teil der Nacht wach gewesen. Irgendwann weckte ihn ein Fußtritt. Er murrte und öffnete die Augen, blieb jedoch liegen, mit eingerosteten, schmerzenden Gliedern.

»'tschuldigung«, flüsterte Isabelle, ohne ihn anzusehen. Sie stand direkt über ihm, vor dem verrammelten Giebelfenster und hantierte ungeduldig mit dem Eimer. Die zurechtgebogene Stelle am Rand schien nicht recht in den Schlitz der von ihr auserkorenen Schraube zu passen. Ihr Mund verzog sich vor Anspannung, und sie wirkte ärgerlich, als hätte sie es bereits eine Weile versucht. Ihre blonden Haare waren zu einer strubbeligen Mähne aufgeplustert, die ihr ein verwegenes Aussehen gab, und vor ihrem Gesicht tanzte Staub im bleichen Licht.

Wie eine kleine Löwin, fand Artur und musste an ihren Vater denken.

Aber Löwin hin, Löwin her, er hatte entschieden, ihr noch nicht zu sagen, wer seiner Meinung nach hinter alldem steckte. Es war besser, wenn sie es vorläufig nicht wusste. Viel wichtiger war es, hier rauszukommen.

»Wenn du ein bisschen beiseitegehen würdest, könnte ich es auch mal probieren«, bot Artur vorsichtig an.

Isabelle reagierte nicht. Stattdessen presste sie den Eimer mit ihrem ganzen Gewicht gegen den Schraubenkopf und versuchte ihn gleichzeitig zu drehen, wobei sie vor Anstrengung grimmig knurrte. Dann rutschte der Rand des Eimers mit einem lauten Knacksen aus der Rille der Schraube. Sie verlor das Gleichgewicht und wäre beinah auf Artur gefallen.

»Ach, Scheiße!«, brach es aus Isabelle heraus. Sie machte Anstalten, den Eimer zu Boden zu pfeffern. Artur hob schützend die Arme, doch mit seinen arthritischen Gelenken war er nicht gerade der Schnellste. Gott sei Dank behielt Isabelle den Eimer in der Hand.

»He, he. Langsam, junge Frau«, brummte Artur.

Isabelle war den Tränen nah. »Ist doch Scheiße! Da darf man doch auch Scheiße sagen!«

»Hab ich mich darüber beschwert?«, fragte Artur.

»Mama beschwert sich *immer*, wenn ich's sage.«

»So?«

»Ja. So!«, äffte Isabelle ihn ungehalten nach.

»Dann solltest du ihr sagen, du hättest jemanden getroffen, der sie von früher kennt. Sie hätte selbst so dermaßen oft ›Scheiße‹ gesagt, dass es auf keine Kuhhaut geht.«

Isabelles Miene hellte sich ein wenig auf. »Echt?«

»Echt«, sagte Artur. Und schob nach: »Wenn etwas *echt* Scheiße ist, muss das auch mal raus, oder?«

»Scheißschraube«, sagte Isabelle. »Scheißeimer, Scheißentführer, Scheißtag, Scheißdachboden ...«

... und Scheißangst, ergänzte Artur im Stillen. »Den Eimer«, sagte er, »würde ich in deiner Aufzählung vielleicht weglassen. Sieh mal.« Artur hielt ein kleines graues Metallstück hoch. »Das ist gerade vom Boden des Eimers abgebrochen.«

Isabelle schniefte und sah mit gerunzelter Stirn das Metallteil an.

»Wir machen Aufgabenteilung«, meinte Artur. »Du und deine jungen Ohren, ihr zwei beide horcht, ob irgendjemand kommt. Und ich versuche, diese Schrauben rauszukriegen.«

Isabelle nickte und machte den Platz vor den Brettern frei. Neugierig beobachtete sie, wie Artur mit zittrigen Fingern den länglichen Metallsplitter in den Schraubenkopf manövrierte. Er passte. Nur die Sache mit dem Drehen war schwieriger und weitaus unangenehmer, als Artur sich das gedacht hatte. Die scharfkantigen Ränder des Metallstücks schnitten ihm die Finger blutig. Er fluchte und ließ los.

»Tut's weh?«, fragte Isabelle.

»Gibt Sachen, die mehr weh tun«, grummelte Artur und schüttelte die Hand. So würden sie nicht weit kommen. »Gibst du mir den *Scheiß*eimer noch mal?«

Isabelle grinste verhalten und reichte ihm den Eimer. Artur untersuchte den verwitterten, geborstenen Rand. Das Ding musste lange draußen gestanden haben, um so aus dem Leim zu gehen; ein Stück Kante hing nur noch an einem kleinen Steg. Er fasste es mit Daumen und Zeigefinger und drehte daran, bis der Steg so dünn wurde, dass er brach. Jetzt hatte er einen mehrere Zentimeter langen Streifen, er bog ihn in der Mitte und klemmte ihn über den ersten Metallsplitter, so dass eine Art Mini-Schraubenzieher mit flachem Griff entstand.

Seine Wangen glühten. Als er die erste Schraube aus dem Holz zog, hielt er sie mit der Spitze nach oben in die Luft. »Tadaaa!«

»Cool«, flüsterte Isabelle.

Cool. Artur konnte das Wort nicht ausstehen und fand, dass es keinesfalls ausdrückte, was für einen Triumph sie gerade errungen hatten. Er fand die ganzen neumodischen Anglizismen einfach blöde. Vermutlich hatten sich die Jungs damals auch Begriffe wie *Homie* ausgedacht, oder *Mr Dee*, einfach weil sie wussten, dass es ihn ärgern würde. Aber Isabelle hätte er jedes Wort verziehen. Insbesondere unter diesen Umständen.

Euphorisch machte er sich an die nächste Schraube. Es

war mühsam, aber es funktionierte. Nach einer Weile konnten sie das erste Brett lösen. Licht fiel in den Dachstuhl. Zu ihrer Enttäuschung jedoch war die Scheibe milchig trüb, so dass sie nicht erkennen konnten, was dahinter lag.

Artur schraubte weiter. Seine Finger schmerzten vor Anstrengung, er bekam Krämpfe, aber Aufgeben kam nicht in Frage. Als er das zweite Brett löste, ging seine Stimmung fast durch die Decke. Um es bequem zu haben, mussten auch die oberen Bretter noch weg. Er setzte erneut an, doch aus irgendeinem Grund saßen die Schrauben der oberen Bretter so fest, dass er sie nicht gelöst bekam. Schließlich gab er auf. Immerhin. Der Spalt mit den zwei fehlenden Brettern war etwa dreißig Zentimeter hoch und so breit wie das Fenster.

»Das könnte reichen«, brummte er, schon deutlich weniger begeistert.

»Wofür?«

»Hör zu«, flüsterte er, noch leiser als zuvor. »Ich schlage jetzt die Scheibe ein. Ich weiß nicht, ob er das hört, deshalb müssen wir schnell machen. Du gehst zuerst. Dann ich. Klar?«

»Warum ich zuerst?«, fragte Isabelle. Ihr war plötzlich sichtlich unwohl dabei.

»Du bist viel schneller als ich. Ich würde dich nur aufhalten, wenn ich zuerst gehe. Außerdem sind wir hier im Dachstuhl, wahrscheinlich muss man klettern.«

Isabelle schluckte. »Klettern?«

»Immer noch besser als das hier, oder?«

Sie nickte und schwieg beklommen.

Artur packte eins der losen Bretter, zielte und rammte es durch die Öffnung gegen das Glas. Erst beim dritten Stoß barst die Scheibe. Die Scherben fielen in die Tiefe und versanken lautlos im Schneebett. Eisige Luft drang zu ihnen hinein. Die scharf gezackten Ränder des Lochs glichen einem Maul mit Reißzähnen. Hastig stieß er mit dem Brett das übrige Glas aus dem Rahmen, so gut es ging. Er sah sich nach Isabelle um, die ängstlich die Bodenluke im Blick hatte. Artur ließ das Brett sinken und lauschte.

Keine Schritte, kein Poltern.

Nur das Flüstern von Schneeflocken.

Er winkte Isabelle zu sich, und sie sahen gemeinsam durch die kaputte Scheibe. Die Landschaft war ein einziges konturloses Weiß. Der Schnee fiel so dicht, dass sie gerade noch einen Waldrand in etwa fünfzig Schritten Entfernung erahnen konnten. Ein Haus mitten in der Einsamkeit, dachte Artur. Keine erkennbare Straße, keine Lichter, keine Strommasten oder Häuser. Ob hinter dem Wald Berge lagen – und wenn, welche –, war nicht auszumachen. Es gab nicht den geringsten Anhaltspunkt, wo sich ihr Gefängnis befand.

»Das ist aber hoch«, flüsterte Isabelle. Sie hatte die Stirn ans oberste Brett gelegt und spähte hinunter. Ihre Atemwolken stiegen auf und verloren sich rasch zwischen den Flocken.

Artur musste ihr recht geben. Es war *viel* zu hoch. Er hatte auf eine Höhe von vielleicht vier oder fünf Metern gehofft. Das wäre schon gefährlich genug gewesen, aber das hier waren eher sieben oder acht.

»Und jetzt?«, fragte Isabelle.

Artur legte den Zeigefinger auf die Lippen. In der Ferne war das typische gedämpfte An- und Abschwellen eines kräftigen Dieselmotors zu hören, der sich durch den Schnee wühlte.

Kapitel 43

Isa drückte sich mit dem Rücken an den Baumstamm und weinte. Kahle schwarze Äste streckten sich in alle Richtungen. Der Winterhimmel war genauso bleich wie der Boden. Der Mann mit der Armbrust schien mit der Erde verwurzelt zu sein wie eine knorrige Eiche. Seine Arme waren so stark, dass er den Stahlbogen einhändig spannte. Dann brach er einen spitzen pfeilgeraden Ast vom Baum und legte ihn in die schimmernde Rille.

Jesse stockte der Atem. Er lag auf dem Rücken in der Grube, wollte sich aufbäumen, zu Isa laufen, aber ein schwarz gepanzertes Insekt ließ eine Schaufel nasser Erde auf ihn herabprasseln. Das Gewicht drückte ihn auf den Grund der Grube. Verzweifelt streckte er die Hand nach Isa aus, doch sie war unerreichbar. Das Insekt starrte zu ihm herab. In seinen toten blanken Augen erkannte er sich selbst. Entsetzt sah er hinüber zu Isa.

Der Mann mit der Armbrust und den Wurzelfüßen hatte die Statur von Markus, o Gott nein, es *war* Markus, und er richtete die geladene Armbrust auf Isa. Er musste hier raus, Isa retten! Wenn es sein musste, Markus töten. Doch die Wände der Grube wuchsen immer höher. Das Insekt hatte plötzlich viele Arme und viele Schaufeln. Die Erde regnete auf ihn herab, begrub ihn bei lebendigem Leib. Alles war schwarz, er konnte kein Glied regen und nicht atmen. Dann pulte jemand ein winziges Loch in die Erde, genau vor seinem Auge. Es war Sommer und Nacht. Markus stand immer noch auf der Wiese und zielte auf Isa. Der Mond war grell wie die Sonne. Er flehte den Himmel an, Wolken zu schicken, vielleicht würde Markus dann danebenschießen. Er schrie Isas Namen, und plötzlich legte sich ihre glühend warme Hand wie selbstverständlich auf seine abgestorbene schmerzende Hüfte. Erst jetzt bemerkte er den blutigen Bolzen, der in seiner Seite steckte.

In diesem Moment schnalzte die Bogensehne.

Jesse öffnete die Augen.

Sein Herz schlug rasend schnell.

Es war dunkel in Kristinas Zimmer, und er lag auf der Seite. Neben ihm schlief Jule, die ihre Hand wie selbstverständlich auf seine Hüfte gelegt hatte. Er wagte nicht, sich zu bewegen. Die Berührung strahlte in seinen ganzen Körper ab, gab ihm für einen Moment Frieden. Dann zog Jule plötzlich ihre Hand zurück. Sie sagte kein Wort, drehte sich nur auf die andere Seite. Er starrte ins Dunkel und lauschte auf ihren Atem.

Nach dem Gespräch mit Alois hatten sie sich beide erschöpft in Kristinas Zimmer zurückgezogen. Jesse hatte seine Wunde versorgt und das Hemd von Blutflecken gereinigt, Jule ihre Unterwäsche und ihr Shirt mit Seife geschrubbt und zum Trocknen über die Heizung im Zimmer gehängt. Es gab nur eine Bettdecke, und sie waren beide mit Pullover und Hose zu Bett gegangen.

Die Berührung von Jules Hand wirkte immer noch nach. Für einen Augenblick stellte Jesse sich vor, was passieren würde, wenn er sie umarmen könnte. Der Gedanke, dass sie keine Unterwäsche trug, traf ihn wie ein Tropfen heißes Wachs auf der Haut. Im nächsten Augenblick musste er an Sandra denken, die jetzt tot auf dem Balkon lag, in der Eiseskälte, als einzigen Schutz den Flokati aus dem Wohnzimmer. Er hatte gedacht, pragmatisch sein zu müssen.

Der Arzt in ihm wusste, dass sie keine Schmerzen mehr litt. Trotzdem fühlte es sich falsch an.

Den Rest der Nacht hatte er nicht mehr geschlafen.

Um halb sechs stand er auf, streifte wie ein Gespenst durchs Haus und versuchte sich abzukühlen, indem er den Weg zum Torhaus und wieder zurück lief. Er hatte das Gefühl, verrückt zu werden vor lauter Sorge um Isa.

In den folgenden Stunden stand er mehrfach vor Arturs und vor Markus' Tür. Ohne Erfolg. Auch Mattheo kam nicht, was angesichts der hohen Neuschneedecke und der Uhrzeit nicht weiter verwunderlich war. Die Post würde in der Filiale gelagert werden, bis die Straße am Berg wieder besser passierbar war.

Kurz darauf traf Jesse Philippa in der Eingangshalle mit einer Checkliste in den Händen, ihren kleinen Mund zu einem Strich zusammengepresst. Welchen Wagen denn Markus fahren würde? Sie nickte unwirsch Richtung Küche und grantelte, es sei ein schwarzer VW mit Ladefläche. Tatsächlich stand im Hinterhof, neben dem mannshohen Zaun um die Mülltonnen, ein VW Amarok, ein Pick-up mit Allradantrieb. Um den Wagen herum türmte sich Neuschnee, bis hoch an das Adlershof-Logo auf der Tür. Direkt daneben parkte Richards grüner Toyota. Beide Wagen schienen in der Nacht nicht bewegt worden zu sein. Doch von einem der freien Parkplätze führten Reifenspuren fort, die von Neuschnee überzogen waren.

Philippa zuckte mit den Achseln, als er danach fragte. Ob sie aussähe wie die Fuhrparkmanagerin? Es würde ihr schon reichen, nach dem alten Grantler und dem ganzen Heim-Gesocks zu sehen.

Um viertel nach zehn beschloss er, Jule zu wecken. Er wusste nicht weiter und brauchte jemanden zum Reden. Als er die Zimmertür öffnete, stand sie mit dem Rücken zu ihm vor der Heizung, auf einem Bein, nackt, und stieg gerade in ihren Slip. Er blieb wie angewurzelt stehen. Jule warf einen kurzen Blick über die Schulter, zog die Unterhose hoch und zuckte mit den Achseln. »Ist schon okay. Komm rein.«

Irritiert trat Jesse ins Zimmer und schloss die Tür. Immer noch mit dem Rücken zu ihm, nahm Jule den BH von der Heizung, streifte ihn über und hakte seelenruhig den Verschluss ein.

Erst als sie sich zu ihm umdrehte, merkte Jesse, dass er immer noch bei der Tür stand und sie anstarrte. Ihre Unterwäsche war durchscheinend. Die Spitzen ihrer Brüste zeichneten sich deutlich unter dem Stoff ab, doch sein Blick galt vielmehr der blassen länglichen Narbe direkt über dem Bündchen ihres Slips. Eine typische Narbe für Unterleibsoperationen.

»Was?«, lachte Jule. Sie sah erschöpft und abgekämpft aus. »Ich bin doch hoffentlich nicht die erste Frau in Unterwäsche in deinem Leben?« Dann fiel ihr auf, wohin er sah. Das Lachen verschwand, und sie bedeckte instinktiv die Narbe mit ihrer Hand.

»Wohl kaum«, erwiderte Jesse. »Ich hab nur etwas Mühe, die Jule, die ich kannte, mit der Jule in Einklang zu bringen, die ich gerade kennenlerne.«

Sie stieg in ihre Jeans, und die Narbe verschwand. »Ich war zwei Jahre lang mit einer Band auf Tour. Lauter Jungs. Geteilte billige Hotelzimmer. Umziehen backstage. Das volle Programm.«

»Verstehe«, sagte Jesse. Wobei er nicht ganz sicher war, was tatsächlich alles unter ›das volle Programm‹ fiel.

»Nicht das, was du jetzt denkst«, sagte Jule.

»Sicher.«

Sie rollte mit den Augen. »Ich war Mitte zwanzig.«

»Ich war auch mal Mitte zwanzig.«

Jule sah ihn an und überlegte offenbar, was ihr das jetzt

hatte sagen sollen, kam jedoch zu keinem eindeutigen Schluss. »Bist du schon lange wach?«

»Viel zu lange.« Jesse setzte sich gegenüber vom Bett auf einen aufwendig gedrechselten und furchtbar unbequemen Stuhl. Mit kurzen Worten erzählte er, dass bisher weder Mattheo noch Markus oder Artur aufgetaucht waren.

Jule, die sich inzwischen fertig angezogen hatte, wirkte nachdenklich. »Ich muss die ganze Zeit an Markus und deinen Unfall denken. Hast du nicht gesagt, du würdest glauben, ihr beide wärt quitt?«

»Nach dem, was Alois gestern Abend erzählt hat, weiß ich es nicht, zumindest nicht, was Markus angeht«, gab Jesse zu.

»Eben, das ist der Punkt. Vielleicht ist der Unfall wirklich der Schlüssel, aber ganz anders, als wir denken.«

»Wie meinst du das?«

»Was ist, wenn deine Überzeugung, dass Markus den Unfall verursacht hat, grundlegend falsch ist?«

Er spürte, wie sich Widerstand in ihm regte. »Du glaubst, ich habe mir das zusammengereimt?«

»Das wäre doch denkbar. Einer meiner Psychologie-Professoren hat immer Singer zitiert. Erinnerungen seien ›datengestützte Erfindungen‹.«

»Ich habe keine Erinnerungen. Und erfunden habe ich auch nichts.«

»Vielleicht hast du keine echten konkreten Erinnerungen aufgrund deiner Amnesie. Aber du willst dich ja trotzdem erinnern und bist so sehr auf der Suche danach, dass du dir vielleicht etwas Ähnliches zusammenbaust. Eine amerikanische Psychologin, Elizabeth Loftus, hat eine interessante Studie gemacht. Sie hat erwachsenen Testpersonen Fotos präsentiert, darauf waren sie im Kindesalter mit ihren Vätern zu sehen, bei einer Ballonfahrt. Glatt die Hälfte der Versuchspersonen konnte sich plötzlich an die Ballonfahrt erinnern, sogar an einzelne Details, obwohl die Ballonfahrt niemals stattgefunden hatte. Die Fotos waren alle manipuliert.«

Jesse hob die Brauen.

»Das Gehirn ist ein Opportunist«, fuhr Jule fort. »Wenn es irgendwelche scheinbaren Fakten gibt, nehmen wir die erst einmal als gegeben hin und spielen mit. Und dieses vermeintliche Wissen ergänzen wir dann. Vorzugsweise mit ganz persönlichen Dingen oder auch emotionalen Inhalten. Also zum Beispiel etwas, wovor wir Angst haben, oder etwas, das wir herbeisehnen. Wie die Angst, aus dem Ballonkorb zu fallen, oder der Wunsch nach einem tollen gemeinsamen Abenteuer. Am Ende wird daraus etwas, was mit der Realität nicht mehr viel gemeinsam hat.«

»Und du meinst, auf diese Weise habe ich mir zusammengebaut, dass Markus für den Unfall verantwortlich ist.«

»Ja, in etwa. Wie gesagt, eigentlich hast du ja wegen deiner Amnesie gar keine Erinnerung an den Unfall. Trotzdem hast du dir eine Art Ersatzerinnerung gebaut, auf der Basis von dem, was dir Artur und die anderen erzählt haben. Es ist wie mit Zement. Du mauerst und verfugst lose Steine. Am Ende hast du eine feste Mauer.«

»Du willst damit sagen, dass alles, was ich von dem Unfall zu wissen glaube, falsch ist?«

»Nur, dass es falsch sein *könnte*. Nicht muss.«

Jesse schwieg und versuchte, im Kopf umzusortieren.

»Was denkst du«, meinte Jule, »was es bedeuten würde, wenn Markus es tatsächlich nicht war? Wenn er mit dem Unfall rein gar nichts zu tun hätte?«

»Dann müsste er mich für ziemlich verrückt halten«, gab Jesse zu.

»Für paranoid oder wahnhaft. Oder ganz einfach allgemein für psychisch krank. Ihr hattet ohnehin ein schwieriges Verhältnis, richtig? Jetzt kommt dazu, dass du ihn permanent verdächtigst; dass du willst, dass er etwas gesteht, was er gar nicht getan hat. Und weil du das so überzeugend vorbringst, gerät er auch noch vor den anderen unter Verdacht. Sogar seine Freunde sehen ihn plötzlich schräg an. Dann kommt es auch noch zu dieser Messerstecherei im Eßsaal, und er verliert eine Niere. Und die Frau, die er liebt, kriegt derjenige, der ihm das alles antut. Das könnte wirklich ein Motiv sein, oder?«

»›Du hast sie nicht verdient‹«, murmelte Jesse. Sein Magen krampfte sich zusammen. Und das alles, weil er sich falsch ›erinnerte‹? Weil er Markus zu Unrecht verdächtigt hatte? Er bekam einen heißen Kopf, hatte plötzlich das Gefühl, aufstehen und vor sich selbst davonlaufen zu wollen.

»Du kannst nichts dafür.« Jule sah ihn an, als wäre er aus Glas. Zerbrechlich und durchsichtig bis ins Innerste. »Auch wenn es so gewesen sein sollte. Du hast dein Gedächtnis verloren, und niemand hat dir geholfen. Sie haben dich alle im Ungewissen gelassen. An deiner Stelle hätte ich damals auch gesucht und spekuliert.«

»Das macht es nicht besser.« Jesse lehnte sich vor, und der alte Stuhl knackte. Die Ellbogen auf die Knie gestützt, rieb er sich das Gesicht. Das Gefühl, an all dem schuld zu sein, das er bisher hatte verdrängen können, wurde plötzlich erdrückend. Er spürte Jules Hand auf seinem Haar, sie war nah an ihn herangekommen, und seine Stirn berührte ihren Bauch. Wie gerne hätte er sich jetzt verkrochen, irgendwo eingegraben! Er lehnte sich so heftig zurück, dass die Stuhllehne gegen die Wand stieß. »Vor allem«, sagte er, »habe ich gerade das Gefühl, mich auf nichts mehr verlassen zu können. Am allerwenigsten auf mich selbst.«

Jule nahm seine Hand, doch er schüttelte sie ab.

»Warum, verdammt«, fragte Jesse, »bringt er dann Sandra um?«

»Vielleicht aus demselben Grund, warum so manche

eifersüchtigen Männer ihre Ehefrau lieber töten, als sie mit einem anderen ziehen zu lassen«, überlegte Jule. »Wenn sie mir nicht gehören kann, dann niemandem.«

»Nach so langer Zeit?«

Jules Blick ging zum Fenster, dann zur Tür. Ihre Augen waren ständig in Bewegung, während sie dachte. »Sandra war doch vor kurzem hier. Vielleicht hat das etwas ausgelöst.«

»Und was ist mit Isa?«

»Um dir Schmerzen zu bereiten. Die Schmerzen, die er selbst die ganze Zeit gefühlt hat. Vielleicht will er auch eine kleine Sandra. Eine kleine Sandra wäre beherrschbarer als eine große. Fügsamer. Nur –«, sie verstummte plötzlich, ihr Blick, der vorher bei jedem Gedanken lebhaft gesprungen war, wurde still.

»Was?«

»Ich ... na ja, wenn es so wäre, dann wäre Isa in höchster Gefahr. Sie ist nicht nur Sandra ähnlich. Auch dir. Sie wird ihn an dich erinnern.«

Vor Jesses innerem Auge erschien der Alptraum, den er vor wenigen Stunden gehabt hatte: Markus, der auf Isa schoss, während er selbst hilflos zusehen musste. »Und Artur?«, fragte er. »Wie würdest du Arturs Verschwinden erklären?«

Jule hob die Achseln. »Weil er sich mitschuldig gemacht hat?«

»Und das Eisfach und der Mann in seinem Zimmer? War das auch Markus?«

Jule zuckte erneut mit den Schultern. »Der Mann kannte sich auf jeden Fall hier aus. Er ist die Treppe in einem Affenzahn nach unten gelaufen, obwohl sie schief und sehr steil ist. Das spricht zumindest für jemanden von hier.«

»Denkst du, Alois wollte nichts sagen, weil er Angst vor Markus hat?«

»Möglich. Die beiden müssen ja miteinander klarkommen.« Jule schaute zum Fenster. Draußen rieselte immer noch Schnee vom Himmel. »Wo würdest du Isa verstecken, wenn du er wärst?«

Jesse dachte einen Moment nach. »Nicht hier.«

»Aber wenn es hier sein müsste? Er kann doch nicht ständig längere Strecken hin- und herfahren.«

»Vielleicht im Torhaus. Aber die Spuren im Schnee wären zu auffällig.«

»Und wo sonst?«

»Irgendwo unterm Dach. Oder im Kellergewölbe. Im hinteren Teil.«

Jule nickte und sah ihn an.

Jesse ballte die Hände zu Fäusten. »Und genau da fangen wir an zu suchen. Im Keller.« Plötzlich waren bei ihm alle Zweifel an Markus' Schuld verschwunden. »Vom Loch bis zum letzten Winkel. Und danach durchsuchen wir jeden Dachboden.«

Kapitel 44

»O nein!«, flüsterte Isabelle. »Ist er das?«

Artur stand stocksteif da. Das Geräusch des Dieselmotors näherte sich aus dem Nirgendwo. Er spähte angestrengt ins Schneetreiben, konnte jedoch keine Scheinwerfer erkennen. Außer den Schemen des Waldrands war da nichts. Der Wagen musste von der anderen Seite des Hauses kommen.

Artur streckte den Kopf aus dem Fenster. Die Kälte biss ihm in die dünne, trockene Haut. Am Boden hatten die Scherben kleine Krater in die unberührte Schneedecke geschlagen. Von dort aus musste man nur den Blick heben, und die kaputte Scheibe würde kaum zu übersehen sein, selbst wenn er von innen die Bretter wieder verschraubte.

Neben ihm steckte Isabelle den Kopf durch die Öffnung. Ihre Lippen bibberten. Sie tat es ihm gleich und sah an der Hauswand hinab.

Der Giebel war aus dunkel gebeiztem Holz gezimmert, typisch für die Alpenregion. An der Grenze zwischen Spitzboden und erstem Dachgeschoss erstreckte sich ein Zierbalken, in etwa so breit wie ein Kinderfuß.

Artur schluckte. Er musste jetzt schnell entscheiden, aber auch sein Denken war im Laufe der Jahre langsamer geworden, hakeliger.

Er schaute auf den Zierbalken und dann zu Isabelle. Nein, es gab keinen Zweifel mehr. Isabelle würde gehen müssen – und er bleiben. Was auch immer dann mit ihm geschehen würde. Die Erscheinung des Insektenmanns löste bei ihm die schreckliche Erinnerung an den Sturmbannführer aus, wie er damals, kurz vor dem Ende des Krieges, den Lauf der Pistole direkt zwischen die blonden Locken auf den Hinterkopf seines Bruders aufgesetzt hatte. Werner hatte gekniet, und in gerade einmal zwei Schritten Entfernung hatte ihr Vater gelegen, exekutiert, mit einem Schuss in den Hinterkopf. Der SS-Mann war blitzschnell gewesen. Er hätte warten können, hätte, nachdem er Vater erschossen hatte, noch einmal fragen können. Mutter hätte ihm alles gesagt. Doch er hatte nicht warten *wollen*. Erst nachdem Werner ebenfalls tot war, hatte der Sturmbannführer ihrer Mutter eine zweite Chance gegeben, die Frage richtig zu beantworten.

Und jetzt?

Artur hatte gesehen, was eine Kugel anrichtete, die einen Kopf durchschlug. Und er hatte auch gesehen, was eine Axt mit einem Holzscheit, einem Hühnerhals oder einem Arm machte. Es gab keinen Zweifel, wenn er Isa gehen ließ und der Mann ihn allein im Dachstuhl vorfand, würde er die Konsequenzen tragen müssen. War das die Strafe? Für seine Feigheit? Dafür, dass er es sich immer so bequem gemacht und aus Eigennutz den ›Unfall‹ gedeckt hatte?

Isabelles Haare flogen in einer Böe auf. »Artur, was machen wir jetzt?«

Vielleicht war es auch keine Strafe, überlegte Artur. Vielleicht eher so etwas wie eine Prüfung. Eine letzte Chance. Eigenartig, wie sich die Dinge veränderten, wenn die Zeit zur Neige ging. Plötzlich wollte man sich gut fühlen. Rein. Aber wer war schon rein? Er jedenfalls nicht. Aber hier konnte er sich ein Stück weit reinwaschen und etwas für den Menschen tun, dessen Schicksal er erst zum Guten und dann zum Schlechten gewendet hatte.

»Artur!«, drängte Isabelle.

Ein kleines Stückchen Erlösung, dachte er. Schneeflocken stoben um seinen Kopf. Isabelle rüttelte an seiner Schulter.

»Isabelle?« Seine Stimme war ein Krächzen, und er räusperte sich. Eilig zog er seine Jacke aus und reichte sie ihr. »Zieh dir die über. Schnell.«

Sie sah ihn verständnislos an.

Artur fasste sie mit beiden Händen an den Schultern, beugte sich zu ihr hinab und sprach hastig, mit eindringlicher Stimme. »Du kletterst jetzt aus dem Fenster. Du musst die Füße auf den Balken setzen, mit den Händen hältst du dich an der Zierleiste längs des Fenstersimses fest. Du musst ganz bis zur Seite, dahin, wo die Regenrinne ist. Von da kannst du aufs Dach. Auf den Schindeln liegen mit etwas Glück Querbalken und Steine, um Dachlawinen zu vermeiden und das Dach zu sichern. Halt dich bloß gut fest und löse keine Lawine aus, verstehst du?«

Isabelle nickte, mit großen Augen. Ob sie sich unter einer Dachlawine etwas vorstellen konnte, wusste Artur nicht, aber für weitere Erklärungen blieb keine Zeit. »Halt nach einer Gaube oder einem anderen Fenster Ausschau. Vielleicht kannst du die Scheibe einschlagen. Meine Jacke wird dich schützen. Oder noch besser: Guck nach einer Schneewehe, wo der Schnee möglichst hoch liegt.«

Wieder dieser Blick. Sie hatte keine Ahnung. Erst recht nicht von Schnee. Gott, diese Stadtkinder!

»Wichtig ist, dass die Schneewehe aussieht wie eine Welle, mit ganz weichen fließenden Formen. Du darfst keine Schneewehe nehmen, die aussieht, als wäre etwas darunter, eine Schubkarre, ein Fass oder so etwas. Und wenn du eine gute Schneewehe gefunden hast, dann springst du.«

Isabelles Augen wurden noch ein wenig größer. Doch sie nickte, begriff wohl, was er wollte.

»Spring nicht mit den Füßen voran, hörst du? Du musst

mit dem Rücken, den Armen und den Beinen gleichzeitig aufkommen, als wolltest du einen Schnee-Engel machen. Weißt du, was ein Schnee-Engel ist?«

Sie nickte wieder. Breitete die Arme und Beine weit aus.

»Der Schnee wird dich auffangen. Nur hier vorn darfst du noch nicht springen! Der Schnee ist nicht tief genug, das hier ist nicht die Wetterseite. Außerdem liegen da unten die Scherben im Schnee. Schaffst du das?«

»Warum kommst du nicht mit?«, fragte Isabelle, statt zu antworten.

Artur schüttelte den Kopf. »Sieh mich an. Sehe ich aus wie eine Bergziege?«

»Nein. Aber ich bin doch auch keine.«

»Aber du bist eine Löwin. Eine *junge* Löwin.«

Isabelle nickte und straffte die Schultern. Einen kurzen Moment herrschte Stille, und sie sahen sich an. Das Motorgeräusch war nun deutlich lauter.

Isabelle zog die viel zu große Jacke über. Artur krempelte die Ärmel auf, zog den Reißverschluss bis unter ihr Kinn und versuchte zu lächeln. Isabelle warf sich ihm entgegen und umarmte ihn mit aller Kraft, so dass Artur die Luft wegblieb. Wie viel Energie in diesem kleinen Mädchen steckte! »Du bist der Beste«, flüsterte sie. Sah zu ihm hoch. »Löwinnen-Opi.«

Artur stiegen Tränen in die Augen. »Du musst gehen«, sagte er heiser. »Schnell. Und sag deinem Papa, er soll mir verzeihen.«

»Was denn?«, fragte Isabelle verwundert.

»Schnell jetzt.« Artur wedelte energisch mit der Hand.

»Hilfst du mir?«

Er nickte. Formte mit seinen kalten, vom Schrauben aufgekratzten Händen einen Tritt und stellte sich direkt ans Fenster. Räuberleiter. Seit sechzig Jahren hatte er das nicht mehr gemacht.

Isabelle setzte ihren linken Ugg in seine Hände, dann stieg sie aus dem Fenster.

»Wenn du unten bist, pass auf, dass dich niemand sieht. Such eine Straße. Lauf nicht direkt auf ihr, sondern parallel dazu. Mit etwas Abstand. Und lauf immer bergab. Dann kommst du zum nächsten Dorf.«

Isabelle nickte ein letztes Mal. Sie war draußen angekommen, schien einen sicheren Stand zu haben und hangelte sich seitwärts nach rechts, bis sie schließlich aus Arturs Blickfeld verschwand. »Viel Glück, Isabelle«, flüsterte er. Hastig griff Artur nach dem Brett, mit dem er die Scheibe eingeschlagen hatte, setzte es vor das Fenster und drückte oben und unten eine Schraube hinein. Sein Daumen schmerzte, aber das war egal. Hauptsache, das Brett hielt eine Weile. Mit dem zweiten Brett verfuhr er ähnlich.

Als er fertig war, lauschte er. Das Motorgeräusch war verstummt, dafür hörte er vom Dach das Knirschen von Tritten. Isabelle musste die Regenrinne erreicht haben und bewegte sich längs zur Dachkante.

Ihm fiel ein, dass er ihr nicht gesagt hatte, dass man hier drinnen hören konnte, wie sie übers Dach kletterte. Ängstlich schielte er zur Luke, erwartete, dass jeden Moment Schritte die Stiegen heraufpolterten. Dass *er* kam. Artur verfluchte sich innerlich, fragte sich, wie er ihn damals einfach so hatte gehen lassen können. Damals wäre er vielleicht noch stark genug gewesen, diesem Teufel entgegenzutreten.

Die Angst lag ihm wie ein Stein im Magen. Was sollte er sagen, wenn er ihn nach Isabelle fragte? Einfach schweigen? Sagen, dass er geschlafen hätte und sie plötzlich verschwunden gewesen sei?

Er stöhnte. Es würde alles nichts helfen. Seine Wut würde ihn so oder so treffen.

Artur schloss die Augen. Im selben Moment hörte er es.

Ein harsches, schleifendes Geräusch, das das gesamte Dach erzittern ließ. Ein Geräusch, wie es nur eine Dachlawine auslöste. Er war sich nicht sicher, ob er auch einen Schrei gehört hatte. Aber der Lautstärke der Lawine nach war eine gewaltige Menge Schnee vom Dach abgegangen. Eine Menge, die ein Kind mitreißen und unter sich begraben konnte.

Er hielt den Atem an, spitzte die Ohren.

Nichts. Rein gar nichts.

O Gott, flehte Artur. Bitte lass die Luke aufgehen. Lass ihn sofort kommen. Vielleicht hat Isabelle dann noch eine Chance.

Kapitel 45

Der Weg in den Keller führte vom Eßsaal durch die Küche, doch dort war offenbar gerade Putzen angesagt. Zum ersten Mal sah Jesse Kinder im Haus. Homies. Es gab sie also noch, die billigen Arbeitskräfte. Ein anämischer Junge um die zwölf mit zornigem Blick und ein dickliches Mädchen mit hübschem, aber aus der Form geratenem Gesicht, das vierzehn sein mochte. Der Junge nannte sie ständig ›Tinkerbell‹ und war bemüht, sie in den Wahnsinn zu treiben, was sie mit einer tiefsitzenden Traurigkeit beantwortete. Jesse bemerkte, dass Jule sie besorgt musterte. Das Mädchen wirkte fast gebrochen, so, als hätte sie sich ein Schutzschild angefuttert. Jule schien das Gleiche zu denken wie er.

Alois trug hochgeschlossene Küchenkleidung. Er gab harsche Kommandos, was Jesse und Jule davon abhielt, sofort durch die Küche in den Keller zu gehen. Sie saßen auf heißen Kohlen. Durch die Tür sah Jesse immer wieder Alois' blanken Schädel aufblitzen und hörte, wie er Tinkerbell antrieb, die Theke zu scheuern. Schließlich kam Alois aus der Küche. Sein »Guten Morgen« fiel so knapp aus wie die Verabschiedung in der Nacht, dann verschwand er in Richtung Halle.

Kaum eine Minute später stiegen Jesse und Jule die Kellertreppe hinab, begleitet von den neugierigen Blicken des Jungen. Tinkerbell dagegen schien gar nichts zu interessieren. Apathisch scheuerte sie den Stahl.

Jesse und Jule begannen systematisch im vorderen Teil des Kellers zu suchen, mussten jedoch schnell feststellen, dass etliche der Türen verschlossen waren. Sie hämmerten gegen jede einzelne, ohne je eine Antwort zu bekommen. Doch im vorderen Teil des Kellers auf ein geheimes Versteck zu stoßen schien ihnen ohnehin recht unwahrscheinlich. Überwiegend lagerten hier Vorräte, diverse Werkzeuge, Stühle, Schultische oder sonstiges Zeug, das immer wieder in Gebrauch war. Die Tür zum hinteren Teil des Kellers war abgeschlossen.

»Endstation«, murmelte Jule.

Jesse blieb unschlüssig vor der Tür stehen. Ein bisschen Holz, und schon ging es nicht weiter? »Warte kurz«, meinte er.

In einem Raum zwei Türen zurück fand er einen etwa achtzig Zentimeter langen Kuhfuß. Wortlos setzte er die Eisenklaue zwischen Schloss und Zarge an. Er rechnete fest damit, dass Jule protestieren würde, doch sie schwieg. Als er die Tür aufbrach, splitterte das Holz mit einem knochentrockenen Krachen.

Jule zuckte zusammen und blickte sich rasch um.

Jesse stieß die Tür auf und trat in die Finsternis. Vor ihm, daran erinnerte er sich noch von früher, lag ein fast dreißig Meter langer, tunnelartiger Gang, von dem nach links und rechts jeweils zwei weitere Gänge abzweigten. Kalte Luft strömte ihm entgegen, und der Geruch von Moder kroch ihm in die Nase. Die dürftige Kellerbeleuchtung des vorderen Teils verebbte kurz hinter der aufgebrochenen Tür, genau dort, wo ein Lichtschalter auf der Wand saß, der noch aus der Zeit vor dem Krieg stammte. Jesse drehte den kleinen Bakelitflügel, doch es blieb dunkel.

»Sssch«, zischte Jule und drückte warnend seinen Arm. Mit der anderen Hand wies sie in die Finsternis.

»Was denn?«, flüsterte Jesse.

»Dahinten war was. Ein Lichtschimmer. Ganz schwach.«

»Bist du sicher?«

»Kurz bevor du den Schalter gedreht hast. Als hätte jemand eine Tür geschlossen oder eine Taschenlampe ausgemacht.«

»Ich hab nichts gesehen.«

»Aber es war da.«

Jesse nickte. »Okay. Wir brauchen Licht.« Mit leisen Schritten eilte er zurück zu dem Raum, in dem er den Kuhfuß gefunden hatte. Im Regal herrschte Chaos. Werkzeuge, alte Pfannen, lose Steckdosen, nachlässig gerollte Stromkabel, eine ausgediente Schneidemaschine für Wurstwaren, dazu zahlreiche Kisten. Nahe der Tür waren zwei Mausefallen aufgestellt, die eine mit gespannter Feder, in der anderen hing eine tote Ratte. Neben einer Flasche Terpentin fand er eine Taschenlampe mit ausgelaufener Batterie. Die braunrote Masse hatte sich durch den Schraubverschluss gefressen.

»Mist«, schimpfte er leise. Hinter ihm knirschten Schritte, und er fuhr herum. Jule stand in der Tür, sah auf die defekte Taschenlampe in seiner Hand.

»Was ist mit der Küche?«, schlug sie vor. »Vielleicht gibt es da was. Ich könnte die Kids fragen.«

»Hauptsache, es geht schnell. Falls da jemand ist, will ich nicht, dass er sich aus dem Staub macht.« Er packte den Kuhfuß wie einen Knüppel. Kaltes, starkes Eisen. Es fühlte sich gut an in seiner Hand. »Ich warte am Eingang zum hinteren Teil.«

Jule schluckte – und nickte. Von hier aus wirkte der ganze Bereich wie ein schwarzes Loch. »Bin gleich wieder da.«

Als Jule wiederkam zeigte sie ihm ihre magere Ausbeute. Keine Taschenlampe, nur zwei halbvolle Einwegfeuerzeuge mit Zündrad, dazu eine Packung Streichhölzer.

»Das muss reichen«, sagte Jesse grimmig. Er drehte die

Gaszufuhr auf und ratschte mit dem Daumen über das Zünd-rad. Widerwillig spuckte das Feuerzeug ein paar Funken und eine kümmerliche Flamme, gerade mal halb so lang wie sein kleiner Finger. Jules Feuerzeug war nicht besser. »Wo war der Lichtschimmer, den du gesehen hast?«, fragte er.

»Sehr weit hinten. Er ist nach links verschwunden.«

»Gehen wir«, flüsterte Jesse.

Der Schein ihrer Feuerzeuge reichte kaum zwei Meter weit, und bei jedem zu hastigen Schritt drohten die Flam-men durch den Luftzug zu verlöschen. Sie schlichen gerade-zu. Jesse wäre gerne gerannt. Unter jedem Tritt knirschten Steinchen und poröser Fugenmörtel, der aus der Decke fiel. Hier unten fegte niemand. Einmal tropfte Wasser auf Jesses Stirn. Der gelbliche Schein der Feuerzeuge leckte über Wän-de und Türen, die allesamt geschlossen waren, und ließ ihre Schatten tanzen. Knapp über ihren Köpfen liefen alte Lei-tungen an der Wand entlang, teils zersetzt und von Kalk-flecken überzogen. Nur eine der Leitungen schien neu zu sein, eine daumendicke Plastikröhre, wie sie üblicherweise für Stromleitungen benutzt wurde. Eine hellgraue Schiene in die Finsternis.

»Was ist mit den Türen?«, wisperte Jule. »Wenn sich je-mand dahinter versteckt hat?«

»Das hätten wir gehört. Die sind so alt, dass sie sich nicht geräuschlos bewegen lassen.«

»Vielleicht hat sie jemand geölt.«

Jesse sah hoch zu der sauberen, hellgrauen Plastikröhre und musste ihr recht geben. Sie waren beim ersten Quer-gang angekommen und blieben an der Kreuzung stehen, in einer Glocke aus Licht und Stille. Die aufgebrochene Tür in ihrem Rücken leuchtete wie der entfernte Weg aus einem Labyrinth. Jesse wusste noch, dass es von hier in jede Rich-tung etwa fünfzehn Schritte waren. Von den meisten Fluren des Heims hätte er auch heute noch eine Karte zeichnen können. »Was denkst du?«, flüsterte er. »War es dieser Quergang? Oder weiter hinten?«

Jule schätzte die Entfernung mit einem Blick zurück ab. »Weiter hinten.«

Jesse beugte sich ganz nah an Jule heran, so dass ihn die Haare um ihr Ohr an der Nase kitzelten. »Nur für den Fall, dass derjenige, den du gesehen hast, sich doch hier im ersten Gang versteckt und gleich hinter uns abhauen will: Kannst du nach hinten gucken und die Tür im Auge behalten?«

Jule sah kurz zu dem hellen Rechteck. »Okay.«

Sie liefen los, tiefer in den Keller hinein. Jule mit der Hand auf Jesses Schulter, um nicht zu stolpern, während sie die Tür hinter ihnen im Blick hatte. Der Gang endete in einer T-Kreuzung, und sie nahmen den linken Abzweig, in dem Jule den Lichtschein hatte verschwinden sehen. Kurz hinter der Biegung blieb Jesse stehen. Waren da nicht Schritte?

Er lauschte. Nein. Nichts als Stille. Er drehte sich um, begegnete Jules Blick und legte den Finger auf die Lippen. Dann machte er zwei Schritte und blieb abrupt stehen. Es war, als hätten seine Schritte ein Echo. Er drehte sich um und sah zur Biegung. Wer auch immer da war, er würde ihn und Jule sehen. Rasch nahm er den Daumen von der Gaszufuhr seines Feuerzeugs und blies Jules Flamme aus. Bis zur Biegung waren es wenige Schritte. Er schob sich an der Wand entlang, bis er die T-Kreuzung erreichte, und sah zu der aufgebrochenen Tür ganz am anderen Ende des Gangs. Auf der rechten Seite war ein unförmiger kleiner Schatten an die Wand gelehnt, der sich vor dem sauber ausgestanzten Rechteck aus Licht abzeichnete. Er lief los, in der linken Hand den Kuhfuß, in der rechten das heiße, erloschene Feuerzeug.

Der Schatten löste sich jäh und begann zu rennen, auf die Tür zu. Die Spitze des Kuhfußes blieb an einer Türlaibung hängen, und Jesse riss es die Eisenstange aus der Hand. Klirrend schlug sie zu Boden. Jesse rannte weiter, dem Schatten nach. Der andere erreichte die Tür mit dem geborstenen Schloss kurz vor ihm und warf sie zu.

Plötzlich war es dunkel. Jesse stürmte weiter, streckte die Hände vor. Prallte schmerzhaft gegen die Tür, die aufflog, zurückfederte und ihn an der Schulter traf. Auch im vorderen Teil des Kellers war jetzt das Licht abgestellt. Wer auch immer das hier war, er war schnell und clever. Jesse rannte nur nach Gehör, dem Keuchen und den hastigen Schritten nach, hoffte, dass er nicht mit voller Wucht gegen eine Wand lief, streckte die Hände vor. Ihm war, als könne er die Körperwärme des anderen greifen, bekam Haare zu fassen, packte zu und riss daran. Ein heller Schrei gellte in seinen Ohren. Er schlug mit der Schulter gegen die Wand, schlang den Arm um die Gestalt und warf sich mit ihr zu Boden. Heißer Atem schlug ihm ins Gesicht. Ungeputzte Zähne. Zwei Fäuste trommelten auf ihn ein. Er drückte die Hände beiseite, war verblüfft, wie wenig Kraft sein Gegner hatte, und hielt ihn am Boden. »Jule«, rief er. »Komm.«

In seinem Rücken wurde es heller, flackerte, dann verlosch das Licht wieder.

»Hier, Jule! Hier!«

Plötzlich waren ihre Schritte neben ihm, der Zündstein ratschte direkt neben seinem Ohr. Die Flamme warf ein züngelndes Licht auf einen Wust blonder Haare, die das schreckensbleiche Gesicht eines Mädchens rahmten.

Erschrocken ließ Jesse von ihr ab.

»Du?«, entfuhr es Jule. Das Mädchen hatte schlagartig aufgehört, sich zu wehren, sah sie mit gehetztem Blick an.

»Du kennst sie?«, fragte Jesse. »Wer ist das? Und warum versteckst du dich hier?«

»Psst. Nicht so laut«, flehte das Mädchen. »Die hören alles.«

Verwirrt stand Jesse auf.

»Ich hab sie erst einmal gesehen«, sagte Jule im Flüsterton. »In der Küche. Sie ist in den Keller geflüchtet. Ich dachte, sie hat vielleicht etwas zu essen geklaut, oder so ähnlich.«

»Wer sind denn *die*?«, fragte Jesse das Mädchen, doch sie schwieg.

»Aha«, meinte Jesse. »Und wer bist *du*?«

Wieder Schweigen. Im Licht des Feuerzeugs flirrten die Schatten in ihrem orangeroten Gesicht.

»Wer du bist, will ich wissen«, fuhr Jesse sie an.

Sie erschrak und zog den Kopf tiefer zwischen ihre Schultern. »Charly«, gab sie widerstrebend zu. Jesse meinte, sich erinnern zu können, den Namen schon einmal gehört zu haben. Hatte nicht Richard ihn erwähnt? »Bist du ausgerissen?«

Charly richtete sich auf und rieb sich Steinchen von den Handflächen. »Gehörst du zu denen?«

»Würde ich dann fragen?«, blaffte er. »Ich weiß gar nicht, wer *die* sind, zum Teufel.«

»Jesse.« Jule hatte ihm die Hand auf die Schulter gelegt.

»Schon gut«, meinte er. »Warum versteckst du dich hier unten?«

»Bist du der, der immer durch den Gang kommt?«

»Durch welchen Gang denn?«

Charly betrachtete ihn argwöhnisch und wich zurück. »Ich kenn dich.«

»Sie hat dich in der Küche gesehen, als du bewusstlos warst«, raunte Jule in Jesses Ohr.

»Okay. Jetzt mal langsam«, sagte Jesse. »Du heißt Charly und bist aus dem Heim.«

Sie nickte.

»Und du versteckst dich hier unten.«

Wieder Nicken. Nur dass er diesmal den Eindruck hatte, sie verschweige ihm etwas.

»Vor wem hast du Angst?«

»Ich hab keine Angst. Vor niemandem«, sagte sie trotzig, doch in ihrer Stimme war ein dünner, nervöser Unterton.

»Was ist mit diesem Mann, dem, der durch den Gang kommt? Wer ist das?«

Charly sah ihn an, als zweifelte sie an seinem Verstand. In ihren Pupillen spiegelte sich die Flamme des Feuerzeugs. »Weiß nicht. Ich kenne ihn nicht. Hab ihn mal auf einem Foto hier gesehen.«

»Auf was für einem Foto, Charly? Das ist wichtig, wirklich.«

Wieder dieser eigenartige Blick, als sei es seltsam, dass er diese Frage stellte. »Im Büro vom Direktor.«

Jesses Herz schlug schneller. Im Kopf ging er die Fotos in Richards Büro durch, an die er sich noch erinnern konnte. Da waren einige gewesen, die meisten mit der ganzen Truppe von früher. »Wo hing denn das Foto, weißt du das noch?«

»Nee. Ist schon was her.«

»Dann sollten wir zusammen nachsehen.«

Charlys Augen wurden groß. Sie schüttelte den Kopf, wich zurück, bis sie fast aus dem Licht der Flamme trat, und schien sich in der Dunkelheit aufzulösen. »Ich geh da nicht hoch. Nicht am Tag. Nicht, wenn die mich sehen.«

»Charly, bitte. Es ist wirklich wichtig. Du musst mir das Foto zeigen.«

»Das verstehe ich nicht«, hauchte sie und wich weiter zurück. »Ich verstehe nicht, was das soll.«

»Hör zu, Charly. Es geht um meine Tochter. Sie ist ein bisschen jünger als du, sie heißt Isabelle. Und ich suche sie. Vielleicht ist sie bei dem Mann, den du hier unten gesehen hast, verstehst du? Wenn du Angst hast, weil du ausgerissen bist – ich kenne den Direktor gut. Richard Messner ist ein alter Freund von mir. Ich rede mit ihm, er wird dir schon nicht den Kopf abreißen.«

Charly biss sich auf die Lippen. Jede Faser ihres Körpers signalisierte Abwehr, und in ihren Augen glitzerten Tränen. Irgendetwas schien sie so durcheinanderzubringen, dass sie kein Wort mehr herausbrachte – oder herausbringen wollte.

»Hey, Charly«, sagte Jule neben ihm. Ihre Stimme war weich wie Samt. »Ich heiße Jule, weißt du noch? Du musst keine Angst vor uns haben. Wir verraten dich nicht. Ich hab dich auch beim letzten Mal nicht verraten. Wir tun dir auch nichts. Aber es ist wirklich wichtig. Magst du das Foto vielleicht mir zeigen?«

Keine Reaktion. Ihr Blick flog zwischen ihnen hin und her.

»Hast du nicht gesagt, der Mann würde durch einen Gang kommen? Kannst du mir den zeigen?«

Wieder ein Kopfschütteln, diesmal hastig.

»Ist es«, fragte Jule sanft, »weil dort auch dein Versteck ist?«

Das Kopfschütteln wurde panisch. Ein kindliches, verzweifeltes Festhalten an der Hoffnung, alles abstreiten zu können. Dass die Erwachsenen doch jetzt bitte, bitte aufhören sollten, dann könnte alles bleiben, wie es ist.

»Okay, Charly. Was hältst du davon, wenn du *mir* diesen Gang zeigst? Nur mir? Und Jesse bleibt hier.«

Charlys Blick wanderte erneut zwischen ihnen hin und her, als wollte sie überprüfen, wie sie zueinander standen. Schließlich nickte sie resigniert.

Jule hielt ihr die Hand hin, und Charly fasste danach, nicht ohne einen ängstlichen Blick auf Jesse zu werfen, als könnte er etwas dagegen haben.

Jesse seufzte, halb erleichtert, halb angespannt. Ein kurzer einvernehmlicher Blick zwischen Jule und ihm, dann musste er zusehen, wie die beiden Hand in Hand zurück durch die aufgebrochene Tür gingen. Das Licht des Feuerzeugs hüllte sie in eine gelbliche zitternde Blase, die langsam kleiner wurde. Auf Höhe des ersten Quergangs ruckte Charly an Jules Hand. Sie blieben stehen, Charly ging auf die Zehenspitzen und flüsterte etwas in Jules Ohr. Das Feuerzeug verlosch.

Jesse wartete, wagte nicht, Licht zu machen. Hoffte, dass Charly sich Jule anvertrauen würde. In der Dunkelheit schlug sein Herz doppelt so laut. Das Bild von Jule und Charly, Hand in Hand, ging ihm nicht aus dem Kopf – er stellte sich Isa vor, an seiner Hand.

Schließlich hielt er es nicht mehr aus und drückte den Lichtschalter. Das dunkle Loch hinter der aufgebrochenen Tür starrte ihn an. Wie lange waren die beiden schon weg? Fünf Minuten? Sieben? Es kam ihm vor wie eine Ewigkeit. Er wollte nicht rufen, aber weiter warten konnte er auch nicht.

Mit leisen Schritten zog er los. Das Feuerzeug vor sich. Isa im Gedanken. Beim ersten Quergang entschied er sich, nach links zu gehen. Warum, konnte er nicht sagen. Die Flamme des Feuerzeugs neigte sich in die Richtung, in die er lief, als wäre der Gang ein Kamin. Zehn Schritte, dann bekam er einen Stoß. Charly rempelte ihn an, rannte an ihm vorbei.

»Charly! Bleib hier!«

Die Dunkelheit verschluckte sie wie ein hungriges Tier. Er hörte ihre Schritte trippeln, dann nichts mehr.

»Jule?«

Er hob das Feuerzeug, lief auf das Gangende zu. Der Schein erfasste die Stelle, wo früher eine massive alte Ziegelwand gewesen war. Die Ziegel waren neu gemauert, frisch verfugt und rahmten eine stabile Tür aus Metall. Sie war offen. Davor stand Jule und starrte ihn an.

»Jule. Alles in Ordnung?«

Sie nickte, aber ihrem Blick nach war nichts in Ordnung.

»Wohin führt das hier?«

»Charly meint, zum Torhaus«, sagte Jule mit belegter Stimme.

Jesse machte einen Schritt an ihr vorbei. »Was habt ihr so lange hier gemacht? Ist alles okay?« Da Jule keine Antwort gab, drückte er einen Lichtschalter, der kurz hinter der Tür montiert war. Eine Reihe von Kellerlampen ging an. Der Gang führte schnurgerade vom Haupthaus weg, zweifellos in Richtung Torhaus. Die Wände sahen alt und verwittert aus, als wären sie bereits vor den Weltkriegen gemauert worden.

»Los, komm«, sagte Jesse.

Widerstrebend folgte ihm Jule. Die Angst schien ihr im Nacken zu sitzen, doch darauf konnte er jetzt keine Rücksicht nehmen. Endlich hatten sie eine Spur. Sie hätten das Torhaus schon viel früher unter die Lupe nehmen sollen. Was hatte Richard gesagt? Es wird renoviert?

Am Ende des Tunnels war ein Kellerraum, in dem Zementsäcke, Holzbretter, Werkzeug und eine Bütt gelagert wurden. Die Tür war unverschlossen und gut geölt. Eine nackte, frisch betonierte Treppe führte hinauf in den winzigen Flur des Erdgeschosses. Jesse stieß die Tür zum Wohnraum des Torhauses auf. Er war kahl und mit Gardinen verhängt. Mittig stand ein schwerer Holztisch. Jesse erstarrte. Hinter ihm stieß Jule einen Schrei aus.

Die Tischplatte war getränkt von frischem Blut. Jemand hatte ein Seil mit geknoteten Schlingen um die Tischplatte gewickelt. In der Mitte wies das Holz tiefe Kerben auf. Der Geruch von Metall und Urin schwängerte die Luft. Die Zimmerdecke über dem Tisch zierte eine feine Linie aus dunklen Sprenkeln. Der Fußboden war voller chaotischer Spritzmuster, durchbrochen von Fußabdrücken. Doch kein einziger der Abdrücke führte aus dem Zimmer hinaus.

Jesses Herz raste. Er versuchte den Gedanken an Isa zu verdrängen. Das konnte nicht sein. Das hier konnte unmöglich Isa gewesen sein! Mit zitternden Fingern berührte er die Tischplatte. Das Blut war noch klebrig. Was auch immer hier geschehen war, es war noch nicht lange her.

Kapitel 46

Den Rest der Nacht, nachdem er auf Richard geschossen hatte, verbrachte Jesse im Gang unter der Dachschräge. Zwei Wolldecken und ein altes Kissen reichten ihm, er war es ja gewohnt, auf dem Boden zu schlafen. Noch bevor die anderen aufstanden, schlüpfte er durch die Revisionsklappe ins Bad und wusch sich.

Beim Frühstück wunderte er sich.

Alois, Wolle, Markus, Mattheo und Richard waren blass und wortkarg, schnitten ihn aber nicht. Bis auf Richard, der anstelle einer Begrüßung wegsah, nickten ihm alle sogar zu. Die Blicke waren lang, ernst, mit einem gewissen Respekt, vielleicht auch stiller Abscheu. Es lag eine Übereinkunft in den Blicken. Keiner würde etwas sagen. Was auch immer das hieß. Vielleicht wollten sie ihn auch nur in Sicherheit wiegen und bei der nächsten Gelegenheit vom Dach stoßen. Immerhin hatte er den Kronprinzen gedemütigt. Andererseits: Vielleicht gab es auch den ein oder anderen, der es mit heimlicher Freude erlebt hatte. Auch Richard hatte Feinde. Und Neider ganz sicher.

In Markus' Miene las er sogar Zustimmung. Zweimal klopfte er ihm sogar auf die Schulter, was so gar nicht zu dem wortkargen Markus passen wollte. Beim zweiten Mal betrat gerade Sandra den Raum, und Markus' Kopf ruckte herum. Jesse wusste nicht, warum ihm das vorher nie aufgefallen war, aber Markus reagierte ganz ähnlich auf Sandra wie er selbst. Womit ihm auch sofort klar war, was Markus von Richard halten musste.

Sandra gab sich wie immer. Lebendig, fröhlich und dabei dennoch auf anziehende Weise zurückhaltend. Der Frühstückssaal war ihre Bühne, ohne dass sie um einen Auftritt bemüht gewesen wäre. Sie tanzte einfach – gewissermaßen. Und die anderen sahen dabei zu. Nichts deutete darauf hin, dass sie die Aufmerksamkeit wollte oder genoss, sie vielleicht sogar brauchte oder, wie Richard gesagt hatte, sie dabei heiß wurde.

Auf dem Weg zur Klasse ging sie plötzlich neben ihm und machte ihm ein Zeichen. Unauffällig ließ sich Jesse ein wenig zurückfallen, damit niemand sie beobachten konnte.

»Heute Nacht im Gang?«, flüsterte sie, den Blick auf den Boden geheftet.

Er hatte einen Kloß im Hals. Nickte. War das eine Falle? »Um zwölf«, gab er zurück, während er prüfend zu den anderen sah. Doch niemand bekam etwas mit.

»Danke«, sagte sie leise.

Allein ihre Stimme löste eine Gänsehaut bei ihm aus. Und dann noch dieses ›Danke‹.

Die nächsten Stunden dehnten sich endlos; die Zeit tropfte wie Harz von einem Baum. Jesse lernte, aß, schrubbte, ohne dass Dante ihn schikanierte oder Richard oder Sandra auftauchten. Er schlüpfte ins Bett, verlor kein unnötiges Wort und verschwendete kein Mitleid an Mattheo, der sichtlich unglücklich über den Ausgang des vorangegangenen Abends war. Er konnte nicht sicher sein, ob er eine zweite Chance bekommen würde. Immerhin brauchten sie Richard und seinen Schlüssel für den Schuppen. Doch Richard hatte bestimmt die Nase gestrichen voll vom Schießen.

Um kurz vor zwölf schlich er ins Bad, vergewisserte sich, dass niemand dort war, stieg in den Gang und verriegelte ihn von innen. Die Taschenlampe klemmte er sich in den Mund und kroch auf allen vieren unter der Schräge entlang bis zum Bad der Mädchen. Um kurz nach zwölf klopfte es leise an die Klappe. Er öffnete die Verriegelung und ließ Sandra herein.

»Hallo«, flüsterte sie. Wieder diese Stimme. Wieder klang es wie ein ›Danke‹. Sie roch nach Milch, aber da war auch noch etwas anderes, ein Geruch, den er nicht kannte. Ein guter Geruch. Aufregend.

Er musste an Richard denken, was er über ihre Mutter gesagt hatte. Gott, vielleicht legte sie es wirklich darauf an?

»Hallo«, erwiderte er mit rauer Stimme und schloss die Klappe. Gemeinsam krochen sie ein paar Meter weiter zu den Decken. Jesse stellte die brennende Taschenlampe mit dem Reflektor nach oben auf den alten Dielenboden. Sandras Nase warf jetzt einen dunklen langen Schlagschatten zwischen ihre Augen. Ihre Halspartie leuchtete bis hin zum Kinn, die Haut unter ihren Ohren sah aus wie Samt, und die Farbe ihrer langen blonden Haare changierte im Licht.

»Machst du das Licht aus?«, fragte sie.

Jesse schüttelte den Kopf. Falls das eine Falle war, wollte er vorbereitet sein. Außerdem gefiel ihm, was Sandra anhatte: weiße Unterwäsche und eine hellblaue, etwas zu große Pyjamajacke.

»Was ist los?«, fragte er bemüht kühl.

Sie seufzte. Kreuzte die Beine zum Schneidersitz und lehnte sich zurück an die Wand. »Richard«, stöhnte sie.

»Mhm«, machte Jesse. Er legte sich im spitzen Winkel des Daches auf den Rücken, direkt vor sie. Sein Kopf lag nur zwei Handbreit entfernt von ihrem Schoß. Die Enge war aufregend, Abstand gab es hier nicht, höchstens wenn sie nebeneinanderhockten, und das wollte er nicht. Rasch warf er einen flüchtigen Blick auf ihre hellen Beine.

Sandra griff nach der Lampe und wollte sie ausschalten. Jesse nahm sie ihr aus der Hand und stellte sie zurück.

»He, du kannst meine Unterwäsche sehen«, protestierte sie leise.

»Na und? Ist nicht die erste Frauenunterhose, die ich sehe«, sagte er großspurig. Es war ja noch nicht einmal gelogen, wenn er an die Begegnungen in Vaters Wohnung dachte.

Sie kicherte und zupfte die Pyjamajacke zwischen ihren Beinen zurecht. Jetzt war nichts mehr zu sehen.

»Was ist denn mit Richard?«, fragte er beiläufig.

Sandra zögerte einen Moment, sah auf ihn herab. »Ich ... finde ihn eklig.«

Jesse sah sie überrascht an. Er hatte alles Mögliche erwartet. Dass Richard ihr etwas aufgetragen hatte, dass sie ihn verteidigen wollte oder ihn, Jesse, zurechtweisen. Aber eklig? »Warum?«

»Na, du kennst ihn doch«, wand sich Sandra.

Jesse kam es seltsam vor, als ob sie sich zierte. »Klar kenne ich ihn«, meinte er. »Aber was genau findest du denn an ihm eklig?«

»Seinen Mund«, gestand sie.

Insgeheim hatte Jesse auf mehr gehofft. Unwillkürlich dachte er an die Frauen, die sein Vater zu sich bestellt hatte. Viele von denen waren wirklich scheußlich gewesen, mit Haaren nicht nur unter dem Bauch, auch unter den Achseln, und ihr Geruch hatte ihm in die Nase gebissen. Trotzdem hatte sich Vater in sie vertieft. »Was macht er denn Ekliges mit seinem Mund?«, bohrte Jesse.

Sie wurde feuerrot und sah beiseite.

Er nutzte den Moment und versuchte einen Blick zwischen ihre Beine zu erhaschen. Er konnte nicht anders, zumal ihre Pyjamajacke etwas verrutschte. Ein wohlbekannter Geruch kam ihm entgegen, nur ein Hauch davon, aber unverkennbar. Er wagte nicht, das Wort zu denken, wonach es roch. Aber sein Vater hatte es ständig gesagt, und er raunte es ihm auch jetzt zu: Möse.

Jesse wusste, wie schmutzig das klang. Nicht nur klang, auch war. Er bekam einen Staubmund, trocken, rau.

Ihre Blicke trafen sich. Sie hätte jetzt den Pyjama zurecht-
zupfen können. Aber sie tat es nicht. Blieb feuerrot sitzen, ohne
sich zu rühren. Richard hatte recht. Es machte sie heiß. Das
merkte man doch gleich.

Er drehte sich auf die Seite und legte eine Hand auf ihr
nacktes Bein. Sie zuckte zusammen, blieb aber sitzen. »Vor-
sichtig«, flüsterte sie.

Frauen wollen genommen werden, aber sie werden es dir
niemals sagen, hatte ihm sein Vater eingeschärft. Jesse hatte
das nie verstanden. Was hatten die Schläge und dieses wü-
tende Aufeinander-Eingeklatsche damit zu tun, den heim-
lichen Wunsch einer Frau zu erfüllen? Zumal die Frauen
meistens stöhnten oder ihnen sogar Tränen über die Wangen
liefen. Aber vielleicht war er einfach nur zu klein gewesen? Sie
müssen spüren, hatte Vater gesagt, wie sehr du sie willst. Das
macht sie heiß.

Richard kam ihm wieder in den Sinn. Und Sandras ›Vor-
sichtig‹. Er war ja vorsichtig. Viel vorsichtiger als Vater. Er
richtete sich auf, so gut es unter der Schräge ging, kniete sich
vor sie und schob seine Hand nun näher an ihren Schoß. San-
dras Blick flackerte. Unsicher hob sie eine Hand, strich ihm
durchs Haar.

Nein, Richard hatte nicht alles! Richard hatte nicht Sandra,
dachte Jesse. Die würde er verlieren.

Sandras Mund öffnete sich zu einem erstaunten und ent-
setzten Kreis, als er die Hand in ihre Unterhose schob. Es war
heiß unter der Baumwolle. Waren das seine Finger, die so
schwitzig waren? War es da nass zwischen ihren Beinen? Hat-
te Richard das gemeint, als er von ›heiß werden‹ sprach? Er
griff mit beiden Händen zu und zog am Bund ihrer Unterhose,
wurstelte sie von ihrer Hüfte und unter ihrem Po hindurch,
während Sandra sich wand. »Jesse, nicht ...«, stöhnte sie. Ihr
Atem ging schnell und stieß heiß in sein Gesicht. Er ließ von
der Hose ab, die bereits in ihren Kniekehlen hing. Drängte sich

an sie heran, gab ihr einen vorsichtigen Kuss, oder zumindest das, was er für einen Kuss hielt. Es hatte ihm ja niemand beigebracht.

Sie lächelte schüchtern. Strich ihm erneut durchs Haar. Zog ihn heran und umarmte ihn. Ihr Mund war an seinem Ohr. »Ich mag dich. Nicht Richard. Ich mag dich!« Ein gewaltiges Ziehen durchlief seinen Körper, vom Ohr bis in die Lenden. Am liebsten hätte er sein ganzes Leben in dieser Haltung verbracht. In Sandras Armen. In ihrer Nähe. Aber er wollte noch näher. Rückte ein wenig ab und öffnete den obersten Knopf ihres Pyjamas, fummelte auch am nächsten.

»Jesse, nicht ... bitte.«

Den dritten Knopf bekam er nicht auf, so fest saß er. Mit einem Ruck riss er ihn ab, dann den nächsten. »Jesse, nein, bitte warte.«

Er hatte lange genug gewartet, jedes Mal, wenn sie unten im Keller war und Richard ihre Show geboten hatte und weiß Gott was sonst noch alles.

Er zerrte den Pyjama von ihren Schultern, so weit er konnte. Die Taschenlampe fiel polternd um und warf einen scharfen Kegel auf ihre nackte Brust, die so gar nicht aussah wie die Brüste der Frauen seines Vaters. Nicht groß und schwer, sondern rundlich, fest, unreif. Die Erregung schlug über ihm zusammen wie ein dunkler See. Er drückte seinen Mund auf ihren, sie wollte etwas sagen, aber mit seiner Zunge erstickte er jeden Laut. Für einen Moment ergab sie sich, ihre Lippen und ihre Zunge spielten mit, und eine Hitzewelle jagte durch seinen Körper. Das hatte Vater gemeint. Wie von Sinnen drückte er sie zu Boden, zog ihr die Unterhose ganz von den Knöcheln. Sie begann zu strampeln, versuchte ihn fernzuhalten. »Nicht. Bitte nein! Nein!«

Er starrte auf die fleischige Rille zwischen ihren Beinen, die Taschenlampe leuchtete unbarmherzig in sie hinein. Er hatte keine Ahnung warum, wusste nicht, ob er etwas nachahmte, *ob es ihn selbst trieb oder woher es sonst kam. Er drückte ihre Beine beiseite und seinen Kopf dazwischen. Keine Haare, wie bei Vaters Mösen. Zarter blonder Flaum kitzelte seine Zunge. Da war wieder dieser kurze Moment, wo sie aufhörte, sich zu wehren. Erstarrte, aufstöhnte, vielleicht ganz wie ihre Mutter. Und er? Ganz wie sein Vater?*

Plötzlich zog sie grob an seinen Haaren, und er musste von ihr ablassen. Hastig presste sie die Beine zusammen, und er versuchte mit aller Kraft, sie wieder auseinanderzudrücken. »Nicht. Nein! Nein!« Sie stöhnte nicht mehr, ihre Stimme klang verzweifelt. Sie ruderte mit den Armen und stieß ihn mit einem Tritt weg. Im Taschenlampenlicht glitzerten Tränen auf ihrem Gesicht.

Jesse keuchte. »Warum nicht?«

»Ich kann das nicht! Warum machst du das?«

»Jetzt stell dich nicht an, du kennst das doch.«

»Ich ... was?«

»Ich bitte dich. Was war denn mit Richard und Dante?«

Sie starrte ihn entgeistert an. »Wie meinst du das?«

»Ich weiß Bescheid über deine Mutter. Bei mir die Unschuldige spielen und für Dante und den Kronprinzen im Keller eine Show abziehen.«

»Was für eine Show?«, fragte sie mit zittriger Stimme.

»Das letzte Mal, als Dante aus dem Keller kam, wo du warst, da hing ihm doch fast noch der Schwanz aus der Hose.«

Sandra sah ihn fassungslos an.

Jesse wunderte sich, woher ihm die Worte zuflogen. Aber sie kamen eben einfach. Waren plötzlich da, wie Vokabeln im Hinterkopf, die er gelernt, aber nie benutzt hatte.

»Was weißt du über meine Mutter?«

Jesse stutzte. »Na, dass sie eine Nutte war.«

Stille.

Über Sandras Wangen liefen neue Tränen. »Wer hat dir das gesagt?«

»Richard. Du hast es ihm doch selbst brühwarm erzählt.«

Ihre Lippen bebten. Sie zog ihre Pyjamajacke vor ihrer Brust zusammen, verschränkte die Arme. »Ich hab keine Ahnung, woher du das hast.« Ihre Brust hob und senkte sich zitternd, während sie sprach. »Aber Richard wäre der Letzte gewesen, dem ich's gesagt hätte. Vielleicht hätte ich's dir gesagt.«

Jesse sah sie ungläubig an.

»Und ich hab auch keine Ahnung, was du mit Dante meinst. Er mochte, wie ich tanze. Er hat gesagt, wenn ich das üben will, könnte ich das im Keller tun. Wahrscheinlich war er besoffen und hat zugeschaut. Ich hab keine Ahnung, ob er dabei ekliges Zeug gemacht hat. Ist mir auch egal, was in seinem und in Richards Kopf vorgeht. Und in deinem.«

Jesse saß da, als hätte ihn der Schlag getroffen. Eine Woge von Scham ergriff ihn. Er wünschte, sie würde ihn fortspülen, ihn sauberspülen. Aber er saß da, nichts passierte, außer dass seine Scham noch zunahm und er Sandras verweintes Gesicht ertragen musste. Richard hatte gelogen. Vielleicht hatte ihm Mr Dee von Sandras Mutter erzählt. Aber das spielte gar keine Rolle mehr. Viel schlimmer war, dass er ihm geglaubt hatte, dass er auch nur eine Sekunde geglaubt hatte, dass Sandra wie ihre Mutter war. Er war doch auch nicht wie sein Vater. Oder etwa doch? Hatte er sich nicht gerade genauso benommen? Und hatte er sich nicht sogar gut dabei gefühlt?

Er schluckte. Spürte, dass er nur knapp von etwas wirklich Bösem entfernt war, so wie auf der Lichtung, als er auf Richard geschossen hatte.

»Ich will hier raus«, sagte Sandra. Ihre Stimme klang dünn und leer.

Jesse hätte sie am liebsten um Entschuldigung angefleht. Aber wie könnte sie das je entschuldigen? Wie konnte er sich vor sich selbst entschuldigen?

Ohne ein weiteres Wort drehte Sandra sich um und kroch auf allen vieren in Richtung Mädchenbad. Ihre Unterhose *hatte sie liegenlassen, und der Pyjama gab den Blick auf den unteren Teil ihres Pos frei – und noch ein wenig mehr. Das Letzte, was er in dieser Nacht von ihr sah, war das, was ihn um den Verstand gebracht hatte. Er konnte nicht anders, als genau dort hinzusehen, ihr nachzustarren, bis sie durch die Klappe verschwand.*

Wie gelähmt saß er zunächst da.

Minutenlang.

Dann kroch er ihr nach und schloss von innen die Klappe.

Er wollte schreien. Sich aus seinem Schmutz hinausbrüllen, in den er gerade gefallen war. Sein Vater schien sich aus dem Dunkel zu lösen, streckte die Hand nach ihm aus. Jesse schlug sie weg. Aber wie lange würde er das noch schaffen?

Er stieg in den Jungstrakt, verriegelte die Revisionsklappe, schlich mit hängenden Schultern und tobendem Herzen zum Gaubenfenster in seinem Zimmer. Alle anderen schliefen.

Leise öffnete er das Fenster, kletterte aufs Dach. Die kalte Luft griff nach ihm, machte es geringfügig besser. Die nackten Füße voran kletterte er die Hauswand hinunter wie im Rausch.

Die Steinchen vor dem Haus stachen ihm nadelspitz in die Fußsohlen. Seine Nerven brannten, als hätte er hohes Fieber. Sein ganzer Körper war in Aufruhr. Keine Zelle passte mehr zur anderen. Er musste zur Lichtung. Hatte den Baum vor Augen, an den ihn die anderen gestellt hatten. Auf den er selbst so oft geschossen hatte.

Er wollte sich gerade aufmachen, da hörte er einen Wagen den Weg heraufkommen. Der gelbe Lichtkegel erfasste das Haupthaus, und im letzten Moment duckte er sich weg, hinter den Vorsprung an der breiten Eingangstreppe.

Sein Atem ging rasch, und er versuchte sich zu beruhigen. Wer auch immer das war, er würde gleich wieder weg sein. Dann konnte er los.

Der Motor erstarb, eine Autotür schlug zu. Dann hörte er schwere Schritte auf der Steintreppe, schleppend und müde, vermutlich von einem großen Mann. Vielleicht Dante? Aber warum ging der nicht zum Hintereingang? Außerdem hatte Dante kein Auto, sondern dieses dämliche Moped.

Plötzlich schrillte die Türklingel. Es klang wie ein Alarmsignal. Ein durchdringendes, schneidendes Rasseln, das an seinen überreizten Nerven sägte. Jesse hatte die Klingel immer gehasst. Er überlegte, ob er sich einfach davonstehlen sollte, aber das Risiko, entdeckt zu werden, war einfach zu groß. Also blieb er, während die Klingel wieder und wieder schrillte. Endlich ging die Tür auf. »Was zum Teufel wollen Sie? Wissen Sie, wie spät es ist?«, knurrte jemand unwillig. Es klang ganz nach Dante.

»Ich will zu Artur Messner.« Die Stimme war dunkel wie ein Bass und ein wenig atemlos. Jesse war nicht sicher, ob er sie schon einmal gehört hatte.

»Dann kommen Sie eben morgen wieder.«

»Nein. Ich muss ihn jetzt sprechen«, drängte der Mann.

Dante schien zu zögern. Neugierig reckte sich Jesse und spähte über die Steinkante der Treppe. Der Fremde war groß, sehr groß, und sein Gesicht war nicht zu erkennen. Doch was Jesse gut erkennen konnte, das war seine große fleischige Hand.

Er keuchte.

Schloss die Augen.

Öffnete sie wieder.

Auf dem Handrücken prangte eine unverwechselbare sichelförmige Narbe. Zuletzt gesehen hatte er sie zehn Jahre zuvor.

Kapitel 47

Der verstörende Anblick des Zimmers im Torhaus hatte sich in Jules Kopf eingebrannt. Ihre Phantasie füllte sofort die Leerstellen. Seilschlingen ... Kerben im Tisch ... Spritzmuster an der Decke ...

Sie beobachtete Jesse, der mit der Hand den Tisch berührte, die Haut seiner Fingerkuppe, die für einen Wimpernschlag am Blut haften blieb. Sie musste an Isa denken. Ihr Herz wollte schrumpfen, Schutz suchen, aber es gab keinen Schutz. Nur dieses Zimmer mit all dem Blut. Sie starrte auf den Boden, die Fußspuren, die aussahen, als wäre jemand durch das Zimmer getaumelt. Ein Jemand mit großen Füßen, größer jedenfalls als ihre eigenen, und erst recht größer als die von Isa. Durfte sie das beruhigen? Doch nur, wenn derjenige, der die Fußspuren hinterlassen hatte, das Opfer gewesen war. Und wie hätte das Opfer durch sein eigenes Blut laufen können?

Sie fing einen Blick von Jesse auf, der ebenfalls die Fußspuren maß. Sie wollte etwas Tröstliches sagen, dass Isa nicht hier gewesen war, dass es ihr sicher gutginge. Aber es war, als ob das, was Charly ihr in der Dunkelheit des Kellers offenbart hatte, in ihrem Hals quersaß.

Widerstrebend hatte Charly sie zu der Tür geführt und den Schlüssel im Schloss herumgedreht. Sie hatte nicht verraten, woher sie ihn hatte. Vermutlich irgendwo entwendet. Und ja, ihr Versteck in den letzten Tagen war das Torhaus gewesen. Es war geheizt, und sie hatte dort ein Bett gefunden. Dennoch hatte sie geglaubt, niemand würde dort wohnen. Bis *er* gekommen war.

Wer denn ›er‹ gewesen sei, hatte Jule sie gefragt.

Charly hatte sich im Dunkeln auf die Zehenspitzen gestellt und ihr ins Ohr geflüstert: »Dein Freund. Der, der Jesse heißt.«

Jule erstarrte. Hoffte, dass sie Charly falsch verstanden hatte. »Jesse? Bist du sicher?«

»Ja«, hauchte es ihr aus der Dunkelheit entgegen.

Jule hätte gerne Charlys Gesicht gesehen. Hier unten in der Finsternis war alles so unwirklich. Doch sie wagte nicht, das Feuerzeug zu benutzen. »Wann hast du ihn denn zum ersten Mal gesehen?«

»Gestern früh.«

»Gestern?« Jules Nackenhaare stellten sich auf. »Wie früh denn?«

»Ich weiß nicht. Ganz früh.«

»War es noch dunkel?«

»Weiß nicht. Sieht man ja hier unten nicht.«

Ihr stockte der Atem, während sie zurückrechnete, um welche Uhrzeit sie in Adlershof angekommen waren. Wie fest hatte sie wirklich im Wagen geschlafen? Plötzlich beschlich sie das Gefühl, Markus' Warnungen könnten doch Sinn ergeben. Vielleicht war Jesse wirklich unberechenbar. Nicht zu kontrollieren. Und vielleicht sogar krank.

Natürlich hatte sie Markus nicht geglaubt, als er behauptet hatte, Jesse hier in den letzten Wochen gesehen zu haben. Aber jetzt, nach dem, was Charly ihr erzählt hatte, sah alles ganz anders aus.

Im Geiste war sie die Palette der Persönlichkeitsstörungen durchgegangen, zumindest das, was nach dem Studium davon hängengeblieben war. Bisher hatte sie geglaubt, Jesse hätte ein Problem mit seinen Erinnerungen, als Folge des

Unfalls. Doch wie die Dinge jetzt lagen, kam vielleicht auch so etwas Unwahrscheinliches wie eine dissoziative Identitätsstörung in Frage. Was bedeutete, dass er vielleicht noch eine andere Persönlichkeit in sich trug, die unabhängig von ihm handelte, nach ganz anderen moralischen Vorstellungen, mit ganz anderen Prioritäten. Sie wusste, wie selten diese Form der Identitätsstörung war, auch wenn die sogenannten ›multiplen Persönlichkeiten‹ in Filmen und Büchern überproportional häufig vorkamen.

Sie hätte noch viele Fragen an Charly gehabt, aber dann war Jesse gekommen – und Charly hatte die Flucht ergriffen.

Und nun stand sie mit Jesse mitten in diesem Zimmer, in dem etwas wirklich Grauenvolles passiert sein musste. Hatte Charly davon gewusst? Vermutlich nicht, sonst hätte sie doch etwas gesagt oder noch verstörter gewirkt.

»Wir müssen das Haus durchsuchen«, sagte Jesse.

Jule schrak aus ihren Gedanken auf. Ja. Mussten sie. Er hatte recht. Aber was bezweckte er damit?

»Ich sehe mir das Dachgeschoss an.« Seine Stimme klang rau und belegt. Zutiefst betroffen. »Soll ich das Erdgeschoss auch übernehmen?«

Jule nickte steif. War das Empathie? Oder Berechnung?

Ohne ein weiteres Wort ging Jesse. Sie hörte, wie er durchs Erdgeschoss lief, dann knarrte die Holztreppe unter seinen Schritten. Ihr wurde übel, sie musste an die frische Luft! Aber war die Haustür nicht vernagelt? Sie kreuzte den kleinen Flur, erschrak vor ihrem Spiegelbild in einem offenstehenden Flügel des Flurschranks und betrat die Küche.

Die Küchenzeile war altweiß, die goldenen Knopfgriffe an den Schubladen waren wie abgeschmirgelt. Auf der Kunststoffarbeitsfläche lag eine dünne Staubschicht mit frischen Spuren; in die verkratzte Spüle tropfte klares Wasser. Die Hintertür der Küche ließ sich zu Jules Überraschung problemlos öffnen. Kälte schlug ihr entgegen, und sie stieß helle Wolken Atemluft aus. Über ihr spannte sich das Flachdach des ans Torhaus stoßenden Carports. Die Tür besaß an der Außenseite weder einen Knauf noch eine Klinke, was erklärte, warum niemand abgeschlossen hatte.

Gierig sog sie die frische Bergluft ein, hoffte, dass der Frost ihre Gedanken klar werden ließ. Was um Himmels willen sollte sie bloß tun?

Es fiel immer noch Schnee, und der Boden unter dem Carport stach als schmutziges Rechteck aus der weißen Landschaft hervor. Auf der Rückseite des Parkplatzes hatte sich ein unförmiger Schneewall gebildet. Abwesend starrte sie auf den hohen weißen Buckel, bis ihr auffiel, dass etwas nicht stimmte. Woher kam eigentlich dieser Buckel? Der Carport hatte ein Flachdach. Von dort war der Schnee sicher nicht herabgerutscht.

Argwöhnisch näherte sie sich dem weißen, länglichen Wall, sah prüfend an der senkrechten Giebelwand des Torhauses hinauf. Von dort konnte der Schnee wohl ebenfalls nicht kommen. Er würde immer seitlich die Dachflächen hinabrutschen.

Dann fiel ihr Blick auf die Schaufel, die an der Hauswand lehnte, zwischen Tür und Mülltonnen. Sie hatte einen fast mannshohen Stiel, und am Schaufelblatt klebten Schneereste. Vorsichtig streckte sie die Hand aus und fuhr mit einem Fingerstrich über die Decke des Schneewalls. Locker, wie frisch gefallen. Darunter fühlte sich der Schnee fester an. Sie spähte nach oben. Die Kante des Carportdachs wirkte wie abgeräumt, als hätte jemand den Schnee mit der Schaufel heruntergeholt. Plötzlich war die kalte Luft nicht mehr erfrischend und klar, sondern ließ sie frieren.

Mit beiden Händen grub sie ein Loch in den Schnee. Ihre Finger wurden rot, ihre Wangen glühten. Drei Handbreit tief stieß sie auf etwas Festes, Knisterndes. Eine Folie, schwarz und dünn wie ein Müllsack. Sie erweiterte das Loch, fegte die Reste beiseite, sah etwas Unbestimmtes, Großes. Hastig grub sie weiter, wie im Fieber, hakte mit dem Zeigefinger in die steife Folie und zog, bis das Plastik seufzend nachgab und ein kleines Loch entstand. Mit beiden Händen riss sie den Plastiksack auf. Ein Paar trübe Augen in einem aschfahlen Männergesicht starrten an ihr vorbei in den Himmel. Eine Flocke trudelte herab und verfing sich in den gefrorenen Wimpern. Es dauerte einen Augenblick, bis sie den Toten erkannte.

Es war Markus.

Sie ließ die Folie los, als hätte sie einen Stromschlag bekommen. Taumelte zurück, bis sie die Hauswand im Rücken spürte. Sah sich um, ob jemand in der Nähe war. Doch sie war allein. Bis auf Jesse, der noch im Haus umherlief.

Was zum Teufel ging hier vor?

Jesse. Ihre Gedanken verselbständigten sich. Das Bild von Sandra stand ihr vor Augen. Sandra, eingewickelt in einen Teppich auf dem Balkon. Tiefgefroren. Und jetzt das hier. Wann war sie heute früh aufgewacht? Gegen zehn. Da war Jesse bereits eine ganze Weile wach gewesen.

Plötzlich ergab alles einen Sinn. Die beiden Leichen im Schnee. Jesses Hass auf Markus. Jesses enttäuschte Liebe zu Sandra. Charly, die Jesse im Gang gesehen hatte. Und Markus, der ihn in der Mädchentoilette gesehen hatte. Ihr wurde übel. Was hatte es eigentlich zu bedeuten, dass es ausgerechnet die Mädchentoilette war? Hatte Markus nicht gesagt, Jesses Kleidung sei staubig gewesen? Genau dieses Detail hatte auf sie so unglaubwürdig gewirkt. Aber jetzt fragte sie sich, ob es nicht einen speziellen Grund dafür gab. Vielleicht ein Versteck? Oder der Zugang zu einem Versteck?

War der eine Jesse auf der Suche nach Isa, während der andere Jesse sie versteckte? Dann hätte doch Isa mit ihnen im Wagen nach Garmisch fahren müssen. Andererseits –

Jesse war Arzt, er hatte sicherlich Betäubungsmittel, und das Heck des Volvos hatte sie nie gesehen.

Legte sie sich das alles nur zurecht? Füllte sie vielleicht nur die Leerstellen zwischen den Fakten? Jesse war ihr zuletzt so ehrlich und so verloren vorgekommen. Noch vor kurzem hatte er verzweifelt vor ihr gesessen, seine Stirn an ihren Bauch gelehnt. Log er so perfekt? Oder war ihm gar nicht bewusst, was er tat?

Sie blickte zum Hinterausgang des Torhauses. Dann zur Straße. Und lief los.

Der Himmel war wie Milch und Blei. Das Haupthaus erhob sich starr zwischen Abermillionen Flocken. Dahinter versank das Gebirge in einer Wand aus Schnee. Nicht mehr lange, und sie würde hier eingeschneit sein. Der Weg vom Torhaus zur Straße war kaum mehr zu erkennen, die Reifenspuren von gestern nur noch zwei unscharfe Rinnen. Sie blickte über die Schulter, fürchtete, dass Jesse aus dem Haus stürzte, ihr nachlief, und versuchte, ihre Schritte zu beschleunigen. Sie musste zum Haupthaus. Ein Telefon finden, bevor Jesse sie fand.

Bei jedem Schritt versank sie knietief im Schnee. Ihr war eiskalt, als sie die Straße zum Haupthaus erreichte. Hier kam sie etwas schneller voran. Von hinten näherte sich das tiefe Gurgeln eines Diesels, begleitet von klirrenden Schneeketten. Ein helles Paar Scheinwerfer strich über die letzte Kuppe der Bergstraße und schnitt ins graue Tageslicht, dann erschien Richard Messners Toyota.

Sie blieb stehen.

Winkte Messner und hoffte, dass Jesse sie nicht sah. Doch beim Torhaus blieb alles still. Es lag verlassen und friedlich im Schnee. Aber musste Jesse nicht längst bemerkt haben, dass sie verschwunden war? Vielleicht lief er gerade durch den Gang zurück ins Haupthaus.

Der Toyota schlich heran und hielt mit rasselnden Ketten

neben ihr. Der Schnee knurrte unter dem tonnenschweren *SUV*. Richard Messner ließ die Seitenscheibe herab und lächelte ölig. »Was machen Sie denn hier draußen in diesem Aufzug? Wollen Sie sich den Tod holen?«

»Gut, dass Sie da sind«, stieß Jule hervor. »Bitte, gibt es im Ort eine Polizeistation?«

Messners Lächeln gefror. »Freilich. Warum fragen Sie?«

»Jemand hat Ihren Hausmeister umgebracht. Er liegt dort hinten beim Torhaus.«

Für einen Moment war Messners Gesicht vollständig leer, als würde er nicht begreifen, was Jule eben gesagt hatte. »Markus Kawczynski? Sind Sie sicher?«

Jule nickte. Ihr Brustkorb pumpte. Das rasche Laufen durch den tiefen Schnee hatte sie angestrengt. Das alles wuchs ihr über den Kopf.

Messner löste den Sicherheitsgurt, der in den Seitenholm zurückschnurrte. Er stellte den Motor ab und stieg aus. »Ich will ihn sehen. Zeigen Sie ihn mir.«

»Ich glaube, das ist keine gute Idee«, sagte Jule hastig. »Der Mörder ist wahrscheinlich noch im Torhaus.«

Messners Augen flogen hinüber zum Haus. »Haben Sie ihn gesehen?«

»Ich glaube, es ist Jesse. Und ich vermute, er hat auch Sandra umgebracht.«

Zum ersten Mal sah Richard Messner wirklich bestürzt aus. Auf seinen glattrasierten Wangen traten rote Flecken hervor. Ein Flaum von Schneekristallen sammelte sich auf den Schultern seines grünen Lodenmantels. »Sandra ist tot? Seit wann?«

»Bitte, wir sollten wirklich die Polizei rufen.«

»Ja, das sollten wir wohl«, murmelte Messner und warf erneut einen Blick zum Torhaus. »Steigen Sie ein.«

Im Wagen war es warm, doch Jule spürte es kaum. Die Kälte kam von innen. Schlotternd hockte sie auf dem Sitz.

Sie hatte Markus' bleiches Gesicht vor Augen und die blutige Tischplatte mit den Kerben, und versuchte die Frage, was genau mit ihm passiert war, aus ihrem Kopf zu verscheuchen. Messner gab vorsichtig Gas, und die Schneeketten gruben sich vorwärts. Die Flocken fielen immer dichter, und der Himmel senkte sich, als wollte er sie verschlingen. Mit der rechten Hand tippte Richard Messner auf das Display am Armaturenbrett und rief das Telefonmenü der Freisprechanlage auf. Mit der linken Hand hielt er das querschlagende Lenkrad. »Sind Sie sicher, dass es Jesse war?«

»Ich weiß nicht. Ich glaube schon. Ein Mädchen hat ihn unten im Keller gesehen, wie er durch den unterirdischen Gang gekommen ist. Im Torhaus hat sie ihn auch gesehen«, sprudelte es aus ihr heraus. »Es scheint alles zusammenzupassen. Ich kann es jetzt nicht erklären, bitte, rufen Sie einfach die Polizei, ich –«

»Was für ein Mädchen?«

Für eine Sekunde stockte Jule und überlegte, ob sie Charlys Namen besser verschwieg, doch die Kleine konnte ja nicht ewig allein im Keller herumgeistern. »Sie heißt Charly.«

Messners Finger erstarrte über dem Display. »Sie haben mit Charly geredet?«

»Ja. Sie versteckt sich da unten, mal im Keller, mal im Torhaus.«

Mit blassem Gesicht begann Messner eine Nummer einzutippen. Erleichtert sank Jule in den Sitz. Endlich nahm jemand Vernunft an und rief die Polizei.

Nach drei Freizeichen meldete sich eine ältliche, aber kraftvolle Frauenstimme. »Ja?«

»Du musst kommen, wir haben ein Problem«, sagte Messner.

»Jetzt? Ist das dein Ernst?«

»Ja. Unbedingt.«

Die Frau schwieg kurz. Jule sah Messner ungläubig an. Wen zum Teufel rief er da –

»Hast du das von Wolle Seifert schon gehört?«, fragte die Frau.

»Nein. Was denn?«

»Er hat sich aufgehängt. In seiner Wohnung über der Wirtschaft.«

Unter Jule tat sich der Boden auf. Wie im Zeitraffer lief der gestrige Abend vor ihren Augen ab. Jesse, der sichtlich aufgewühlt zu ihr in den Wagen gestiegen war. Seine Bitte, sofort loszufahren. Seine vagen Auskünfte und dass Wolle ihm nichts hatte sagen können. Hatte Jesse etwa auch Wolle auf dem Gewissen? Hatte sie die ganze Zeit mit einem mehrfachen Mörder verbracht? Ihre Hände begannen unkontrolliert zu zittern. Hastig verschränkte sie die Arme, um wenigstens halbwegs die Fassung zu wahren.

»Scheiße«, murmelte Messner.

»Ich dachte, du wüsstest das«, sagte die Frau.

»Das läuft aus dem Ruder hier.«

»Also schön. Ich komm«, sagte die Frau gereizt. Dann war die Verbindung beendet.

Jule sah Messner fassungslos an. Statt erneut zu wählen, legte er die Hand wieder zurück ans Lenkrad.

»Wer war das?«

»Jemand, der hilft«, sagte Messner.

»Weshalb rufen Sie nicht die Polizei?«

»Dafür ist noch Zeit.« Messner stierte durch die Windschutzscheibe, seine Lippen arbeiteten.

»Aber –«

»Sie sollten das mir überlassen. Es ist schließlich meine Einrichtung. Machen Sie sich keine Sorgen.«

»Ich mache mir aber Sorgen«, widersprach Jule. »Wenn Sie das Blut im Torhaus gesehen hätten, dann wüssten Sie, was ich meine. Es sieht aus wie … wie in einem Schlacht-hof.«

Richard Messners Hände krampften sich ums Lenkrad. Sein Kehlkopf ruckte über dem gestärkten Hemdkragen mit den aufgestickten Edelweißblüten. Auch wenn seine Haare inzwischen grau waren, glich er plötzlich dem Jungen, den Jule auf dem Foto in Artur Messners Zimmer gesehen hatte. »Glauben Sie mir, ich weiß, wozu er in der Lage ist«, sagte Messner leise. Der ölige Film war ganz aus seiner Stimme verschwunden. »Ich kenn ihn länger als Sie.«

Er parkte den Wagen auf der Hinterseite des Hauses, nahe dem Eingang zur Küche. Ehe Jule noch etwas sagen konnte, schwang Messner sich aus dem Wagen. Als er die Heckklappe öffnete, zog ihr eisige Luft in den Nacken. Sie stieg ebenfalls aus, beobachtete Messner, wie er ein Gewehr aus einem olivgrünen Futteral holte und mit zitternden Fingern überprüfte. Dann steckte er es zurück in die Schutz-hülle, ließ jedoch den Reißverschluss offen, so dass er die Hand am Abzug lassen konnte. »Kommen Sie mit.«

Jule schüttelte den Kopf. »Ich weiß nicht, was Sie vor-haben, aber das hier ist Sache der Polizei.«

»Das war keine Bitte.«

Kapitel 48

Die Stufen knarrten unter Jesses Schritten, als er ins Dach des Torhauses hinaufstieg. Er musste an Wolle denken, wie er unter dem Firstbalken gehangen hatte. Auf seiner Zunge war der Geschmack von Eisen. Das Blut aus dem Erdgeschoss lag in der Luft. Irgendwo hier gab es eine weitere Leiche. Und er fürchtete sich vor ihr, genauso wie er sie finden musste. Immer wieder hatte er bei ›Ärzte ohne Grenzen‹ gesehen, wie Menschen auf der Suche nach ihren Vätern, Müttern oder Kindern die Reihen von toten Körpern abgeschritten hatten. Leichen wurden plötzlich zu Hoffnungsträgern. Hoffnung darauf, dass der eine Mensch, den man suchte, noch lebte.

Hinter einer Art offener Luke mündete die Treppe in einen kleinen Flur mit zwei Türen. Er öffnete die rechte und trat in ein Zimmer mit Dachschräge. Es war angenehm warm, dennoch stockte ihm der Atem.

Fünf Betten waren aufgereiht, die Schräge hatte zwei Gaubenfenster. Die Fußbodendielen waren frisch mit Ochsenblut überlackiert worden, und die Wände waren mit einer grün-weiß-braunen Streifentapete beklebt. Das Zimmer war die Kopie seines ehemaligen Heimzimmers im Haupthaus. Sogar die Bettwäsche war die gleiche. Nur kam ihm alles etwas kleiner vor als früher.

Wer um Himmels willen hatte dieses Zimmer eingerichtet? Und warum? Im Grunde genommen gab es nur fünf

Männer, denen dieses Zimmer irgendetwas bedeutet haben konnte. Sich selbst schloss er aus. Blieben also noch Markus, Alois, Richard, Mattheo und Wolle. Und natürlich all ihre Nachfolger in diesem Zimmer. Aber die spielten keine Rolle.

Rasch sah er in das benachbarte Zimmer, doch es war leer.

»Jule!«, rief er die Treppe hinab.

Bekam jedoch keine Antwort.

Er wollte gerade die Treppe hinunterlaufen und nach ihr sehen, als sein Telefon klingelte. Der Blick auf das Display war wie ein Stromschlag. *Isabelle.*

Er hob ab, presste das Telefon ans Ohr. »Isa, Schatz! Wo bist du? Geht's dir gut?«

Am anderen Ende der Leitung war es still. Jesses Magen verkrampfte sich.

»Willst du sie sehen?«, fragte eine Männerstimme.

»Wer sind Sie? Was haben Sie mit ihr gemacht?«

»Nichts, was du nicht auch gemacht hättest.«

»Was ... was soll das heißen?«

»Ich hab sie dir gestohlen, so wie du mir immer alles gestohlen hast.«

»Wer zum Teufel sind Sie?«

»Und jetzt bist du allein. Wie fühlt sich das an?«

»Ich will meine Tochter sprechen, sofort!«

»So wie ich allein war.«

»Ich will meine Tochter sprechen!«

»Natürlich willst du das.«

Jesse verstummte. Das Gespräch nahm einen seltsamen Verlauf, als würde er mit jemandem reden, der niemals eine Antwort auf eine Frage geben wollte. Jemand, der vor allem mit sich selbst sprach.

»Bist du bereit?«, fragte der Mann.

»Wofür?«

»Ich kann immer noch nicht glauben, dass du nichts weißt.«

»Was haben Sie mit Isa gemacht?«

»So viel, wie du vergessen hast, kann man nicht vergessen.«

»Wenn Sie ihr auch nur ein Haar gekrümmt haben, bringe ich Sie um.«

»Dann komm.«

»Gib sie mir. Ich will sie sprechen. Dann komme ich.«

»Du kommst auch so. Du würdest alles für sie tun.«

Jesse war schwindelig vor Zorn und Angst. »Wohin muss ich kommen?«

»Über die Grenze, nach Österreich, nah der Zugspitze. Ehrwald. Das Haus am Seebensee.« Einen kurzen Moment war es still. »Das Wetter wird schlechter. Du solltest dich beeilen. Ach, und komm allein. Sonst siehst du sie nicht wieder.«

Dann war die Verbindung beendet.

Die Adresse klang in Jesses Kopf nach, als hätte sie jemand aus einem dunklen Brunnenschacht heraufgerufen. Und die Stimme des Mannes war ganz sicher nicht Markus' Stimme gewesen.

Kapitel 49

»Na schön«, brummte Dante, warf noch einen prüfenden Blick in die Nacht, als wollte er sicher sein, dass es keine ungebetenen Zuschauer gab. »Warten Sie hier.«

Er schloss die Tür vor der Nase des Mannes und machte sich offenbar auf den Weg, Artur Messner zu holen.

Jesse kauerte direkt neben der Treppe in seinem Versteck. Sein Herz raste.

Keine drei Meter von ihm entfernt stand der Mann, der an all seinem Unglück schuld war. Am Tod seiner Mutter, am Zerbrechen seiner Familie, am erbärmlichen Niedergang seines Vaters. Was er war, oder vielmehr, was er nicht war, hatte er ihm zu verdanken. In hundert verschiedenen Träumen hatte er ihn auf hundert verschiedene Arten umbringen wollen, war aufgewacht – und hatte enttäuscht festgestellt, dass er noch zu jung dafür war und es verschieben musste. Er wusste ja noch nicht einmal, wie er ihn finden sollte.

Und jetzt stand er hier. Leibhaftig und lebendig. Sein Onkel Wilbert Berg.

Die Tür ging auf. Artur Messners Stimme war die eines Mannes, der aus dem Schlaf gerissen wurde, etwas Lästiges erwartete und etwas höchst Unangenehmes vorfand. »Du?«

»Warum zum Teufel rufst du mich nicht an?«, fragte Onkel Wilbert.

»Warum zum Teufel sollte ich dich denn anrufen? Das letzte Mal, dass wir uns gesehen haben, ist fast zehn Jahre her«, blaffte Messner.

»Weil er tot ist, verdammt!« Wilberts Stimme war rau und brüchig.

»Wer ist tot?«

Für einen Moment blieb es still. Ein Käuzchen schrie. Ein leichter Windstoß fuhr in die nahen Bäume und ließ das Laub rauschen.

»Du weißt es nicht?«

»Was denn, verdammt?« Messners Stimme klang jetzt hellwach, voller Ungeduld, ja sogar fast ängstlich.

»Mein Bruder Herman ist tot.«

Jesse erstarrte. Alle Kraft wich aus seinen Gliedern, als wäre mit einem Schlag kein Blut mehr in seinen Adern. Jetzt also auch Vater!

Er hatte immer gewusst, dass Vater nicht lange leben würde. Im Nachhinein kam es ihm fast vor, als hätte er alles dafür getan, um zu sterben. Ein Bild schoss ihm in den Kopf: Vater, in einem offenen Sarg, in der strahlend weißen Uniform und mit ausgezehrtem Gesicht. Er stand vor dem Sarg, einen riesigen Kloß im Hals. Und Vater schlug noch einmal die Augen auf und fragte ihn, was er hier zu suchen hätte und wo zur Hölle denn sein Bruder sei.

»Verdammt«, murmelte Messner. »Wann denn?«

»Du hast es nicht gewusst?«

»Nein.«

Wilbert Berg atmete tief durch. Versuchte, sich zu sammeln. »Kann ich reinkommen?«

»Nein.« Schritte schabten auf Stein, dann schnappte ein Schloss. Der Heimleiter war offenbar aus dem Haus getreten und hatte die Tür hinter sich zugezogen.

»Warum bist du hergekommen?«, fragte Messner, jetzt im Flüsterton.

»Ich will sichergehen, dass es keine Probleme gibt.«

»Warum? Weil Herman tot ist? Das hat er sich selbst zuzuschreiben. Oder ist er etwa ...«

»Nein, nein. Herzversagen.«

»Gut.«

»Aber was ist mit dem Jungen?«

Jesse zuckte zusammen.

»Warum sollte es deshalb Probleme geben?«, flüsterte Messner.

»Vielleicht hatte Herman Unterlagen.«

Sie schwiegen einen Moment.

»Würde mich wundern, bei dem Saustall.« Messner schüttelte nachdenklich den Kopf. Doch Jesse entging nicht, dass da eine feine Note von Beunruhigung in seiner Stimme war.

»Und wenn doch?«

»Was sollte das ändern? Unsere Unterlagen sind sauber. Das muss reichen.«

»Was ist mit dem Jugendamt?«

Artur Messner seufzte. »Wilbert, bitte. Ich kann verstehen, dass du aufgewühlt bist. Dein Bruder ist tot, da ist es nur verständl...«

»Herman ist mir scheißegal«, unterbrach Wilbert ihn hitzig. »Herman war ein Schwein ...«

Du bist hier das Schwein, dachte Jesse. Er ballte die Hände zu Fäusten, und seine Fingernägel gruben sich in die Handflächen. Er unterdrückte den Impuls, sich auf seinen Onkel zu stürzen. Jetzt und hier hatte er gegen diesen Hünen nicht die geringste Chance.

»Wilbert, die Unterlagen sind sicher. Die Wisselsmeier hat sie längst ins Archiv umgeräumt, und da schimmeln sie vor sich hin bis in alle Ewigkeit.« Artur Messner senkte die Stimme zu einem Flüstern. »Und selbst wenn sie jemand hervorkramt, wie tief müsste er graben, bis er merkt, dass da etwas nicht ganz sauber ist?«

»Bist du da ganz sicher?«

Wieder seufzte Messner. »Wenn du es ehrlich wissen willst ...«

»Ja. Will ich.«

»... der größte Unsicherheitsfaktor bist du. Hier einfach mitten in der Nacht aufzukreuzen ...«

»Wir haben alle eine Menge zu verlieren. Vor allem der Junge.«

»Dem Jungen geht's gut, und das bleibt auch so«, sagte Messner bestimmt.

Jesses Augen funkelten in der Dunkelheit. Er hasste es, wenn irgendjemand behauptete zu wissen, wie es ihm ging. Erst recht wenn es Artur Messner war. Er hatte keine Ahnung, worum es den beiden hier gerade ging, um irgendeine krumme Sache offensichtlich, doch die Tatsache, dass es dabei auch um ihn ging, beunruhigte ihn zutiefst.

»Ich könnte bei Herman vorbeifahren und mal einen Blick in die Wohnung werfen«, schlug Wilbert vor.

»Untersteh dich«, erwiderte Messner scharf. »Setz dich einfach in dein Auto und verschwinde dahin, wo du hergekommen bist. Dann bleibt alles beim Alten.«

Wilbert gab einen widerstrebenden Laut von sich, es raschelte, als ob er sich kratzen würde. »Rufst du mich an, wenn was ist?«

»Ich hab deine Telefonnummer weggeworfen.«

Schweigen.

»Alte Freunde, was?«

»Frühere Freunde«, sagte Messner.

Wilbert drehte sich auf dem Absatz um, nahm die beiden Stufen mit einem Schritt und stieg ohne ein weiteres Wort in seinen Wagen. Jesse wagte nicht, sich vorzubeugen. Gleich würden die Scheinwerfer aufflammen. Er hörte den Motor wiehernd anspringen, es klang nach einem billigen alten Wagen, dann knirschten die Reifen unter dem Druck einer raschen Wende. Der erwartete Lichtkegel blieb aus. Über ihm ging die Eichentür, Messner verschwand im Haus und verriegelte von innen.

Hastig beugte Jesse sich vor, um wenigstens noch einen Blick auf das Auto zu werfen, vielleicht das Nummernschild zu erkennen, damit sein Onkel nicht einfach spurlos verschwand. Doch er sah nichts als einen dunklen Kasten auf Rädern, der die nachtschwarze Straße in Richtung Torhaus holperte und hinter der Kuppe bergabwärts im Nichts verschwand.

Zurück blieb Jesse. Mit seinem Loch in der Brust, das größer war denn je. Mit dem Gefühl, dass seine Seele in Stücke gerissen wurde, weil er nicht wusste, wohin. Und jeder Teil von ihm wollte ein möglichst großes Stück Seele für sich.

Kapitel 50

Immer noch kein Lebenszeichen von Isabelle.

Artur hatte nicht lange gebraucht, um seine Entscheidung zu treffen. Nach dem Abgehen der Dachlawine musste er Gewissheit haben. Hastig hatte er begonnen, eins der Bretter wieder abzunehmen. Die Schraube auf der linken Seite zog er mit bloßen Händen aus dem Holz. Ein Metallspan stach ihm in den Finger, doch das war ihm egal. Ebenso, wie es egal war, dass das offene Fenster ihn verriet und dass ihr ungeschickter Fluchtversuch auffliegen konnte. Er würde die Schuld auf sich nehmen. Jedenfalls hoffte er, dass er den Mut dafür aufbrachte, wenn es so weit war.

Die rechte Schraube riss er mitsamt dem Brett aus dem Holz. Es knirschte und splitterte. »Isabelle«, rief er halblaut und spähte durch die Öffnung. Kein Auto. Keine Isabelle. Nur Weiß, Weiß, Weiß. Eine Windböe jagte zwischen den Brettern hindurch. Flocken stoben ihm wie kalte Nadeln entgegen. Warum bloß musste es immer weiter und weiter schneien? »Isabelle? Bist du da?«

Eine weitere Böe pfiff ums Haus.

»Isabeeelle!«, rief Artur halblaut gegen den Wind. Er kam sich feige vor, wie er hier mit halber Stimme rief. Als würde er hoffen, das alles könne noch glimpflich enden, wenn er nur leise genug war. Er rief noch einmal, so laut er konnte. »Isaaa!« Sein Hals kratzte, und er musste husten, bis ihm die Tränen kamen.

Immer noch nichts.

Hatte sie vielleicht doch fliehen können? Oder lag sie unter dem Schnee und erstickte?

Irgendetwas musste er unternehmen! Er kniete sich auf den Boden, nahm den Eimer und begann ihn auf die Dielen zu knallen, immer und immer wieder. Die Erschütterung ging ihm durch Mark und Bein. Der Lärm füllte den Spitzboden bis in den letzten Winkel. Das musste er doch hören! Selbst wenn er in einer ganz anderen Etage des Hauses war, oder draußen. Aber warum kam er dann nicht?

Plötzlich flog die Luke auf. Kleine Staubpartikel stoben in die Luft. Artur ließ vom Eimer ab und hielt unwillkürlich den Atem an. Isabelles blonder Schopf erschien. Ihre Augen waren gerötet. In ihren Haaren klebte Schnee, an Arturs Jacke, die sie immer noch über ihrer trug, ebenfalls. Sie stolperte über die letzte Stufe und fiel auf die Knie. Gott sei Dank, sie lebte!

Doch die Erleichterung wich sofort der Angst. Hinter ihr kam *er* durch die Luke. Die schwarze Gasmaske saß schief auf seinem Gesicht, als hätte er sie hastig übergezogen. So furchteinflößend dieses Ding auch war, es hatte den Vorteil, dass Artur ihm nicht ins Gesicht sehen musste. Irgendwie war es einfacher, ihn sich als ›den Insektenmann‹ oder ›den Mann‹ vorzustellen. Als jemanden ohne Gesicht. Jemanden, den er am liebsten nie kennengelernt hätte.

»Da rüber«, sagte der Mann.

Isabelle gehorchte wortlos. Ihr Anblick tat Artur in der Seele weh. »Sie kann nichts dafür«, sagte er heiser. »Es war meine Idee. Ich hab sie da rausgeschickt.«

»Da rüber, mit dem Rücken zum Pfosten«, wurde Artur angewiesen. »Und du auch.«

Isabelle setzte sich an den Pfosten. Artur erhob sich mühsam, dabei fiel sein Blick auf das Brett, das er vom Fenster gelöst hatte. Die Schraube ragte spitz aus dem Holz. Der Mann schlang ein Seil um den Pfosten und Isabelles Hals und zog es mit einem Ruck zu. Isabelle gab einen überraschten, würgenden Laut von sich. Sie riss den Mund auf, und ihre Augen traten hervor. Blitzartig band der Mann zwei Knoten. Artur starrte fassungslos auf das Seil, das in Isabelles Hals schnitt.

»Das passiert, wenn man mich verlassen will«, zischte der Mann.

Isabelle riss panisch mit den Händen am Seil und strampelte. Ihre Fersen schlugen laut auf den Boden. Artur griff nach dem Brett, fasste das Ende mit beiden Händen. Am anderen Ende glänzte die Messingschraube wie ein giftiger Stachel.

Isabelles verzweifeltes Röcheln füllte den Raum.

Artur holte aus, genau in dem Moment, als sich der Mann zu ihm umdrehte. Seine Insektenaugen funkelten. Artur sah sich selbst darin, wie er das Brett mit der Schraube voran in Zeitlupe auf den Kopf des Mannes hieb. Der Insektenmann sah nach oben, riss den Arm hoch, und der giftige Stachel rutschte am Glas der Maske ab. Es gab einen schwachen hölzernen Knall, als das Brett auf den von der Maske umhüllten Kopf schlug.

Mit einer raschen Armbewegung, als wäre nichts geschehen, wand der Mann Artur das Brett aus der Hand. Die Maske starrte ihn kalt und regungslos an. Artur sah den Schlag kommen, hob abwehrend die Hände. Doch das Brett traf sein Bein, und die Schraube bohrte sich in seinen Oberschenkel. Artur schrie auf und stürzte. Der Schmerz in seinem Bein war so stark, dass ihm kurz schwarz vor Augen wurde.

Das panische Trampeln von Isabelles Fersen auf dem Boden brachte ihn zur Besinnung. »Du Ungeheuer«, krächzte er.

»Das sagt der Richtige«, meinte der Mann.

Isabelles Gesicht war jetzt violett.

»Du willst sie retten?«, fragte der Mann. »Dann versuch's doch.«

Artur biss die Zähne zusammen und robbte über den Boden zum Pfahl. Isabelle rang nach Luft. Ihre Lippen bebten. Mit seinen vom Lösen der Schrauben wunden Händen begann Artur am Knoten herumzufingern. Er spürte sein Bein nicht mehr, hörte nur noch auf die verzweifelten Laute von Isabelle. Das Rudern ihrer Arme ließ nach, ihre Beine zuckten nur noch. Der Knoten saß so verteufelt fest, dass ... mit einem Mal bekam er die Schlaufe zu fassen und zog daran. Sofort lockerten sich der Knoten und das Seil. Isabelle sog rasselnd Atem in ihre Brust. Artur kamen Tränen der Erleichterung. Hastig schaute er sich nach dem Mann um, der im selben Moment ein Messer, das er in der Hand gehalten hatte, verschwinden ließ.

Keuchend lehnte sich Artur an den Pfahl.

Der Mann trat näher, nahm ein weiteres Seil und begann sie beide sitzend und Rücken an Rücken an den Pfosten zu fesseln. Isabelle atmete zitternd. Artur konnte es nicht sehen, doch er wusste, dass sie weinte.

Die Augen des Insektenmanns glitzerten hinter der Glasscheibe. Er hatte sich vor Artur aufgebaut. In der rechten Hand hielt er den Eimer, der leicht am Bügel schaukelte. Die Angst saß in Arturs Eingeweiden. Der Schmerz in seinem Bein kehrte mit Wucht zurück. Artur versuchte sich damit zu trösten, dass er die Axt nicht dabeizuhaben schien. Aber was um Himmels willen hatte es mit dem Messer auf sich? Und warum hatte er es wieder eingesteckt? »Sie kann nichts dafür, wirklich«, nuschelte Artur.

»Du dafür umso mehr«, erwiderte der Mann und schlug den leeren Zinkeimer mit Schwung gegen Arturs Kopf. Sein Schädel explodierte. Isabelles Schrei klang dumpf, das Krachen betäubte sein Ohr und lähmte seine ganze linke Seite. Sterne tanzten wie Schneeflocken im Licht vor seinen Augen. Für ein paar Sekunden rutschte die Welt davon, dann sah er – wie unter einem Brennglas – den Eimer in der Hand des Mannes, am Bügel schaukelnd.

»Davon hab ich immer geträumt.«

Ich weiß, dachte Artur, und deshalb hatte ich immer Angst vor dir. Er spürte, wie sein Gesicht schwoll.

»Weißt du, warum ich dir nicht jetzt sofort die Hände abschlage und dich verbluten lasse?«

Artur schaffte es noch nicht einmal, den Kopf zu schütteln.

»Du hättest es verdient. Dieben hat man schon immer die Hände abgeschlagen, das hat Vater schon gesagt.«

Artur wurde schlecht bei dem Gedanken.

»Bedank dich bei ihr. Bei der Kleinen. Ich muss mich zuerst um sie kümmern. Um sie und ihren Vater.«

Um ihren Vater kümmern? Und um sie? Artur starrte ihn an. Plötzlich kam ihm ein ganz und gar ungeheurer Verdacht. Natürlich, deshalb hatte er vorhin das Messer in der Hand gehalten. Er hätte Isabelle losgeschnitten, bevor sie erstickt wäre. Denn er hatte noch etwas mit ihr vor. Etwas, das noch viel schlimmer werden würde als das alles hier. »Nein«, stöhnte er. »Nein, bitte.«

»Wenn ich wiederkomme, dann ist alles perfekt.«

Ungerührt drehte er sich um, kletterte die Stufen hinab. Die Luke schlug hinter ihm zu wie eine Guillotine. Die Stille hielt sich eine Weile. Nur Isabelles leises Schluchzen war ab und an zu hören.

»Artur?«, fragte sie irgendwann. »Was hat er mit mir vor?«

Artur wusste, dass es jetzt kein Zurück mehr gab. Das hier war sein Jüngstes Gericht. Sein Moment der Wahrheit. Seine Chance auf Vergebung von einem Gott, an den er ganz und gar nicht glaubte und auf den er plötzlich dennoch irgendwie hoffte. Vor allem war er dankbar, dass es ihm erspart blieb, Isabelle jetzt in die Augen zu sehen. »Isa, darf ich Isa zu dir sagen?«

Isabelle schniefte. »Ja. Klar.« Sie hatte keine Vorstellung davon, was kam. Warum auch. Woher auch.

»Ich muss«, setzte Artur zögerlich an, »dir etwas über deinen Vater sagen, und über deinen Großvater. Und über einen Mann namens Sebi Kochl, einen alten Schulkameraden von mir. Du wirst mir die Geschichte vielleicht nicht glauben. Ich kann es selbst bis heute kaum glauben. Sie fängt mit Sebi Kochl und seiner Frau an. Ich habe den beiden geholfen, ein Kind zu adoptieren. Es hieß Raphael.«

Kapitel 51

Jule saß wie betäubt in Arturs Ohrensessel. Mit den Fingern nestelte sie an einem kleinen Loch im abgewetzten Stoff der Armlehne. Irgendwie hoffte sie, so ruhiger zu werden. Ihr gesamter Körper und ihr Geist waren in Aufruhr.

Richard Messner hatte sie ohne ein weiteres Wort zu verlieren durchs Treppenhaus geleitet, das Gewehr locker in der Hand, den Lauf auf ihren Rücken gerichtet. Im Eßsaal klapperte Geschirr. Vermutlich aßen gerade alle. Das hier war der beste Moment, um einfach zu flüchten. Messner würde wohl kaum riskieren, in der Nähe so vieler Zeugen zu schießen.

»Denk nicht mal dran«, murmelte Messner. »Hier ist keiner auf deiner Seite. Im Zweifelsfall schlage ich dich einfach nieder, sperre dich ins Loch und sage, du und Jesse, ihr macht gemeinsame Sache.«

»Was wollen Sie von mir?«

»Dass du keine Probleme machst.«

Richard Messner lotste sie das Treppenhaus hinauf, dann durch den langen Flur in den Westflügel und zuletzt die steile Treppe empor. Hier oben waren sie außer Rufweite. Als Messner sie dann in Arturs Zimmer eingeschlossen hatte, war sie auf den Sessel gesunken. Draußen schneite es weiterhin. Sie überlegte, das Fenster zu öffnen, um Hilfe zu rufen, vermutete aber, dass es nicht lange dauern würde, bis Messner wieder in der Tür stand. Was hatte er nur vor?

Wollte er Jesse im Alleingang stellen? Warum um Himmels willen rief er nicht die Polizei? Und wieso sperrte er sie hier ein?

Ihre Gedanken jagten eine Weile im Kreis. Dann fiel ihr der Mann ein, der kürzlich aus Arturs Zimmer gestürzt war und Jesse niedergeschlagen hatte.

War das Markus gewesen? Oder etwa Messner? Aber warum sollte Messner das Zimmer seines Vaters durchsuchen? Und vor allem: warum den Kühlschrank?

Sie betrachtete die alte schmutzweiße Front mit dem quadratischen Griff und dem *Siemens*-Logo. Nachdenklich stand sie auf. Öffnete den Kühlschrank.

Da war nichts, oder?

Sie zog die Tür des Eisfachs auf. Es war leer. An der Decke, den Seiten und dem Boden hatte sich ein Eispanzer gebildet, der den Innenraum deutlich verkleinerte. Als sie über den glatten Panzer fühlte, klebten ihre Finger für einen kurzen Moment am Eis fest. Wie dick die Schicht wohl war? Dick genug, um etwas darunter zu verstecken?

Sie öffnete die Küchenschubladen, bis sie ein stabiles Brotmesser fand. Dann begann sie im Eis herumzustochern. Nach etwa fünf Minuten brach ein größeres Stück aus dem weißen Panzer, der den Boden überfroren hatte. Eine bleiche, hellgrüne Mappe schimmerte durch eine Plastikfolie auf dem Grund des Eisfachs. Jules Herz begann schneller zu schlagen. Fiebrig begann sie das Eis vom Boden des Faches zu meißeln. Weiße Partikel spritzten ihr ins Gesicht, bis sie schließlich eine Mappe aus dem Fach holte, wie sie gewöhnlich in Hängeregistraturen benutzt wurde. Sie schlitzte die Folie auf, doch die Seiten waren steif und klebten aneinander. Rasch ging sie zur Nachttischlampe und hielt den Rand der dünnen Mappe an die Glühbirne. Nach kurzer Zeit lösten sich die Papiere in der Wärme.

Die Mappe enthielt einen handgeschriebenen Brief von

einer Renate Kochl an Artur Messner und dazu zwei dünne Akten. Auf der ersten Seite der älteren Akte waren Fotos eingeheftet: zwei Erwachsene, ein Kind. Der Junge mochte vielleicht drei Jahre alt sein. Es war ein liebloses Foto, und der Junge war offensichtlich nicht bereit gewesen, sich fotografieren zu lassen. Er wirkte blass, hatte dunkle Augen und sah erschöpft und überfordert aus.

Kapitel 52

Die letzte Nacht brannte Jesse auf der Seele. Sandra, der Tod seines Vaters, die Tatsache, dass sein Onkel lebte und dass es offenbar irgendein Geheimnis gab, eine krumme Geschichte, bei der es um ihn ging ... Seine Gedanken kreisten um nichts anderes mehr, schon den ganzen Tag lang.

Am Nachthimmel schoben sich Wolkenberge nach Osten. Kein Mond. Keine Sterne. Der Dynamo jaulte, während er zwischen den im Wind rauschenden Bäumen hindurchglitt. Jesse hatte Richards Hercules-Fahrrad ›ausgeliehen‹ und lenkte talwärts über die Serpentinen. Wenn Gott jetzt von oben herabsah, dachte Jesse, müsste er den winzigen Lichtfleck der Radlampe über den finsteren Hang zittern sehen wie ein verlorenes Glühwürmchen.

Es war zwei Uhr nachts, und nicht ein einziges Auto kam ihm entgegen. Am Ortseingang von Garmisch-Partenkirchen empfing ihn die dürftige Straßenbeleuchtung. Fahles Gelb. Knapp oberhalb der Laternen schien die Welt im Nichts zu enden.

Jesse hielt an und klappte den Dynamo vom Reifen weg. Licht gab es hier ja. Und auffallen wollte er auf keinen Fall.

Als er wieder aufs Rad stieg, dachte er an Sandra. Ihre Tränen, ihre Enttäuschung, den Ausdruck tiefster Verletzung in ihrem Gesicht. Er packte den Lenker so fest, dass seine Knöchel weiß hervortraten, und trat in die Pedale. Die Scham saß ihm im Nacken. Dennoch wurde ihm heiß bei dem Gedanken, wie sie von ihm weggekrochen war, ihren Po im Taschenlam-

penkegel wie ein gespaltener Mond, ihre Scheide mit dem zarten Flaum zwischen den Schenkeln.

Warum eigentlich musste immer er sich schämen? Sie war es doch, die ihm Hoffnung gemacht hatte! Sandra hatte doch falschgespielt, ihn in die Falle gelockt, nur um sich hinterher beschweren zu können. Er trat noch schneller in die Pedale, fuhr vor sich selbst davon. Die Häuser flogen an ihm vorbei, manche erleuchtet vom Schein einer Laterne. Licht, Schatten. Licht, Schatten.

Olympiastraße. Wo war die noch mal?

Er zwang sich, nach dem Straßenschild Ausschau zu halten. Es tat gut, seine Gedanken mit so etwas Einfachem und Klarem zu beschäftigen wie der Suche nach einem Weg.

Die Olympiastraße lag genau da, wo er sie vermutet hatte. An der nächsten Straßenecke lehnte er das Fahrrad an einen Zaun und schloss es fest. Richards Zahlenschloss war ein Witz, aber die meisten Leute wussten nicht, wie simpel es war, so etwas zu knacken. Einfach fest an beiden Seiten ziehen und gleichzeitig mit Daumen und Zeigefinger die Zahlenringe drehen. Unter Druck spürte man sie an den richtigen Stellen einrasten.

Die Hausnummer zehn war das Landratsamt, in dem auch das Jugendamt untergebracht war, ein dreistöckiges, freistehendes Gebäude. Jesse fand, es sah aus wie ein Bahnhof. Ein kitschiger Bahnhof, mit herausgeputzten weißen Eckpfeilern. Trotz der Dunkelheit, die alle Farben auswusch, wirkten die hellgelbe Fassade, die Sprossenfenster und die lindgrünen Fensterläden seltsam unpassend für so etwas Ernstes wie ein Amt. Vielleicht wollten die vom Amt ja harmlos erscheinen, ihre Macht verstecken. Allenfalls die wuchtige doppelflügelige Eingangstür aus Eiche schien Ernst zu machen.

Doch Jesse hatte nicht vor, das Gebäude durch die Tür zu betreten.

Auf der Rückseite des Landratsamts wählte er ein Fenster

im Schutz einer mächtigen Linde, nahm eine Rolle Klebeband, die er Dante entwendet hatte, aus seinem Rucksack heraus und beklebte das Glas dicht an dicht mit sich überkreuzenden Streifen.

Dann schlug er die Scheibe ein.

Noch nie zuvor war er irgendwo eingebrochen. Aber es war ihm seltsam einfach vorgekommen und auch logisch, wie man vorgehen musste. Es fühlte sich an, als wäre er dafür geboren, die roten Linien, die all diese Heuchler gezogen hatten, zu übertreten.

Es war, wie er gedacht hatte: Es gab zwar einen Knall, und die Scherben knirschten ein wenig, blieben aber an den Klebestreifen hängen, statt nach innen zu fallen und einen Höllenlärm zu veranstalten.

Er sah sich um. Nur vorsichtshalber. Nicht, weil er ein schlechtes Gewissen hatte. Er hatte doch alles Recht der Welt. Hier ging es um ihn. Nicht um irgendein blödes Amt und eine billige kaputte Glasscheibe. Die Scheibe würde schon jemand bezahlen. Aber wer bezahlte sein kaputtes Leben?

In der Nachbarschaft blieb alles still und dunkel. Vorsichtig löste er das Klebeband mit den Scherben, entriegelte das Fenster durch das gezackte Loch, stieg ein und zog die Vorhänge zu.

Im Schein der Taschenlampe untersuchte er das Büro, in das er eingestiegen war. Es war pedantisch aufgeräumt, ein Panoramaposter der Zugspitze hing an der Wand, ein Fotokalender, zwei propere Topfpflanzen standen dort, ein Schreibtisch, dahinter ein Aktenschrank mit Hängeregistratur. Auf dem Tisch stand ein goldgerahmtes Bild einer nicht mehr ganz jungen Frau mit Brille und Dauerwelle. Wer auch immer hier arbeitete, die Wisselsmeier war es jedenfalls nicht.

Aber das spielte ohnehin keine Rolle. Was er suchte, befand sich im Archiv – das hatte Artur Messner ja unmissverständlich gesagt. Die Wisselsmeier hatte es dorthin gebracht. ›Wir *haben alle eine Menge zu verlieren, vor allem der Junge.‹ Der Satz ließ Jesse keine Ruhe. Was um alles in der Welt hatten Messner, die Wisselsmeier und sein Onkel getan?*

Rasch ging er zur Zimmertür, doch sie war verschlossen.

Jesse griff in seinen Rucksack, in den er neben der Kleberolle und einem Feuerzeug auch einen rostigen Meißel, einen Stechbeitel und zwei Schraubenzieher gepackt hatte – alles Werkzeuge, die jahrelang unbenutzt in einer Plastikkiste im Keller unter der Küche gelegen hatten. Er entschied sich für den Stechbeitel und presste die etwa zwei Zentimeter breite Schnittkante in die Zarge. Das Holz knirschte, als er versuchte, die Metallfassung des Schlosses herauszuhebeln. Jesse begann zu schwitzen. Jetzt bereute er, dass er den Hammer in der Kiste hatte liegen lassen. Damit hätte er mühelos den Beitel weiter ins Holz treiben können. Leise fluchend malträtierte er den Türrahmen, schlug mit dem Handballen auf den Griff des Stechbeitels, bis das Holz um das Schloss herum aussah wie ein mürber Hauklotz. Dann setzte er den Meißel an. Das Holz barst, und die Tür sprang auf.

Der Flur lag finster wie eine Höhle vor ihm.

Mit der Taschenlampe suchte er die Plexiglasschilder neben den weißen Kassettentüren ab. Zentrale Angelegenheiten, Herr Weigand. Gesundheitsförderung, Frau Nesselwein. Kreisjugendamt, Frau Wisselsmeier, *und so weiter. Kein Archiv.*

Er beschloss, sich den Keller vorzunehmen. Die Treppe war frei zugänglich, so als hätte es hier niemand nötig, sich vor unerwünschtem Besuch zu schützen. Mit jeder Stufe stieg sein Pulsschlag. Vom Kellerflur gingen links und rechts weitere Türen ab, verzinkt und glatt. Die Taschenlampe spiegelte sich im Metall wie eine bleiche kalte Sonne. An der dritten Tür von links stand: Raum –1.09, Archiv. *Jesse drückte die Klinke, doch der Raum war abgeschlossen. Also brach er auch diese Tür auf.*

Mit fieberhaftem Eifer begann er die Regale abzusuchen, bis er das Fach mit den Buchstaben Be gefunden hatte, und dann den Ordner mit dem Namen Berg. Seine Akte.

Plötzlich zögerte er. Spürte, dass er irgendwie falsch abgebogen war, dass er besser nicht hier sein sollte. Hier unten im Keller ging kein Luftzug, es gab nur Aktenstaub und einen leicht feuchten, stehenden Geruch. Trotzdem bekam er eine Gänsehaut, die Poren zogen sich zusammen, als würde ihn ein kalter Lufthauch streifen. Bildete er sich das nur ein?

Er starrte die Akte an. Was auch immer ihm gefährlich werden konnte und was auch immer mit ihm angestellt worden war – diese Akte war der Schlüssel. Wenn er jetzt nicht nachsah, würde das Loch in seiner Brust nur immer größer werden, bis es ihn eines Tages ganz fraß.

Er schlug die Akte auf.

Rieb sich die Augen.

Er musste die Akte mehrmals lesen, bis er alles verstand. Bis er es wirklich auch glaubte.

Dann packte ihn eine ungeheure Wut, und die Tränen liefen nur so. Nein, zum Teufel! Er war nicht falsch abgebogen. Er war betrogen worden. Sie hatten die Scheißweichen falsch gestellt.

Himmel rechts, Hölle links.

Ihn hatten sie nach links geschickt.

Er wischte sich die Tränen ab und stopfte die Akte in seinen Rucksack. Zog den Reißverschluss wütend zu und wollte hinaus. In der Tür blieb er stehen, blickte zurück auf all die Akten. Langsam ließ er den Rucksack von der Schulter gleiten. Öffnete ihn noch einmal und wühlte darin, bis seine Finger das Feuerzeug zu fassen bekamen. Eigentlich hatte er es nur mitgenommen, weil er befürchtet hatte, die Batterien der Taschenlampe könnten zu früh schlappmachen. Seine Hand zitterte vor Wut, als die Funken das Gas entzündeten. Er ging wieder in den Raum hinein, hielt die kleine Flamme an die

Ecke der untersten Aktenreihe. Das Papier fing sofort Feuer, und die Flammen fraßen sich rasch empor. Niemand würde jemals in diesem Keller wieder über sein Glück oder Unglück bestimmen.

Rasch drehte er sich um und floh.

Auf dem Rückweg trat er noch härter in die Pedale als auf dem Hinweg. Nach den ersten fünfzig Metern der Steigung nach Adlershof hörte er entfernte Sirenen. Atemlos blieb er stehen und sah ins Tal. Der Feuerschein im Herzen von Garmisch war gewaltig. Das gesamte Amt schien zu brennen. Blaulichter zuckten vor der Glut. Ihm kam die Bibel in den Sinn. Der Zorn Gottes. So fühlte es sich in ihm an.

Hatte nicht auch Jesus die roten Linien übertreten? Er war ein Rebell gewesen, ein Aufrührer. Aber Jesus hatte einen Fehler gemacht. Jesus hatte nur an die anderen gedacht. Nicht an sich selbst.

Diesen Fehler würde er nicht machen.

Er würde sich nehmen, was ihm zustand.

Kapitel 53

Jesse hatte einen Moment wie paralysiert am oberen Ende der Treppe gestanden und mit leerem Blick hinuntergesehen.

Ehrwald. Seebensee.

Warum kam ihm das nur so bekannt vor?

Dann riss er sich los und stieg die Treppe hinab. »Jule?«

Er bekam keine Antwort. Er fasste nach dem Volvo-Schlüssel in seiner Hosentasche, als ihm einfiel, dass er zuletzt ja gar nicht gefahren war. Den Schlüssel hatte Jule.

Er hastete ins Wohnzimmer. »Jule?« Nichts, bis auf den Tisch und die Blutspuren. In der Küche entdeckte er die einen Spaltbreit geöffnete Hintertür und stürzte nach draußen. Der Platz unter dem Carport war schwarz und verlassen. Er sah den Schneewall und das Loch darin. Als er näher trat, starrten ihn ein Paar tote Augen durch einen dünnen Flaum aus frischem Schnee an. Jesse wich zurück, rang nach Atem. Erst auf den zweiten Blick erkannte er, dass es Markus war, der da im Schnee begraben lag.

Plötzlich schien sich alles aufzulösen. Nichts passte. Ihm wurde schwindelig, und er hielt sich am Griff der dunkelgrauen Mülltonne fest, die neben dem Hinterausgang stand. Die Stimme am Telefon war der erste Hinweis gewesen, dass es *nicht* Markus war, der hinter alledem steckte. Dass Markus jetzt tot war, bewies es.

Aber wer war es dann? Und wer hatte das Loch in den

Schnee gegraben und Markus dort entdeckt? Vermutlich Jule. Und wenn man es mit ihren Augen betrachtete, gab es niemanden, der ein stärkeres Motiv hatte, Markus zu töten, als ihn selbst. Jesse sah ins Schneetreiben hinaus. Erst jetzt fielen ihm die Spuren im Tiefschnee auf. Frisch und klein. Frauenfüße. Sie führten vom Carport des Torhauses zur Straße.

Kein Zweifel, Jule war auf der Flucht vor ihm. Aber spielte das jetzt noch eine Rolle? Er musste zu Isa. Das war jetzt das Einzige, was wirklich wichtig war. Was er nun vor allem brauchte, war ein Auto. Mit grimmiger Entschlossenheit stapfte er durch den Schnee, immer Jules Fußspuren nach, bis sich die Abdrücke ihrer Sohlen auf der Straße zum Haupthaus verloren, zwischen sich überlagernden, frischen Reifenspuren.

Jesse hob das Gesicht. Der Himmel hatte sich gesenkt, war aschefarben und trieb ihm weiße Flocken in die Augen. Er hatte weder Jacke noch Handschuhe an. Er fror, spürte es aber kaum. Er würde einen Allrader brauchen, möglichst mit Schneeketten. Wie zum Beispiel Richards Toyota.

Das Haupthaus konnte er im dichten Schneefall nur undeutlich ausmachen. Doch vor der weißen Wand zeichnete sich ein dunkler Fleck ab, der in etwa die Umrisse von Richards Land Cruiser hatte. Als er näher kam, entpuppte sich der Wagen als Defender, ein Jeep älteren Baujahrs. Die Motorhaube war noch warm, so dass der Schnee auf ihr schmolz.

Jesse zog an der Fahrertür. Überraschenderweise mit Erfolg. Er beugte sich vor, blickte unter die Lenksäule und riss an der dürftigen Verkleidung. Er kannte den Defender. Der Jeep wurde mit Vorliebe in Afrika und auch in Südamerika benutzt, unter anderem von ›Ärzte ohne Grenzen‹, gerade deshalb, weil er einfach und zweckmäßig gebaut war. Ein unschätzbarer Vorteil, wenn die nächste Werkstatt Hunderte Kilometer entfernt war. Er hatte mehrfach gesehen, wie ein Campmitarbeiter den Land Rover kurzgeschlossen hatte. Doch die Verkleidung unter der Lenksäule war widerspenstiger, als er gedacht hatte. Seine eiskalten Finger schmerzten, als ihm das Plastik in die Haut schnitt.

Plötzlich riss jemand die Beifahrertür auf. »He, was machen Sie da!«

Jesse fuhr erschrocken auf und stieß mit dem Kopf ans Lenkrad. Ein kleiner Mann mit tief in die Stirn gezogener Skimütze und ängstlichen grauen Augen starrte ihn an. Sein Gesicht war gerötet, und seine Wangen waren ebenso penibel rasiert wie die von Richard. »Das ist mein Wagen. Wenn Sie nicht sofort verschwinden, rufe ich die Polizei.«

Wäre Jesse in einer anderen Verfassung gewesen, er hätte gelächelt, als er erkannte, wen er da vor sich hatte. Mattheo hatte auch schon früher immer die hilflosesten Drohungen von allen ausgestoßen.

»Es wird 'ne ganz schöne Weile dauern, bis die hier oben sind, Mattheo.«

Mattheo starrte ihn verständnislos und gleichermaßen schockiert an. Seine grauen Augen tasteten sein Gegenüber ab, und er kramte in seinem Gedächtnis. »Jesse?«

»Wenn du mir den Schlüssel gibst, dann muss ich den Wagen nicht kurzschließen.«

»Ich, äh ... bist du verrückt? Was soll das?«

Jesse schwang sich auf den Fahrersitz, packte Mattheo am Schal und zog ihn zu sich heran. »Gib mir den Schlüssel. Ich hab keine Zeit zu diskutieren.«

Mattheos Blick flackerte. Trotzdem blieb er stur. Jesse zog ihn am Schal in den Wagen, doch Mattheo schlug nach ihm, mit der flachen Hand. Dass man bei einer Prügelei die Fäuste benutzte, hatte er schon damals nicht begriffen. Jesse dagegen schon. Sein Schlag war ein Reflex. Eine kräftige, wenn auch ungenaue Linke, die Mattheos Schläfe traf. Mattheos Muskeln erlahmten, Jesse zog ihn ganz auf den Sitz, wand den Schal um die Kopfstütze, so dass Mattheos Oberkörper an die Lehne gezurrt wurde. Als Jesse sich zu Mattheo hinüberlehnte, um dessen Hosentaschen zu durchsuchen, brannte die Wunde in seiner Hüfte. In der rechten Tasche fand er den Wagenschlüssel, dann lehnte er sich noch etwas weiter hinüber und zog die Beifahrertür zu.

Der Motor zündete jammernd. Jesse drückte das Gaspedal im Leerlauf, so dass der Diesel einmal aufbrüllte, schob die Regler für die Scheibenwischer und die Heizung auf Maximum.

Die Ketten griffen, und der betagte Jeep rumpelte über die Schneebuckel der Straße. Im Rückspiegel verschwand das Haupthaus hinter einer Wand aus Weiß.

»Mann, bist du irre?«, stöhnte Mattheo benommen.

»Halt den Mund«, knurrte Jesse.

Mattheo schwieg betroffen, wie er es schon immer getan hatte. Früher wären vielleicht auch noch Tränen geflossen.

Auf der Kuppe traf eine Windböe den Wagen wie eine Ohrfeige. Hastig griff Mattheo nach dem Sicherheitsgurt und schnallte sich an. Sie passierten das Tor. Schwarze Engelsflügel im weißen Niemandsland. Jesse dachte an Isa.

»Hast du ein Smartphone?«, fragte er Mattheo.

»Ja.«

»Lass dir nicht einfallen, die Polizei anzurufen oder sonst irgendjemanden, klar?«

Mattheo nickte beklommen.

»Jemand hat meine Tochter entführt. Ich muss zu ihr.« Jesse warf einen raschen Seitenblick auf Mattheo, der ihn voller Unbehagen ansah. Er hatte sich nicht erklären wollen, es war einfach aus ihm herausgekommen wie Dampf aus einem Kessel bei Überdruck. Mattheo schwieg weiter. Jesse hätte gerne in seinem Gesicht gelesen, ob er ihm glaubte oder ihn für verrückt hielt, doch die Serpentinen forderten seine ganze Aufmerksamkeit.

»Wohin?«

»Was?«

»Wohin musst du?«, fragte Mattheo.

»Nach Österreich.«

Mattheo stöhnte. »Das ist –«

»Sag das jetzt bloß nicht!«, unterbrach Jesse. »Kannst du ›Seebensee‹ in dein Telefon eingeben?«

»Ist das ein Ort?«

»Nein, ein See.« Jesse schlug das Steuer bis zum Anschlag ein. Die Schneeketten klirrten im Radkasten, und der Defender schlich um die enge Kurve.

»Jesse, wenn das stimmt mit deiner Tochter, dann ruf die –«

»Halt den Mund und gib's schon ein.«

Mattheo gab auf und gehorchte. Seine Finger flitzten mit einer Selbstverständlichkeit über das Saphirglas seines Telefons, die Jesse sonst nur von Jugendlichen kannte. »Das ist nicht weit«, sagte Mattheo. »Ganz in der Nähe der Zugspitze, auf der anderen Seite.«

»Wo lang?«

»Erst mal an Grainau vorbei, Richtung Grenze. Von hier aus sind es zweiunddreißig Kilometer.«

Schweigend und konzentriert lenkte Jesse den Defender nach links auf die B 23. Selbst die Bundesstraße war von einer geschlossenen Schneedecke überzogen. Vereinzelte Autos stießen ihm durch die Flocken entgegen. Die Sichtweite betrug nicht mehr als etwa dreißig Meter. Die gelblichen Scheinwerfer des Defenders waren gerade halb so stark wie die Halogenlampen des Volvos. Die Ketten machten das Tempo quälend langsam, hielten den Wagen aber zuverlässig auf der Straße.

»Mattheo?«

»Hm?«

»Erinnerst du dich, wie wir damals mit der Armbrust geschossen haben?«

»Schon, ja.«

»Wie oft warst du damals eigentlich dabei?«

»Warum willst du das wissen?«

»Ich will's eben wissen.«

Mattheo schwieg eine Weile. »Einmal«, sagte er schließlich und, als müsste er sich dafür rechtfertigen: »Ihr habt mich ja nie gelassen.«

»Das hast du mir früher anders erzählt.«

»Ach ja?«

»Ja.«

»Ist ja auch dreißig Jahre her.«

»Was soll denn das heißen?«

»Mensch, dass ich keine zwölf mehr bin. Zwölf war ein beschissenes Alter.«

»Und nach diesem einen Mal?«

»Danach wollte ja niemand mehr. Einmal dabei, und zack, gleich alles aus. Das hast du echt gut hingekriegt«, schimpfte Mattheo. »*Richtig* gut.«

»Was denn genau? Was habe ich hingekriegt?«

»Muss das sein, dass wir das jetzt noch mal durchkauen?«

»Geh mir nicht auf die Nerven. Sag's mir einfach.«

»Na, die Sache mit Richard. Dass du auf ihn gezielt hast.«

»Auf *Richard*?«

Mattheo kniff die Lippen zusammen.

»Hast du nicht gesagt, ich hätte auf –«

»Scheiße, ja«, seufzte Mattheo. »Ja, ich weiß.«

»Warum hast du gesagt, ich hätte auf Markus angelegt?«

»Hab ich nicht. Echt nicht.«

»Natürlich hast du. Ich weiß doch, was du gesagt hast.«

»Ich hab's aber nicht so gesagt.«

»Schön, auf jeden Fall hast du's mich glauben lassen«, knurrte Jesse.

Mattheo sah nach vorn durch die Windschutzscheibe. »Du musst auf der B 23 bleiben. Einfach geradeaus.«

»Wollte Richard das von dir?«

»Richard? Wieso?«

»Wieso!«, höhnte Jesse. »Weil Richard immer irgendwas wollte. Und es am Ende auch immer gekriegt hat.«

»Na und?«

»Es war ihm peinlich, oder? Ging es darum?«

»Wenn du's so genau weißt, warum fragst du dann noch?«, maulte Mattheo.

»Und du hast wie immer mitgespielt.«

»Wenn einer nicht mitspielen durfte, dann war ja wohl ich das, hä?«

»Ach, verflucht!« Jesse hieb auf das Lenkrad. Er sah Markus' graues, lebloses Gesicht im Schnee vor sich, die dunklen Augen wie erloschene Kohle. Jahr für Jahr hatten ihn diese Augen verfolgt. So viel Wut. Und das alles wegen nichts. Am Ende hatte Jule recht. Wahrscheinlich hatte Markus nie etwas mit seinem Unfall zu tun gehabt. »Du hast ja keine Ahnung, was du da losgetreten hast.«

Mattheo schwieg, bis sie die Grenze passierten. Was wohl hieß, dass er doch eine Ahnung hatte. Erst kurz vor Ehrwald, das sich als kleiner verschneiter Ort erwies, fand er die Sprache wieder. »Er hat sich vollgepinkelt«, gestand er. »Wir wussten ja, dass du nach deinem Unfall alles Mögliche vergessen hast. Richard wollte, dass das so bleibt. Er meinte, wenn ich's dir stecken würde, was in der Nacht passiert ist, dass er geheult und sich … na ja … er hat gesagt, er würde so lange Messerroulette mit mir spielen, bis es in der Hand stecken bleibt.«

Jesse spürte, wie Wut in ihm aufstieg. Plötzlich sah alles ganz anders aus, als wäre ein Vorhang beiseitegeschoben worden, auf den er all die Jahre gestarrt hatte wie ein kleiner einfältiger Junge. Doch obwohl der Vorhang jetzt weg war, verstand er immer noch nicht, was damals passiert war.

»Da vorn musst du links. Immer am Gaisbach lang.«

Jesse lenkte den Wagen aus Ehrwald hinaus. Eine einzelne Reifenspur markierte die kaum mehr erkennbare Straße.

»Er konnte es einfach nicht ab«, fuhr Mattheo fort, »dass du ihm gezeigt hast, wo es langgeht. Das konnte er noch nie leiden. Deshalb hat er auch Markus immer so gehasst. Nur dass Markus klüger war als du. Der hat ihn sich nicht zum Feind gemacht«, sagte Mattheo.

Der Weg längs des Baches wurde jetzt schmaler. Offenbar hatte es hier etwas weniger geschneit, ansonsten wäre die Straße längst nicht mehr passierbar. Je höher sie kamen, desto heller wurde der Himmel. Es fielen immer noch Flocken, aber auf der Fahrerseite stieg die gewaltige Zugspitze aus dem Dunst.

»Wir sind gleich da«, meinte Mattheo und sah auf die Karte in seinem Smartphone.

Mitten in einem Tannenwald kamen sie auf einen Bergsattel, von dem aus die Straße wieder abfiel. Vor ihnen, inmitten von Bäumen, lag eine vereiste Fläche, platt wie ein Bügeleisen. Der Seebensee. Auf der gegenüberliegenden Seite, am Ende der Straße und mit Blick auf die Zugspitze, stand ein ungewöhnlich großes Haus.

In fast dreihundert Metern Entfernung zum Haus hielt Jesse und stellte den Motor ab. »Gib mir deine Jacke und deine Mütze.«

»Aber die passt dir gar nicht«, protestierte Mattheo.

»Gib sie mir einfach. Und den Schal auch.«

Mattheo zerrte an dem verknoteten Schal, schaffte es mit Jesses Hilfe, sich zu befreien, und übergab ihm widerstrebend die Kleidung. Die Jacke spannte, und die Arme waren zu kurz für Jesse, dennoch war es besser als nichts. Jesse zog den Zündschlüssel ab und stieg aus.

»Und ich? Soll ich jetzt hier erfrieren? Lass mir wenigstens den Schlüssel da, dann kann ich den Motor laufen lassen.«

»Zu laut«, erwiderte Jesse knapp.

»Scheiße. Wann kommst du zurück?«

»Du hast doch bestimmt Decken im Laderaum, oder?«

Mattheo sah ihn missmutig an. »Stimmt das mit der Entführung?«

»Was denkst du denn? Dass ich verrückt bin?«

Sicherheitshalber verkniff sich Mattheo die Antwort.

»Verhalt dich leise, klar?«, wies Jesse ihn an. Sein Herz schlug schneller. Irgendwo hier musste Isa sein, und er hatte nicht die geringste Lust, sich mit weiteren Erklärungen aufzuhalten. Leise drückte er die Tür zu. Die Luft hier war noch kälter als in Garmisch, und er war froh, dass er Mattheos Winterjacke hatte. Er wich von der Straße ab und stapfte durch den tiefen Schnee zwischen den Tannen. Den vereisten See mied er. Auf der kahlen Fläche wäre er weithin sichtbar. Und Eis über Wasser war ihm nicht geheuer. Als er bis auf fünfzig Meter an das Haus herangekommen war, blieb er im Dickicht stehen. Zwischen den Eiskristallen auf den Ästen sah er ein breites, extravagantes Holzhaus von enormer Größe. Keine Alm, eher eine Mischung aus einer Villa und einem Bauernhaus. Der Umriss kam ihm seltsam bekannt vor, aber er konnte nicht zuordnen, wo er ein Haus dieser Bauweise schon einmal gesehen hatte.

Jetzt, da er hier stand, fragte er sich, was er als Nächstes tun sollte. Sich dem Haus nähern und einbrechen? Im Zweifel wurde er erwartet, und das Ganze war eine Falle. Jedenfalls brannte hinter keinem der Fenster Licht. Er fragte sich, ob es im Laderaum des Defenders irgendwelche Werkzeuge gab, oder etwas, das er als Waffe benutzen konnte. In diesem Moment knirschten Schritte hinter ihm im Schnee. Mattheo hatte wohl nicht im Wagen bleiben wollen. Er hatte schon früher nicht gut allein bleiben können. Ärgerlich wandte er sich um – und erstarrte.

Keine fünf Meter entfernt von ihm, mit einem doppelläufigen Gewehr im Anschlag, stand ein Mann mit schwarzer Gasmaske. Der Kopf sah aus wie der eines Insekts. Jesses Knie wurden weich. Das hier war wie ein Schnipsel aus seinem Alptraum. Nur dass er plötzlich begriff, dass das Wesen in seinen Träumen vielleicht nie ein Insekt gewesen war, sondern ein Mann mit Gasmaske.

Jesses Blick fiel auf die blaue Jacke des Mannes. Es war *seine* Jacke, die, die ihm aus seinem Spind im St.-Joseph-Krankenhaus gestohlen worden war, und dazu trug der Mann *seine* Boots. Ein hölzerner Schaft ragte hinter der Schulter des Mannes auf, vielleicht von einer Axt oder etwas Ähnlichem, das sich der Mann auf den Rücken geschnallt hatte. Jesse musste an die Kerben auf dem Eichentisch denken.

»Erkennst du es wieder?« Der Mann deutete mit dem Gewehrlauf auf das Haus hinter Jesse.

Jesse schüttelte verwirrt den Kopf.

»Das dachte ich mir. Bringen wir es zu Ende.«

Kapitel 54

Über dem Anwesen klebte der Mond, unvollständig, aber scharf geschnitten. Eine zerfetzte Wolke glitt an ihm vorbei und trieb nach Osten.

Es war Viertel nach eins, und die Zeit lief ihm davon. Allein für den Rückweg nach Garmisch würde er siebzig Minuten brauchen. Jesse starrte zu den dunklen Fenstern. Es war, als hätte das Haus alle Augen geschlossen, doch das letzte Licht war erst seit einer halben Stunde aus. Er wollte noch etwas warten, denn sie mussten tief und fest schlafen, sonst hatte er keine Chance.

In seinem Rücken lag der Seebensee, aufgeraut vom Wind wie ein borstiger Teppich. Dahinter ragte die Südflanke der drei-tausend Meter hohen Zugspitze gleichgültig in den Wind und markierte die Grenze zwischen Deutschland und Österreich.

Noch eine halbe Stunde, mehr nicht.

Jetzt, wo es fast so weit war, hatte Jesse Mühe, seinen Herz-schlag unter Kontrolle zu halten. Das Adrenalin peitschte ihn auf. Die letzten Wochen erschienen ihm wie ein Fieber, mit abwechselnd heißem und kühlem Kopf war er alles durch-gegangen. So oft, dass er manchmal Planung und Wirklichkeit nicht mehr voneinander trennen konnte und dachte, es wäre bereits alles passiert. Ein paarmal hatten sich Schuldgefühle eingestellt. Bis die Wut wieder zurückkehrte. Die anderen hat-ten ihn doch bis hierhin getrieben! Onkel Wilbert. Vater. Artur Messner, Dante, Alois, Richard, Mattheo, ja sogar Sandra. Hat-te sie ihm nicht andauernd Hoffnungen gemacht – und ihn dann zurückgestoßen? Wenn er ehrlich sein sollte, er wusste gar nicht, wo er mit der Aufzählung enden sollte. Selbst Markus hatte sich in diese Kette eingegliedert.

Eine Woche nach der Sache mit Sandra hatte Markus ihn in der Küche aufgesucht. Jesse war nicht argwöhnisch gewesen. In Richard hatten Markus und er so etwas wie einen gemeinsamen Feind gefunden, das machte stille Verbündete aus ihnen.

Markus hatte sich vor ihm aufgebaut, sein Blick hatte dieses gefährliche dunkle Funkeln. Sein akkurater schwarzer Seitenscheitel saß wie eine Sturmhaube auf seinem kantigen Schädel. »Warum hast du das gemacht?«

Jesse war augenblicklich blass geworden. Markus' Haltung, seine Frage und seine heimliche Leidenschaft für Sandra ließen nur einen Schluss zu: Er wusste von der Nacht mit Sandra im Kriechgang.

Jesse kam diese Nacht vor wie ein Traum, den man vergessen will, aber nicht kann. Weil er so schrecklich war. Weil er so gut war. Er wich zurück, bis er die Arbeitsfläche im Kreuz spürte. »Hat sie es dir erzählt?«

»Du bist ein Riesenarschloch, weißt du das?«

Jesse widersprach nicht. Warum auch. Dass andere bessere Menschen waren als er, hatte er längst begriffen. Und Markus hätte ihn sowieso nicht verstanden. Niemand hier war in der Lage, ihn zu verstehen.

Der erste Schlag ging in den Magen. Jesse klappte vornüber, rang nach Luft. Danach prasselten Markus' Fäuste auf seinen Körper, seinen Kopf. Jesse ließ es geschehen, krümmte sich, wie er es damals bei Vater immer getan hatte. Das Blut im Mund schmeckte nach Schuld. Er schluckte es herunter. Sah nicht mehr ein, warum er sich jetzt schuldig fühlen sollte. Er war eben, wie er war.

Er nahm die Schläge weiter hin. All das hier spielte keine Rolle mehr für ihn. Sein Entschluss stand ja fest. Er wusste, wie er all dem entkommen konnte. Er würde sein Schicksal in die eigenen Hände nehmen.

Als Markus fertig war, beugte er sich keuchend zu ihm hinunter. »Der einzige Grund, warum ich's den anderen nicht sage, ist Sandra. Aber ich schwöre dir, wenn du sie noch einmal anfasst, dann sag ich es den anderen, und wir nageln dich mit ein paar Bolzen an den Baum, du Scheißpsycho.«

Markus richtete sich auf, stand wie ein Riese über ihm. »Was hast du zu Richard gesagt? ›Du hast sie nicht verdient‹?« Markus spie ihm ins Gesicht. »Du bist wie dein Vater. Ein kranker Arsch. Du hast sie nicht verdient.«

Markus verließ die Küche, und Jesse zog sich am Spültisch empor, um sich zu übergeben. Er zitterte am ganzen Körper. Schleppte sich in sein Zimmer, stopfte die Akte und ein paar Dinge in seinen Rucksack und versteckte sich die folgenden zwei Wochen im Kriechgang unterm Dach. Nur in den Nächten kam er hervor, stahl Lebensmittel und Batterien für die Taschenlampe in der Küche – und schmiedete seinen Plan.

Das Theater, das Messner veranstaltete, als er zurückkam, war grotesk. Wo er denn gewesen sei, was ihm einfalle, man hätte alles auf den Kopf gestellt, sich Sorgen gemacht ... und lauter weitere Lügen. Er hatte stur geschwiegen, bemühte sich, alles mit Verachtung zu ertragen und sich nicht auf ihn zu stürzen. Als Messner ihn packte und ins Loch stieß, stand die Tür noch für einen kurzen Moment offen. In dem letzten Blick, den er in Messners Richtung sandte, entlud sich all sein aufgestauter Hass. »Eines Tages bringe ich dich um, alter Mann«, zischte er. Dann war die Tür zu. Aber er wusste: Das hatte gesessen. Die Furcht in Messners Augen war nicht zu übersehen gewesen. Für die Tage im Loch war dies sein Lichtblick. Alles andere war egal. Er war ja einiges gewöhnt.

Als er wieder herauskam, wurde die Angelegenheit nie wieder erwähnt. Klar, Mr Dee war ein Feigling, wie sein Sohn. Die

Blicke der anderen ließen rasch nach. Bald war alles wieder wie immer. Jedenfalls von außen betrachtet.

Jesse sah auf die Armbanduhr, die er Mattheo abgepresst hatte. Zwanzig vor zwei.

Er richtete sich auf. Starrte zur Haustür. Zog den Schlüssel hervor. Er hatte ihn seit zwei Wochen. Die Haushälterin, eine vertrauensselige Mittfünfzigerin mit einer dicken Brille, war über das Bein gestolpert, das er mit Absicht hatte stehen lassen. Als er ihr aufhalf und ihre Sachen von der Straße auflas, bot sich eine gute Gelegenheit.

Nun stand er vor der Tür.

Schlüssel rein. Drehen. Öffnen.

Die Schwelle lag vor ihm. Er musste nur noch drüber. In Gedanken war es leicht gewesen. Hier und jetzt zögerte er. Sah auf Mattheos Uhr. Dachte an Sandra. An Richard, der alles hatte. An Wilbert, der ihm, Jesse, alles genommen hatte. Und trat über die Schwelle.

Das Haus empfing ihn mit Stille.

Es roch nach teuren Möbeln und frischen Schnittblumen. Durch die Fenster drang fahles Nachtlicht und schimmerte auf dem polierten Boden. Die Kanten der Treppenstufen zeichneten eine helle Leiter ins Dunkel. Er schlich hinauf und stellte sich dabei vor, dies hier wäre alles seins. Schon die beiden letzten Male, als er heimlich hier gewesen war, hatte er sich das vorgestellt. Und jedes Mal überlief ihn ein Schauer.

Am Ende der Treppe war der Flur. Am Ende des Flurs das Zimmer. Die Zeit rannte, dennoch drückte er die Klinke so langsam es eben ging, um nur ja keinen Laut zu verursachen. Er stahl sich durch die Tür, schloss sie hinter sich, hörte den Atem im Zimmer. Leise und gleichförmig. Unschuldig, könnte man meinen.

Das ist Irrsinn, dachte er.

Aber er hatte nicht mit diesem Irrsinn angefangen, oder? Der Irrsinn war zu ihm gekommen.

Doch warum nur waren seine Schritte so schwer?

Er trat ans Bett. Der Körper unter der seidig im Mondlicht schimmernden Reichenbettwäsche hob und senkte sich rhythmisch. Eine Wolke glitt am Mond vorbei, und ein Schatten fiel auf den friedlich schlafenden Jungen. Er hatte sich extra drei Tage zuvor die Haare schneiden lassen, damit seine Frisur in etwa wie die des Jungen aussah. »Ich könnte du sein«, hauchte er kalt. »Wenn er nur den Richtigen gegriffen hätte.«

Jesses Atem ging flach durch den leicht geöffneten Mund.

Ein Wolf im Dickicht.

Hungern oder fressen.

Wenn er *sich nicht um sich selbst kümmerte, würde es niemand tun.*

Aus seinem Rucksack zog er die Gasmaske, die er im Keller gefunden hatte. Er fühlte sich besser, wenn er das Ding aufsetzte. Geschützt und unerkannt. Durch die Gläser sah alles ganz anders aus. Weiter weg. Beherrschbarer.

Er tat den letzten Schritt. Zog das Kissen unter dem Kopf des Schlafenden hervor. Nahm es in beide Hände und drückte es kräftig auf das Gesicht.

Ein paar lange Sekunden passierte gar nichts. Dann begann der Körper des Jungen, sich zu regen. Zunächst träge, verschlafen, irgendwie überrascht. Jesse steigerte den Druck. Plötzlich warf sich der Kopf unter dem Kissen hin und her. Rasch sprang Jesse aufs Bett, setzte sich rittlings auf den Jungen. Keine Sekunde zu früh, denn jetzt bäumte sich der ganze Körper in Panik auf, die Arme begannen, hektisch zu rudern. Durch das Kissen drangen erstickte Schreie.

Jesse drückte mit eiserner Kraft.

Die Arme des anderen schlugen aus, und plötzlich traf ihn eine Faust in die Seite. Jesse stöhnte und ließ für einen Moment los. Das Kissen flog beiseite, der Junge sog gierig Luft in seine Lungen. Einen Wimpernschlag lang sahen sie einander an.

Dann gab ihm Jesse einen Fausthieb gegen die rechte Schläfe und sofort einen weiteren Hieb von links. Der Kopf pendelte einmal hin und her, dann herrschte Ruhe: Der Körper unter ihm war jäh erschlafft.

Wahrscheinlich war der Junge bewusstlos.

Jesse atmete durch. Versuchte, seinen Puls zu beruhigen. Dann hob er den anderen hoch und schulterte ihn, in etwa so, wie er Dantes schwere Säcke schulterte, wenn er sie in den Keller tragen musste. Er schaffte es, das Zimmer zu verlassen und die Tür zu schließen. Schaffte die Treppe. Die Haustür. Sogar schließen konnte er sie, auch wenn er das Gefühl hatte, seine Beine würden jeden Moment wie Streichhölzer einknicken. Hätte der andere nur ein bisschen mehr gewogen, wäre er ein bisschen größer als er selbst gewesen, dann wäre alles daran gescheitert. Aber der andere war ja genau, wie er war.

Schwankend trug er ihn zum Mofa. Der Anhänger mit der kleinen Ladefläche würde gerade so reichen. Jesse zog ihm den Schlafanzug aus. Fein gewebter Baumwollstoff, der seiner Haut schmeichelte. Der kleine Scheißkerl schlief so weich, dass er jede Erbse unter der Matratze spüren würde. Eilig legte er den Schlafanzug zusammen und stopfte das Bündel in seinen Rucksack. Dann fesselte er die bewusstlose nackte Gestalt, rückte Arme und Beine so zurecht, dass nichts aus dem Anhänger herausragte, und zurrte eine Plane mit Ösen über der Ladefläche fest.

Ein schneller Blick auf die Uhr: schon fünf nach zwei.

Er zog die Maske ab und setzte den Helm auf – ein altes Modell ohne Kinnschutz und Visier. Hastig schwang er sich auf die silberne Zündapp. Das Mofa hatte er von Dante gestohlen, der es immer für seine Einkäufe benutzte. Der ungelenke Riese sah auf der kleinen Kiste jedes Mal aus wie ein Affe auf dem Schleifstein. Die ersten Meter trat Jesse mit aller Kraft in die Pedale, ohne den Motor zu starten. Im Gegensatz zur Hinfahrt glich der Anhänger nun einer Bleikiste. Erst an der nächsten Gabelung warf er den Motor an. Knatternd rollte die Zündapp los, durch Ehrwald, über die 187 an der Loisach entlang bis zur deutschen Grenze, dann nach Garmisch und den Hang empor nach Adlershof. Laut Tacho war die Strecke vierunddreißig Kilometer lang. Auf dem silbernen Tank der Zündapp flirrte die Spiegelung des Mondes wie ein unsteter Begleiter. Vor dem Haupthaus von Adlershof bog er in den Wald ab, fuhr den schmalen Weg entlang bis zur Lichtung. Die Erde war trocken genug, so dass er keine Probleme bekam, weil die Reifen nicht griffen.

Am Rand der Lichtung blieb er stehen.

Tauschte den Helm gegen die Gasmaske.

Löste die Plane.

Der nackte Junge war wach und starrte ihn aus schreckgeweiteten Augen an.

»Raus da«, sagte Jesse.

»Ich kann nicht«, sagte der Junge und deutete mit dem Kinn auf seine zusammengebundenen Füße. Wortlos löste Jesse ihm die Fußfesseln und band sie so, dass der Junge keine großen Schritte machen, aber dennoch laufen konnte. Dann sah er ihm zu, wie er sich mit den verschnürten Händen aus dem Anhänger quälte und dabei der Länge nach stürzte. Jesse griff in seinen Rucksack und nahm das Messer heraus. »Da lang«, sagte er.

»Was ... was hast du mit mir vor?«

»Sie!«

»Was?«

»Du musst ›Sie‹ sagen.«

Der Junge schluckte. »Was haben Sie mit mir vor?«

»Halt den Mund und geh.«

Jesse stieß ihn vor sich her. Laub raschelte. Es gab keinen Weg, nur einen kurzen Zickzackkurs zwischen den Bäumen. In seinem Rücken waren irgendwo die dunklen Umrisse von Adlershof.

Dann standen sie vor der Grube, die Jesse schon am Vortag ausgehoben hatte. Der Junge blieb wie angewurzelt stehen. Ruckte hilflos mit den Armen.

»Rein da«, sagte Jesse.

»Sie wollen mich umbringen.«

»Für mich bist du schon lange tot.«

»Wie meinst ... wie meinen Sie das?«

Jesse drehte das Messer in der Hand. Er wusste nicht, warum er es nicht tat. Irgendetwas ließ ihn zögern. Jetzt wäre es ihm lieber gewesen, er hätte es mit dem Kissen durchgezogen.

»Bitte ... lassen Sie mich gehen«, flüsterte der Junge.

»Nein«, sagte Jesse.

Die Arme des Jungen zuckten erneut, seine Schultern hoben sich, bebten. Vermutlich weinte er. Heulte um sein Luxus-Leben. Im selben Moment wirbelte der Junge herum, seine Arme waren frei, und Jesse bekam einen Schlag in den Bauch. Keuchend taumelte Jesse rückwärts, verlor das Messer. Der Junge hob es auf. Sah ihn an wie ein gehetztes Tier und zischte: »Bleib, wo du bist.«

Zitternd säbelte er an seinen Fußfesseln herum.

Jesse wusste, dass es jetzt drauf ankam. Dies hier war seine letzte Chance.

Als das Seil riss, stürzte er sich auf den Jungen. Sie gingen zu Boden, Jesse entwand ihm das Messer, reckte sich triumphierend in die Höhe. Der Junge drehte sich instinktiv weg und Jesse stieß ihm das Messer in den Rücken, etwas unterhalb des Herzens, knapp neben der Wirbelsäule. Jesse spürte das Blut warm an seiner Hand. Der Junge stöhnte, und sein Gesicht verkrampfte sich. Jesse gab ihm einen Tritt. Wie ein Sack kippte der Junge in die Grube, und sein Kopf prallte mit einem Geräusch auf den Boden, als sei er auf einem Stein aufgeschlagen.

Regungslos blieb er liegen.

Jesses Herz überschlug sich, er hyperventilierte, wischte wieder und wieder seine blutige Hand an seiner Hose ab, doch das Blut blieb hartnäckig an seinen Fingern kleben. Zitternd setzte er sich auf die Erde und legte den Kopf in den Nacken. Die Bäume über ihm waren Wolken aus schwarzen Blättern. In Adlershof ging ein Licht in einem Fenster an. Wer auch immer das war, bis hierhin würde sein Blick nicht reichen.

Er hatte es getan.

Eine endlose Weile saß er so da. Sah mal auf den Mond, mal auf das helle Fenster. Dann sah er auf die Uhr. Fast halb vier. Scheiße!

Er sprang auf, griff nach der Schaufel. Hastig warf er die lose schwarze Erde über den bleichen Körper. Das Grab war nicht besonders tief, aber es würde reichen. Noch mehr Zeit blieb ihm ohnehin nicht. Auch feststampfen konnte er den Boden nicht mehr.

Als er fertig war, hielt er kurz inne. Sah auf das Grab. Hier ruht Jesse, dachte er und nahm die Maske ab.

Von heute an war Jesse tot.

Er war jetzt jemand anderer.

Der Rückweg nach Österreich schien ihm wie der Weg in die Freiheit. Er fuhr ohne Helm, und der Wind zerrte an seinen Haaren, während der leere Anhänger bei jeder Bodenwelle zitterte. Zum dritten Mal fuhr er heute Nacht diese Strecke. Und dieses Mal war es am besten. Weg von Adlershof. Weg vom Grab.

Er hatte lange überlegt, wo er ihn verscharren sollte. In Adlershof war es am einfachsten gewesen. Er hatte nur aus dem Fenster steigen müssen, dann hatte er alle Zeit der Welt gehabt, die Grube auszuheben. Und in der Nähe der Lichtung würde niemand suchen. Nach der Sache mit Richard und der Armbrust mieden sie doch alle die Lichtung wie die Pest.

Um Viertel vor fünf erreichte er Ehrwald. Er zog sich vollständig aus, verschnürte seine Kleider im Rucksack, packte Steine dazu. Dann versenkte er Dantes Mofa mitsamt Anhänger und Rucksack im Seebensee.

Die alte Möhre würde Dante fehlen.

Drauf geschissen.

Nackt wie er war, fühlte er sich wie neugeboren. Der frische Wind konnte ihm nichts anhaben. Das alles war wie ein einziger geiler fiebriger Rausch.

Ähnlich musste sich sein Vater gefühlt haben, wenn er die Nutten windelweich gefickt hatte. Erst jetzt verstand er das.

Zuletzt zog er den Schlafanzug des Jungen an wie ein neues Leben.

Rasch lief er zur Villa. Mit zitternden Fingern schloss er auf, schlich ins Obergeschoss und verschwand für eine Weile im Bad. Als er sich nach dem Waschen im Spiegel betrachtete, kamen die Zweifel. Von einer Sekunde auf die andere sah er, wie wahnsinnig das alles war. Wie er scheitern würde, erkannt werden würde. Wie dumm und kurzsichtig er war! Seine Knie wurden weich, und er hielt sich am Beckenrand fest.

Nicht dass er es bereute. Er zweifelte nur, ob es wirklich gutgehen würde.

Aber jetzt war es sowieso zu spät. Ein abgebranntes Jugendamt, ein geklauter Schlüssel, ein versenktes Mofa und ein Mord. Jetzt musste er seine Rolle spielen.

Also schlich er in das Zimmer am Ende des Ganges, schlug die seidige Bettwäsche auf und stieg in das leere Bett seines Zwillingsbruders.

Scheiße, verfluchte, war er froh, dass Jesses Grab bei Adlershof war, weit weg, in einem anderen Land. In einem anderen Leben. In seinem neuen Leben würde er nun den Namen seines Zwillingsbruders tragen: Ab heute war er Raphael.

Ab heute war er *der Bessere.*

Kapitel 55

Jesse starrte den Mann mit der Gasmaske an. Er trug nicht nur seine gestohlene Kleidung, auch seine Stimme erinnerte Jesse an seine eigene. Auf dem schwarzen Kopfteil der Maske fing sich ein Muster aus einzelnen Schneeflocken. Unschuldige weiße Punkte. Sein Atem floss in einer diffusen Wolke aus der Öffnung vor dem Mund.

»Wer zum Teufel sind Sie?«, fragte Jesse.

»Erinnerst du dich an Kiel?«

»Kiel?«

»Kiel – die Stadt. Wir waren damals gerade drei. Ich weiß, das ist ziemlich klein. Aber ein bisschen was behält man immer, oder?«

Jesse sah den Mann verständnislos an.

»Zu der Zeit ist Vater plötzlich aufgetaucht. Mit seiner blitzblank geputzten weißen Uniform, frisch vom Schiff. ›Das weiße Schiff der Hoffnung‹«, sagte der Mann spöttisch. »So haben die Vietnamesen es angeblich immer genannt. Hat er mir später ständig erzählt. Von seiner glorreichen Vergangenheit in Vietnam. Aber da warst du ja schon weg.«

»Ich habe keine Ahnung, wovon Sie sprechen.«

»Erinnerst du dich denn an Mutter? Mutter und Wilbert. Oder vielleicht daran, wie du ins Eis eingebrochen bist? Du warst ganz klein, vielleicht gerade erst drei.«

Jesse hatte das Gefühl, sich festhalten zu müssen, doch

369

da war nichts, wonach er hätte greifen können. Nur verschneite Tannen und ein Gewehrlauf, der auf ihn zeigte.

»Das war kurz bevor Vater zurückkam. Und weißt du, wer dich damals aus dem eiskalten See gezogen hat? Wilbert. Mit seiner großen Narbenpranke. Er hätte dich besser ersaufen lassen. Aber der Mistkerl hatte einen verdammten Narren an dir gefressen.«

Jesse starrte den Mann entgeistert an. Das brechende Eis, die lähmende Kälte und das Gefühl zu ertrinken. Dazu die Hand mit der Narbe, die ihn herauszog. Das war *sein* Alptraum, und dieser Mann beschrieb ihn, als könnte er direkt in seinen Kopf hineinsehen. Als wäre er dabei gewesen.

»Auch das ist weg? Alles vergessen? Vielleicht hättest du ja sonst auch nach mir gesucht. Hättest du?«

Jesse schüttelte stumm den Kopf.

»Du hättest es tun sollen. Wenigstens einen Funken Interesse zeigen, vielleicht hätte das etwas gutgemacht. Aber du hast dich ja lieber durch den Speck gefressen«, sagte der Mann bitter. Seine rechte Hand lag am Abzug des Gewehrs, dessen Kolben er mit dem Ellenbogen an die Hüfte gepresst hielt. Der Lauf zielte auf Jesses Brust.

»Wer um Himmels willen sind Sie?«

»Wer ich bin?« Mit der Linken zog sich der Mann die Gasmaske vornüber vom Kopf. Kurze blonde Haare stellten sich auf und fielen wieder zurück.

»Ich bin du«, sagte er. »Raphael.«

Jesse traute seinen Augen nicht. Vor ihm stand sein Spiegelbild. Die gleiche Statur, die gleichen Haare, das gleiche Gesicht, sogar die gleichen Augen. Nur der Ausdruck darin war ihm fremd. Es war, als ob die Augen das Gesicht vergifteten.

»Wie kann man seinen Zwillingsbruder vergessen? Das ist doch, als ob einem etwas aus dem Körper herausgeschnitten wird.«

Jesse wusste nicht, was er sagen sollte. Er wusste noch nicht einmal, wie er dieses Spiegelbild, das da vor ihm stand, anreden sollte. Seit dem Unfall hatte er sich unendlich oft gefragt, wer er wirklich war und woher er kam. Von seinem Vater hatten sie ihm erzählt, von seiner Mutter wusste er nichts. Er hatte die Fragen notgedrungen versucht zu verdrängen. Es gab ja keine Antworten. Nur ein paar hässliche Geschichten. Und jetzt stand hier sein Zwillingsbruder?

Wie konnte das sein?

Warum hatte ihm nie jemand etwas gesagt? Zumindest Artur musste es doch gewusst haben. Der Geschmack von Galle breitete sich in seiner Mundhöhle aus. War es das, worum es hier die ganze Zeit ging? War Artur deshalb verschwunden? Und die anderen getötet worden? Und was, um Gottes willen, war mit Isa? »Wo ist sie?«, fragte Jesse. »Wo ist Isa?«

»Das spielt keine Rolle mehr.« Raphaels Stimme war ruhig und befehlsgewohnt. »Sie bleibt bei mir.«

»Was soll das heißen?«

»Sie hat's dir doch gesagt, oder? Du sollst sie vergessen. Das kannst du doch so gut.«

»Du bist verrückt.« Jesses Stimme bebte. »Warum tust du das? Was willst du von mir?«

»Ich will mein Leben zurück. Du hast dir einfach alles unter den Nagel gerissen, was meins war. Mutter, Sandra, Isabelle … Nichts hast du übriggelassen. Egal, wie sehr ich gekämpft habe, du hast immer die besten Plätze besetzt. Du bist der beschissene Igel im Rennen.« Raphaels Augen waren jetzt schmal, sprühten vor Wut. »Selbst aus unserer Mutter bist du zuerst rausgeflutscht. Der Platz im Bett neben ihr, das war immer deiner. Als hättest du ein Scheißabo auf den ersten Platz. Selbst wenn ich lauter gebrüllt habe, dich hat sie hochgenommen. Wilbert hat's mir erzählt. Allein schon deshalb hat er sein Schicksal verdient. Und wenn ich damals ins Eis eingebrochen wäre, ich wette, Wilbert hätte mich nicht herausgezogen.«

Unwillkürlich wich Jesse zurück. Aus dem Geäst hinter ihm rieselte Schnee in seinen Nacken. »Ich verstehe kein Wort von alledem.«

»Weil du alles vergessen hast. Ist ja auch einfacher so. Weißt du, was ich darum geben würde, die ganze Scheiße zu vergessen?«

»Weißt du, was *ich* darum geben würde, mich an alles zu erinnern?«, gab Jesse wütend zurück. »Als wäre das meine Entscheidung gewesen. Ich hatte einen Unfall.«

»Vielleicht war es ja gar kein Unfall«, sagte Raphael, »sondern eine Strafe. Vielleicht warst du einfach mal fällig mit Dreck fressen.«

»Was meinst du damit?«

»Dass du nie etwas ausbaden musstest. Ausgebadet hab immer ich. Von Geburt an, und erst recht nach Mutters Tod.«

Jesse starrte Raphael an, wie er da im Schnee stand, mit seiner Jacke, einer blauen Jeans, wie er sie selbst oft trug, und mit seinen Boots. »Mutters Tod? Wie ist sie denn gestorben?«

»Dein Onkel Wilbert konnte seine Finger nicht von der Frau seines Bruders lassen. Wie du. Du konntest deine Finger auch nicht von Sandra lassen.«

Jesse sah ihn verwirrt an. »Was meinst du damit?«

»Dass Wilbert sie erschossen hat, das meine ich.«

Die Worte blieben in der Stille hängen. Eine Stille wie nach einem Schuss, drückend und geladen. Und zugleich wie ein Vakuum. In Raphaels Rücken stieß die Zugspitze durch einen Riss in den grauen Wolken. Der Himmel behielt einen Augenblick lang den Schnee für sich.

»Das war kurz nach Vaters Rückkehr. Es gab einen Riesenkrach. Kein Wunder. Wilbert hatte versucht, Vaters

Platz einzunehmen. Aber wir waren nun einmal Vaters Kinder. Und Gudrun wusste, wo ihr Platz war. Wilbert war plötzlich das fünfte Rad am Wagen. Damit konnte er nicht leben. Er hat Mutter umgebracht, und dann hat er sich dich geschnappt. Vater ist hinter euch her wie der Teufel, aber er hat euch nicht gekriegt.« Er verzog das Gesicht. »Selbst Vater mochte dich mehr. Hätte er wählen können, er hätte mich hergegeben.«

»Er hat mich entführt?« Jesse wurde schwindelig. »Mein Onkel hat mich entführt?«

»Und mich hat er zurückgelassen. Ab da war ich mit Vater allein. Wir waren drei. Du hattest das goldene Ticket. Und ich das Abo auf den Höllentrip.«

»Das goldene Ticket? Ich hatte keine Mutter mehr, bin entführt worden und in einem Heim aufgewachsen. Du hattest wenigstens noch Vater.«

»O nein«, sagte Raphael. »Nein, nein, nein. *Ich* war in einem Heim. Du warst dahinten, Mr Goldlocke, im schicken Nest in der ersten Reihe.« Er wies mit dem Gewehrlauf auf das Haus in Jesses Rücken.

Jesse drehte sich um, sah das Haus an, dann Raphael, begriff jedoch nicht, was sein Bruder meinte.

»Und während du von feinen Löffeln diniert hast, musste ich die ganze Scheiße ausbaden. Was glaubst du, wie es Vater nach Mutters Tod ging? Und nachdem er seinen Lieblingssohnemann verloren hatte? Die Marine hatte ihn fallen lassen. Sein Kapitänspatent: futsch. Seine Uniform hing nur noch auf dem Bügel. Und Vater über der Schüssel, wenn er wieder zu viel getrunken hatte, um alles zu vergessen. Es wurde immer schlimmer. Mit sieben musste ich die Uniform bügeln. Faltenfrei. Und die Wohnung sauber halten, während er mir Vorträge gehalten hat, wie großartig mein Bruder doch gewesen sei. Du warst nicht da – und trotzdem immer anwesend. Wie ein Scheißgespenst. Während du ...« Erneut wies er auf das Haus in Jesses Rücken.

»Als ich zehn war«, fuhr Raphael fort, »habe ich Vater verpfiffen. Beim Jugendamt. Ironischerweise bei derselben Schlampe, die damals deine Adoption eingefädelt hat. Wisselsmeier. Eine fette Kuh vor dem Herrn. Sie haben alle unter einer Decke gesteckt. Wilbert, Artur und die Wisselsmeier.«

»Ich bin adoptiert worden?«, fragte Jesse fassungslos.

»Oh, und wie, Mr Goldlöckchen. Vom Paradies. Weiche Bettdecken, saubere Matratzen, teure Schule. Alles vom Feinsten. Und du musstest nicht mal teilen. Manche Leute kriegen eben keine Kinder zustande. Tja. Was bleibt einem da übrig, als um die Ecke eins zu kaufen.« Sein Bruder sah ihn hasserfüllt an. »Wenn sie dich wenigstens schlecht behandelt hätten. Aber sie waren ja auch noch *nett.*

Und jetzt rate, wo ich untergekommen bin, nachdem ich Vater bei der Wisselsmeier angeschwärzt hatte. Richtig. Adlershof! Um mich hat sich keiner gerissen. Kein Artur, kein Wilbert, keine reichen Ersatzeltern. Ich war das Säuferkind, mit einem Mörder als Onkel und dem komischen Blick. Beschädigte Ware. Wer kauft denn so was?«

Kapitel 56

Lieber Herr Artur Messner,

ich weiß, wir hatten vereinbart, über diese Angelegenheit nicht weiter zu sprechen, und Sie bestehen darauf, da Sie offenkundig nicht ans Telefon gehen. Mein Mann sagte mir, es sei sinnlos, mit Ihnen darüber zu sprechen, Sie könnten uns nicht helfen. Doch ich bitte Sie inständig, wenigstens diesen Brief zu lesen. Wenn schon nicht für mich, dann um der alten Freundschaft willen, die meinen Mann und Sie früher verbunden hat.

Wir haben Ihnen einen wunderbaren Jungen zu verdanken. Er ist liebenswert, eigenwillig, klug und so stark, dass er selbst die Alpträume und Erinnerungen, die ihn die Jahre über begleitet haben, meistert. Er spricht nicht darüber, und seine Erinnerungen sind mit jedem Jahr blasser geworden. Manchmal hoffe ich, es liegt daran, dass wir es schaffen, ihm neue Erinnerungen zu geben, die besser sind als seine alten. Seine gelegentlichen Fragen beantworten wir ihm einfach nicht, und so werden sie auch immer seltener.

Inzwischen ist Raphael seit fast zehn Jahren bei uns. Ich glaube, ich kenne ihn gut, so gut eben, wie eine Mutter ihr Kind kennen kann. Gerade deshalb verstehe ich nicht, was zurzeit in ihm vorgeht. Im Sommer ist er zwei Wochen krank gewesen, ein Magen-Darm-Infekt, der in Wellen kam und ging. Seitdem erkenne ich ihn nicht wieder. Er lässt keine Nähe mehr zu, ist verschlossen, oft verriegelt er das Zimmer, und im Bad schließt er sich immer ein. Ich weiß selbst, es klingt vielleicht etwas hysterisch in Ihren Ohren. Er ist schließlich in der Pubertät. Diesen Gedanken hatte ich natürlich auch. Aber ich glaube nicht, dass es darum geht. Die Veränderungen sind so plötzlich und kaum zu erklären. Raphael hatte immer geradezu panische Angst vor Wasser. Als Kind hat er oft davon geträumt zu ertrinken, und in der Schule haben wir ihn deshalb regelmäßig vom Schwimmunterricht befreien lassen. Gott, was habe ich deshalb mit seiner Sportlehrerin diskutieren müssen. Doch im Spätsommer habe ich ihn mehrfach im Seebensee schwimmen sehen. Nicht etwa baden, nein, schwimmen! Bis vor kurzem wusste ich nicht einmal, dass er überhaupt schwimmen kann.

Verstehen Sie mich nicht falsch, ich bin froh, dass er seine Angst überwunden hat. Wäre es nur das allein, ich wäre verwundert, aber nicht beunruhigt. Ende September kam er wieder einmal vom Schwimmen zurück, pudelnass, sein Hemd klebte auf seiner Haut. Erst da fiel mir auf, dass er wohl immer mit Hemd statt mit freiem Oberkörper schwimmen geht. Erst im Bad, hinter verschlossener Tür, zieht er es aus. Vielleicht halten Sie mich nun für verrückt, aber es hat mir keine Ruhe gelassen. Im Nachhinein schäme ich mich dafür, aber ich konnte nicht anders, als ihn durch das Schlüsselloch des Badezimmers zu beobachten. Sein Oberkörper ist so kräftig, dass ich erschrak. Außerdem hat er auf der Brust etwas, das aussieht wie eine Verbrennung. Nicht etwa eine neue Verbrennung, sondern eine ältere, die sich verwachsen hat. Wie kann das sein? Und wie kann es sein, dass er in die Küche kommt und seine Hand den Lichtschalter auf der falschen Seite sucht? Dass er die Besteckschublade mit der für die Arzneien verwechselt? Warum spielt er nicht mehr Klavie wie früher? In der Pubertät stellt sich das Gehirn um, hat mir ein Psychologe erklärt, aber das, was mit Raphael passiert, kann ich mir damit nicht erklären. Manchmal habe

ich das Gefühl, er vergisst ständig alles und ist bemüht, es uns
unter keinen Umständen merken zu lassen. All die Ausreden,
all die Lügen, die er in der letzten Zeit erzählt. Immerzu will
er mich glauben machen, es sei alles in Ordnung. Ich sehe,
wie schlecht es ihm geht, wie sehr er sich anstrengt. Es ist, als
wollte er mir alles recht machen, doch wenn ich ihn frage,
ob es ihm gutgeht, wird er manchmal so wütend, dass ich
Angst vor ihm bekomme. Als wäre er zu allem in der Lage.
Ich erkenne mein Kind nicht mehr wieder, und ich suche Rat
bei Ihnen, Herr Messner. Haben Sie eine Erklärung für all
das? Können Sie mir vielleicht etwas von dem schildern, was
Raphael erlebt hat, bevor er zu uns kam? Es muss einen Aus-
löser für all das geben, und ich vermute, er liegt in der Ver-
gangenheit. Etwas anderes scheint mir nicht denkbar.
Bitte versuchen Sie mich zu verstehen. Ich wäre für jeden
Satz, jedes Detail dankbar. Raphaels Verhalten treibt mich
um. Ich kann kaum mehr schlafen und habe das Gefühl, noch
verrückt zu werden, wenn nicht bald etwas geschieht. Mir ist,
als hätte jemand die Seele meines Jungen ausgetauscht.
Ich bitte Sie herzlich, schreiben Sie mir so bald als möglich.

Mit vielen Grüßen, Ihre Renate Kochl

Jule ließ den Brief auf ihren Schoß sinken. Sie saß in Arturs
Ohrensessel, doch obwohl direkt in der Nähe eine Heizung
bullerte, rieb sie sich die Arme, als wäre ihr kalt. Die Poren
auf ihrer Haut waren rau, die winzigen Haare hatten sich
aufgestellt. Das ist nicht möglich, dachte sie. Du phanta-
sierst dir etwas zusammen.

Erneut schlug sie die Akte mit der Bewerbung der Familie Kochl für die Adoption von Raphael Berg auf. Sah das
Foto an. Die Akte war verdächtig dünn, es schienen Teile zu
fehlen. Sie wusste nicht viel über Adoptionen, aber dass ein
deutsches Jugendamt ein Kind nach Österreich vermittel-

te, erschien ihr unwahrscheinlich. Und dass die Mühlen der deutschen Amtsbürokratie dann eine so dünne Akte hervorbringen würden – das war noch unwahrscheinlicher. Dazu kam die zweite Akte, bearbeitet von derselben Sachbearbeiterin des Jugendamtes Garmisch, einer Frau Wisselsmeier, mit einem Foto, das aussah, als hätte man Raphael Bergs Gesicht durch eins dieser Computerprogramme laufen lassen, die den Alterungsprozess simulierten.

In der Befragung durch Dr. Paul Brenner, von Amts wegen bestellter Psychologe, äußerte Jesse Berg (11) widerstrebend, sein Vater Herman (47, Kapitän a. D., Mutter verstorben) habe ihn mehrfach geschlagen. Er schilderte wiederholte Übergriffe und Erniedrigungen durch seinen Vater. Einmal habe Herman Berg ihm Alkohol angeboten, und als er schließlich eingewilligt und probiert habe, wäre er hart bestraft worden. Jesse äußerte, Angst vor seinem Vater zu haben, da dieser ihn wiederholt beschuldigt hatte, ihm Alkohol gestohlen zu haben. Herman Berg habe ihm zuletzt mehrfach drakonische Strafen in Aussicht gestellt, mit dem Verweis auf Strafen im arabischen und asiatischen Raum, wo (Zitat) »Dieben noch eine Hand abgeschlagen wird«. Da keine lebenden Verwandten von Jesse Berg ermittelt werden konnten und der Befragte lediglich einen Zwillingsbruder angeben konnte, der seit dem dritten Lebensjahr als vermisst gilt, wird von Amts wegen ein Entzug des väterlichen Sorgerechts eingeleitet, mit einer sofortigen Notunterkunft im Heim Adlershof (Garmisch-Partenkirchen).

Ella Wisselsmeier
Jugendamt Garmisch-Partenkirchen

Jule schwirrte der Kopf. Zwillinge. Das konnte doch kein Zufall sein. Ebenso wenig wie die furchtbare Situation, die

Renate Kochl, Raphaels Adoptivmutter, in ihrem Brief beschrieb. Und dann die Sache mit dem Klavierspielen. Jesse *konnte* Klavier spielen, obwohl niemand sich erklären konnte, woher. Sogar er selbst nicht. Und Raphael? Er hätte es können sollen, unterließ es aber aus unverständlichen Gründen. Für all das *konnte* es nur eine Erklärung geben, auch wenn es noch so verrückt klang. Jesse und Raphael waren Zwillingsbrüder und mussten vertauscht worden sein.

Sie fror und rieb sich erneut die Arme, doch die Gänsehaut blieb.

Sie wollte weiterlesen, doch im Türschloss drehte sich ein Schlüssel. Hastig stopfte sie die Papiere unter die Polsterung des Sessels und stellte die Beine davor. Im selben Moment schwang die Tür auf.

Richard stand im Rahmen. Er hielt immer noch das Futteral mit dem Gewehr in der Hand, das schmale Ende mit der Mündung zum Boden gewandt. Eine korpulente ältere Frau drängte sich an ihm vorbei durch die Tür. Jule schätzte sie auf Ende sechzig. In der Rechten hielt sie einen Gehstock. Ihre Schritte waren steif und plump, unter ihrer labberigen Strickjacke wankten schwere Brüste, darunter wölbte sich der Bauch in zwei Wülsten. Sie starrte Jule feindselig aus kleinen Augen in einem teigigen Gesicht an.

»Ist sie das?«, fragte sie Richard. Ihre Stimme klang nach zahllosen Zigaretten, auch wenn sie nicht nach Nikotin roch.

Richard nickte nur. Seine Wangen waren fleckig, und er schwitzte.

»Und du bist sicher, dass sie Bescheid weiß?«

Bescheid? Worüber?, fragte sich Jule. Ihr Blick wanderte besorgt zu Richards Gewehr.

»Sie sagt, sie hat Charly gefunden und mit ihr geredet«, meinte er.

»Scheiße«, murrte die Frau. Ihre Schweinsäuglein flitzten hin und her, um plötzlich argwöhnisch zwischen Jules Beinen hängen zu bleiben. »Was ist das da?« Sie wies mit dem Gehstock auf die Ecke des dünnen Papierstapels, der zwischen der Polsterung des Sessels hervorlugte.

»Was wollen Sie von mir?«, fragte Jule. »Wer sind Sie?«

»Geben Sie das schon her«, sagte die Frau. Ihre linke Hand wedelte fordernd.

Da Jule nicht reagierte, trat Richard an den Sessel, griff zwischen ihre Beine und zog die Papiere grob hervor. »He, was soll das ...«, protestierte Jule. Richard warf einen Blick auf die Papiere, und sie spürte, wie sie rot anlief. Richard schienen die Papiere nicht viel zu sagen, und er reichte sie an die Frau weiter. Wortlos griff sie danach und kniff die Augen zusammen, offenbar um besser sehen zu können. Im nächsten Augenblick hob sie die Brauen. Blätterte rasch. Und wurde blass. »Zum Deifi. Das gibt's doch nicht.« Sie warf Jule einen scharfen Blick aus ihren tiefliegenden Augen zu. »Woher haben Sie die Akten?«

»Gefunden«, sagte Jule achselzuckend.

»Sagt dir das was?«, fragte Richard.

»Und ob mir das was sagt«, krächzte die Frau. »Ich hab's ja zum Teil selbst geschrieben.«

Jule starrte die Frau an. War *das* etwa Renate Kochl, die Adoptivmutter, die den Brief an Artur Messner geschrieben hatte? Nein, wohl kaum. Ihre grobe Art passte so gar nicht zu dem sensiblen Ton, in dem der Brief verfasst worden war. Also konnte es nur die Mitarbeiterin des Jugendamtes sein. Wie war ihr Name noch gleich gewesen? Wisselsmeier.

»Worum geht's denn, Ella?«, fragte Richard.

»Das war noch vor deiner Zeit. Hat dein alter Herr eingefädelt.«

Jule horchte auf. Hatte sie das richtig verstanden? Artur Messner hatte die Sache mit den beiden Jungs eingefädelt?

Wusste er von dem Tausch? Oder war es nur um die Adoption gegangen?

»Und warum weiß ich nichts davon?«, beschwerte sich Richard.

»Weiß dein Vater alles, was du so treibst?«

»Nein, natürlich nicht, aber –«

»Na also«, blaffte Ella Wisselsmeier.

»Wir sollten uns um Charly kümmern«, meinte Richard.

»Wir haben noch ein ganz anderes Problem.«

»Hm?«

Sie hob den Gehstock und zeigte auf Jule.

»Wie meinst du das?«

»Jungchen, dein Vater hatte wirklich mehr Grips im Kopf als du. Nicht unbedingt mehr Mumm. Aber immerhin war er schnell von Begriff.«

Richards Wangen wurden noch fleckiger.

»Wenn sie das hier gefunden hat«, Ella Wisselsmeier raschelte mit den Papieren in ihrer Hand, »und wenn sie mit Charly gesprochen hat, dann weiß sie Bescheid. Über alles.«

Jule wurde mulmig zumute. Was sollte das heißen? Worüber wusste sie Bescheid? Über die beiden Brüder? Dass die beiden getauscht hatten? Aber was hatte das mit Charly zu tun? »Ich, äh, ehrlich gesagt weiß ich nicht, was Sie meinen«, sagte Jule, stand aus dem Sessel auf und machte einen Schritt in Richtung Tür.

Ella Wisselsmeier holte mit dem Gehstock aus und schlug ihr ins Gesicht. Jule stolperte zur Seite und schrie auf.

»Lüg mich nicht an«, fauchte die Wisselsmeier.

Jule starrte sie entsetzt an. Sie fasste sich an die Wange und spürte Blut. Ihr Ohr und ihre linke Gesichtshälfte brannten vor Schmerzen.

»Was machen wir jetzt?«, fragte Richard.

»Wo ist Charly?«, fuhr Ella Wisselsmeier Jule an.

Jule biss sich auf die Lippen.

»Im Keller«, sagte Richard. »Hat sie vorhin gesagt.«

»Gibt es einen Weg in den Keller, auf dem uns keiner sieht? Wir müssen uns um beide kümmern.«

Kümmern?, dachte Jule. O Gott, was sollte das heißen?

Richard nickte. Ihm war ganz und gar nicht wohl in seiner Haut. »Was ist, wenn sie schreit?«

»Du meine Güte! Dann sorg eben dafür, dass sie nicht schreit. Oder willst du den Rest deines Lebens in der Strafanstalt verbringen?«

Kapitel 57

Der Himmel schien sich vom Boden zu lösen. Die Wolken stiegen auf und rissen. Jesse fiel. *Adoptiert?* Und das Haus dort hinten war sein Elternhaus gewesen? Ihm war, als platzte sein Schädel.

Einzelne verlorene Schneeflocken trudelten herab. Sein Bruder fing eine davon mit der Linken und zerdrückte sie.

»Wenn ich hier zu Hause war«, fragte Jesse, »warum bin ich dann in Adlershof aufgewachsen?«

Um Raphaels Mund lag ein grausamer, trotziger Zug. Doch dahinter verbarg sich etwas anderes. Ein Gefühl, das Jesse gut kannte. Es war Reue. Der Wunsch, die Weiche wieder zurückzustellen, umkehren zu können, weil die Konsequenzen einen Preis forderten, den man in seiner Wut oder in seiner Gier nicht bedacht hatte. Junkies hatten diesen Blick. Drogendealer. Elfenbeindiebe in Afrika. Die Kindersoldaten in Darfur. Er selbst hatte ihn auch gehabt, nachdem er sich zu ›Ärzte ohne Grenzen‹ gemeldet und Sandra und Isa allein gelassen hatte, weil er sich in diesem Leben zu dritt nicht hatte wiederfinden können. Weil er nie ›ganz‹ gewesen war.

Doch ebenso groß, wie der Wunsch umzukehren, war die Gewissheit, dass der letzte Zug, den man dafür hätte nehmen müssen, längst abgefahren war. Was blieb, war gähnende Leere, die man mit Trotz füllte. Mit Härte, gegen sich selbst und andere. Mit Weiterfahren in die falsche Richtung.

Um sich selbst zu retten, redete man sich ein, das alles sei ›dumm gelaufen‹, das Schicksal ›ungerecht‹, das Ganze ein ›Unfall‹.

Unfall. Das Wort hallte in ihm nach.

Raphael, der ihn fixierte, begann zu lächeln, ohne jede Freude.

»Der Unfall«, flüsterte Jesse. »Die Wunde in meinem Rücken. Das warst du!«

»Wer hat dir das mit dem Unfall eingeredet? Artur?«

»Alle. Sie haben alle behauptet, sie wüssten nichts darüber.«

»Es war kein Unfall.«

Jesse starrte Raphael an.

»Ich konnte es nicht ertragen«, sagte Raphael. »Hase und Igel. Du hattest alles, was ich wollte. Alles, was ich nicht bekommen habe. Du Liebe. Ich Hass. Du Reichtum, ich Suff und Armut. Du Hoffnung, ich Verzweiflung. Was glaubst du, wie ich mich gefühlt habe, als ich irgendwann erfahren habe, dass es dich noch gibt – und vor allem wo du lebst?«

»Du hast mich beinah umgebracht ...«

»Entschuldige bitte das *beinah*«, spottete Raphael.

»... und mir mein Leben gestohlen.«

»Und du bist einfach wieder aufgestanden und hast mir *mein* Leben gestohlen.«

»Ich habe *was*?«

»Statt einfach zu sterben, bist du aus deinem Grab herausgekrochen. Ich weiß nicht genau, wie. Ich hab's wohl nicht zu Ende bringen können. Ich hab gedacht, es wäre einfacher, dich umzubringen. Ich hab nicht nachgedacht, wie es sein würde, oder besser: wie es *danach* sein würde. Wie hätte ich auch. Ich war dreizehn. Ich war wütend, ich hab dich gehasst. Also hab ich einen Plan gemacht. Bin losgefahren. Und hinterher konnte ich kaum die Erde auf dich schaufeln, weil mir die Hände so gezittert haben.«

Jesse wandte den Blick nach oben, er ertrug es nicht, ihm länger ins Gesicht zu sehen. Der Wind trieb Wolken über den Gipfel der Zugspitze, und der Berg schien sich in seine Richtung zu neigen.

»Du denkst, es müsste mir leidtun?«, fragte Raphael.

»Tut es. Nur anders, als du denkst.«

»Du bist verrückt«, flüsterte Jesse.

»Was glaubst du, wie es war, deine Rolle spielen zu müssen? Der brave Raphael. Keine Sekunde Ruhe. Ständig verstecken. Und immer diese Erwartungen. Der Blick deiner Mutter – Verzeihung: *Adoptiv*mutter – wie ein ersaufendes Reh, immer diese ewige weinerliche Enttäuschung. Ständig wollte sie helfen.« Raphael verzog das Gesicht und sprach mit schriller, hoher Stimme. »Junge, was ist denn nur mit dir? Was hast du denn? Ach, du bist so anders, mein Lieber.« Wütend sah er Jesse an. »Ich schwöre dir, sie hat's gewusst. Sie hat gewusst, dass ich nicht du bin.« In Raphaels zornigem Blick schimmerten Tränen. Er biss die Zähne aufeinander. Die Spitze des Gewehrs bebte wie ein Seismograph. »Warum hat sie nicht einfach mal rumgebrüllt? Oder mich geschlagen? Am Ende habe ich mir Vater zurückgewünscht. Die Prügel waren einfacher zu ertragen. Das hätte sich richtiger angefühlt. Oder das Loch im Heim.

Ich hab mich zurückgesehnt. Nach Richard, diesem Großkotz und Feigling. Oder Markus. Der hat sich wenigstens zur Wehr gesetzt. Mattheo, Alois, Wolle. Sandra. Ich hab plötzlich gewusst, wo ich zu Hause bin. Aber ich konnte ja nicht zurück. Ich war ja tot, verdammt. Zumindest dachte ich, ich wäre tot.«

Raphael atmete zitternd ein. »Bis plötzlich, vor ein paar Wochen, Wilbert bei mir auftauchte. Wie ein Gespenst. Im ersten Augenblick dachte ich, Vater wäre aus dem Grab gestiegen. Dann hab ich die Narbe auf seiner Hand gesehen. Er sei krank, es ginge zu Ende, sagte er. Und er wolle mich besuchen. Sehen, was aus dem kleinen Jungen geworden war, den er damals gerade so aus den Händen seines Bruders Herman hätte retten können. Wie hätte er wissen sollen, dass er nicht dir, sondern mir gegenübersaß? Und nach allem, was er mir angetan hatte, behauptete er dann auch noch, Vater hätte damals Mutter erschossen! Dieses verlogene Schwein! Was glaubst du, habe ich gemacht?«

Raphael sah ihn lauernd an.

»Das, was du auch gemacht hättest. Gelächelt. Ich hab meine Rolle fein zu Ende gespielt. Bis er mir gesagt hat, er wisse nicht, ob ich wüsste, dass mein Bruder noch leben würde. Es hätte ihm keine Ruhe gelassen, er müsse mir das sagen. Mein Bruder sei ganz in der Nähe aufgewachsen, in Adlershof. Er sei inzwischen Arzt. Hätte geheiratet und hätte eine Tochter.« Mit dem Handrücken der Linken, in der er immer noch die Gasmaske hielt, wischte er sich grob über die Augen. Sein Mund war ein Strich. »Seine Frau, sagte Wilbert, hieße Sandra.«

Jesse starrte auf die Spitze des Gewehrs. Er wollte Raphaels Tränen nicht sehen. Wollte nicht eine Sekunde verstehen, warum er das alles getan hatte. Es war zu ungeheuerlich. Zu unfassbar. Er wollte zornig werden, schreien vor Wut, aber irgendetwas in ihm sorgte dafür, dass er ganz kalt wurde. Ruhig, wie vor einer Operation. Er sah die Pupillen von Raphael, die schnelle Atmung, das Gewehr. Versuchte, sich auf das Einzige zu konzentrieren, das jetzt wichtig war. »Wo ist Isa?«

»Sie ist der Preis.«

»Der Preis?«

»Dafür, dass du mir auch Sandra gestohlen hast.«

»Du hast sie verlassen.«

»Du hast sie nicht verdient. Du hast es dir immer einfach gemacht, während ich knietief durch die Scheiße laufen musste.«

»Was soll das heißen, sie ist der Preis? Was hast du vor?«

»Ich will mein Leben zurück. Mein Leben im Heim.«

»Was hat das mit Isa zu tun?«

»Ich habe das Torhaus gekauft. Richard weiß es nicht, ich habe es über einen Makler gekauft. Aber wenn das alles hier vorbei ist, werden Isa und ich dort leben. Sie ist *meine* Tochter. Die Tochter, die ich mit Sandra gehabt hätte.«

»Du bist wahnsinnig. Das wird niemals funktionieren.«

»Warum nicht? Sehe ich nicht aus wie du? Ich hab dein Portemonnaie, deinen Pass, deine Kreditkarte. Gott, es war so leicht. Marta. Kannst du dich erinnern? Gib einem Mädchen von der Straße fünfhundert Euro, und sie tut alles, was du willst. Ich trage deine Sachen, sogar die Haare habe ich mir so geschnitten wie du auf deinem Passfoto.«

»Du hast auch beim letzten Mal gedacht, es funktioniert. Und jetzt bereust du es bitter.«

»Ich bereue nichts«, sagte Raphael bissig. »Die anderen haben es mir versaut.«

»*Du* hast es dir versaut. Niemand sonst. Und du bist dabei, den gleichen Fehler wieder zu machen. Isabelle würde dich hassen.«

»Nein«, lachte Raphael. »Sie wird mich lieben. Denn ich bin ihr Vater. Ich komme und rette sie.« Er hob das Gewehr an und richtete es auf Jesses Gesicht. »Setz das auf.« Mit der Linken warf er Jesse die Gasmaske zu. »Ich muss nur den Entführer töten. Dann wird sie mich lieben.«

Kapitel 58

Mattheo saß im Wagen und fror, dass ihm die Zähne klapperten. Ohne Wagenschlüssel lief die Heizung nicht, und ohne Heizung glich der zugige Defender einer Tiefkühltruhe. Im Internet behauptete jemand, er hätte über Nacht eine Katze im Wagen eingesperrt, und am nächsten Morgen sei sie fort gewesen. Dennoch, er liebte seinen Def und pflegte ihn, so wie sein Opa, ein Nazi alter Couleur, bis zuletzt sein Motorrad gepflegt hatte, eine alte BMW R 51/2.

Missmutig versuchte Mattheo durch die inzwischen fast schneeblinde Windschutzscheibe zu lugen.

Es war, wie es früher schon immer gewesen war. Er war außen vor. Manchmal hatte er Schmiere stehen dürfen. Ansonsten hieß es immer: Warten und Schnauze halten. Vielleicht hatte er auch deshalb den Job als Briefträger angenommen, dachte er bitter. Die Geheimnisse, das Große, das Wichtige, all das befand sich im Umschlag. Er war nur der Überbringer – und außen vor.

Sogar sein Angebot, bei der Suche nach Charly zu helfen, hatte Richard ausgeschlagen, obwohl er, Mattheo, keine Mühe gescheut und sich selbst bei diesem Wetter aufgemacht hatte. Wer tat so etwas schon außer ihm? Auf wen war denn sonst noch Verlass? Er war immer zu allem bereit gewesen. Doch am Ende stand er zuverlässig im Abseits. Er war es leid, herumgeschubst zu werden.

Was Jesse da erzählt hatte, von einer Entführung, kam

ihm reichlich übertrieben vor. Aber die Art, wie Jesse ihn behandelt hatte, grob und rücksichtslos, ließ darauf schließen, dass es ihm ernst war. Eins hatte er mit den Jahren über Jesse gelernt. Wenn es ihm ernst war, dann ging es rund. So wie damals auf der Lichtung. Jesse war unberechenbar und gefährlich gewesen, schon damals als Junge. Mattheo hatte kein Problem damit, sich einzugestehen, dass er Angst vor Jesse hatte, so wie auch Richard ihm Angst machte, wenn auch nicht ganz so viel.

Mattheo wusste auch, dass man immer dann am mutigsten war, wenn man es schaffte, gegen seine eigene Angst zu handeln. Hatte er sogar schon damals gewusst. Nur da hatte ihn niemand gelassen. Doch wer bitte wollte ihn denn jetzt noch aufhalten? Er saß hier mutterseelenallein in seinem Auto in der Kälte, am Arsch der Nordflanke.

Leise öffnete er die Wagentür. Ging zur Heckklappe und öffnete sie mindestens ebenso leise wie die Tür. Er wollte Jesse ja schließlich nicht aufschrecken. Und auch niemanden sonst. Auf der Ladefläche des Defenders lagen einige Decken und eine alte Daunenjacke, die er ganz vergessen hatte. Sie raschelte kühl, als er hineinschlüpfte. Dann schob er die Decken beiseite und blickte stolz auf sein Ein und Alles. Eine Darton-FireForce-Armbrust mit AIA-Zielfernrohr FRS 101 und einer Schussgenauigkeit von bis zu hundertachtzig Metern.

Er liebte den Holzschaft der Waffe, der ihn an die erste Armbrust erinnerte, die er in den Händen gehalten hatte. Er wusste noch, wie schwitzig seine Hände gewesen waren, und wie schwer die Waffe. Die FireForce war ungleich leichter zu spannen als die steinalte Armbrust aus Arturs Schuppen. Eine ausgeklügelte Mechanik mit leichtlaufenden Rollen gab ihm immer wieder aufs Neue das Gefühl, stark zu sein. Mit einem Köcher von sechs Pfeilen zog er los, parallel zum Seebensee, das Haus fest im Blick.

Es dauerte nicht lange, da sah er Jesse zwischen den Bäumen. Er erkannte ihn an der zu eng sitzenden Jacke. Wer der zweite Mann war, wusste er nicht. Behutsam schlich er heran, soweit der knirschende Schnee unter seinen Füßen ein Schleichen überhaupt möglich machte. Als er auf etwa hundert Meter herangekommen war, blieb er stehen und hob die Armbrust. Das Zielfernrohr rückte alles zum Greifen nah heran, auch wenn der Wind immer wieder Tannenzweige ins Blickfeld wehte und manchmal den Schnee wie Staub von den Ästen wirbelte. Jesse stand mit dem Gesicht zu ihm, und er schwenkte das Zielfernrohr auf den zweiten Mann, von dem er nur den Rücken, den Hinterkopf und den Nacken sah. Doch das Gewehr in seinen Händen konnte er deutlich erkennen. Also hatte Jesse nicht übertrieben. Das musste der Entführer sein, von dem er gesprochen hatte. Jesse war in Not, das war nicht zu übersehen.

Leise, wie er es gelernt hatte, ließ er die FireForce sinken, stellte seinen Fuß in den Bügel, spannte die Waffe und verriegelte sie. Dann schlich er langsam näher, nicht weil die FireForce nicht so weit reichte, sondern weil er, sollte es zum Äußersten kommen, eine freie Schussbahn brauchte und keine Tannenzweige, die den Pfeil umlenkten. Inzwischen konnte er die beiden Männer mit bloßem Auge erkennen. Bei einer Entfernung von dreißig Metern blieb er stehen, legte einen Pfeil in die Rinne und hob die Waffe ans Auge. Jesses Blick ließ ihn schaudern. Er sah erschüttert aus, ungewohnt verletzlich. Das war nicht der Jesse, den er kannte. Hatte er etwa Angst? Allein die Vermutung ließ Mattheo innerlich wachsen. »Ich bin hier«, hauchte er, so leise, dass nur die FireForce ihn hören konnte.

Der Mann mit dem Gewehr warf Jesse etwas zu, er fing es auf und stülpte es zögernd über seinen Kopf. Es war eine Gasmaske, die sich schwarz gegen den Schnee abhob. Der

Gewehrlauf richtete sich direkt auf Jesses Kopf, und Mattheos Nackenhaare stellten sich auf. Jetzt war er nicht außen vor. Nicht hier. Nicht heute!

Er zog die Handschuhe aus und entriegelte die Armbrust. Presste den Schaft gegen die Schulter und richtete das Zentrum des Fadenkreuzes auf den Nacken des Mannes mit dem Gewehr. Es würde so schnell gehen, dass es fast ein Jammer war. Er hätte diesen Moment gerne ausgekostet, langgezogen wie eine Slow Motion in den Sportübertragungen. Sein Zeigefinger krümmte sich, er spürte den Druck, das kalte Metall des Abzugs, das ihm fast die Haut vereiste.

In diesem Moment sah Jesse zu ihm hinüber. Es war ein winziger Augenblick. Von der Länge eines Flügelschlags. Trotz der Gasmaske glaubte Mattheo zu sehen, dass Jesse ihn zwischen den Tannen erkannte.

Du wirst mir dankbar sein, dachte Mattheo.

Sein Finger krümmte sich weiter. Er wollte flach atmen, ruhig sein, cool, doch sein Herz hämmerte.

Plötzlich flog der Kopf des Mannes mit dem Gewehr herum, folgte der Richtung von Jesses kurzem Blick, als hätte er Verdacht geschöpft. Mattheo wurde zu Stein. Ungläubig starrte er durch das Zielfernrohr. Sein Finger wurde schlaff, die Feder drückte den Abzug zurück in die Ausgangsposition.

Der Mann mit dem Gewehr war *auch* Jesse.

Das musste ein Trugbild sein. Eine Sinnestäuschung. Hatte er nicht gerade gesehen, dass Jesse sich die Gasmaske übergezogen hatte? Der Mann, der *zweite* Jesse, riss das Gewehr herum, legte auf ihn an. Ungläubig sah Mattheo in die zwei schwarzen Mündungslöcher der Flinte, nicht größer als Zweicentmünzen und auf die Entfernung gerade einmal so groß wie zwei Stecknadelköpfe. Er sah die Mündung zucken. Reflexartig drückte er den Abzug der FireForce. Das trockene Schnalzen der Sehne und der Knall des Schusses überlagerten sich. Dann schlug ihm ein Hammer ins Gesicht und riss alles davon, was einmal Mattheo gewesen war.

Kapitel 59

Jesse sah roten Nebel zwischen weißen Zweigen explodieren. Ein scharfes Sirren durchschnitt die Luft zwischen Raphael und ihm. Im nächsten Moment war Mattheos Kopf verschwunden, wie abgetaucht, als hätte Matteo sich im letzten Moment beiseitewerfen können. Der Schuss hallte vom Berg wider.

Jesse stürzte sich auf Raphael, der sich in genau diesem Moment umdrehte. Jesse bekam den Lauf des Gewehrs zu fassen und drückte ihn beiseite. Der zweite Schuss löste sich. Schnee regnete von einer Tanne.

Das Gewehr war jetzt zwischen ihnen wie ein Knüppel. Jesse hatte es mit beiden Händen gepackt, und sie rangen darum. Raphaels Gesicht war eine von Hass entstellte Fratze. Er war stark und besser in Form als Jesse, und die Gasmaske, die Jesse hatte aufsetzen müssen, schränkte sein Sichtfeld ein. Er sah alles wie durch einen Filter, als wäre er nicht Teil von dem, was da draußen vorging. Sein panischer Atem stieß heiß in die Maske. Lange würde er so nicht standhalten können. Und das Gewehr war immer noch eine gefährliche Waffe, selbst wenn es gerade nicht mehr geladen war.

Jesse ging jäh in die Knie, gab mit dem linken Arm ebenso plötzlich nach und tauchte unter dem Gewehr durch. Raphael reagierte zu spät. Seine Kraft ging plötzlich ins Leere, er fiel vornüber, an Jesse vorbei, und riss ihn mit. Sie landeten beide im knietiefen Schnee. Ein heißer Schmerz zuckte durch Jesses Hüfte. Er biss die Zähne zusammen, wand seinem Bruder das Gewehr aus den Händen. Raphael rappelte sich auf, stolperte ein paar Schritte durch den Schnee, weg von Jesse. Ohne ihn aus den Augen zu lassen, griff er hinter seine Schulter, löste eine Schlaufe und fasste nach dem Holzstiel, der dort hervorragte. Jesse zog sich hastig die Gasmaske vom Kopf und warf sie nach seinem Bruder. Die Haltebänder aus Gummi flatterten in der Luft. Wie ein zerrupfter schwarzer Klumpen eierte die Maske an Raphael vorbei und landete in einer Schneewehe.

Raphaels Lippen kräuselten sich zu einem bösen Lächeln. Hinter seinem Rücken hob er eine Axt hervor. Seine Fäuste schlossen sich um den langstieligen Schaft. Seine Finger fassten mehrfach nach, als wollten sie sich warmgreifen.

Jesse packte das Gewehr am kalten glatten Lauf, den Kolben erhoben wie das Ende eines Baseballschlägers. Heißer Atem dampfte vor ihren Mündern und wurde vom leichten Wind davongetrieben.

Mit einer plötzlichen fließenden Bewegung ließ Raphael die Axt sinken, schwang sie in einem weiten Kreis nach hinten und über seinen Kopf. Jesse riss das Gewehr hoch und fasste es an beiden äußeren Enden. Der Keil fuhr herunter, als gelte es einen Stamm zu spalten. Krachend ging der Hieb gegen den Gewehrlauf, nicht mehr als eine halbe Armlänge über Jesses Kopf.

Raphael hatte Übung im Umgang mit der schweren Axt, schwang sie erneut im Kreis und schlug wieder und wieder zu. Jesse hielt mit aller Kraft und angewinkelten Armen den Gewehrlauf quer gegen die heranfliegende Axt. Raphael keuchte bei jedem Hieb mit der Axt, und das Klingen von Metall auf Metall hallte von den Berghängen wider.

Jesse wich unter den Schlägen zurück, taumelnd, im tiefen Schnee, ohne einen Blick hinter sich riskieren zu können. Er streifte Büsche und Äste, von denen plötzlich Schnee regnete. Der Lauf der Flinte begann sich vom Holzschaft zu lösen. Nicht mehr lange, und das Gewehr würde auseinanderbrechen. Trotz der Kälte brach ihm der Schweiß aus. Schritt für Schritt zog er sich weiter zurück. Irgendwo hinter ihm musste Mattheo liegen – und die Armbrust. Er wusste, dass ihm keine Zeit für das Laden der unhandlichen Waffe bleiben würde, aber ein stabiler Karbonpfeil in der Faust war fast so gut wie ein Messer.

Raphael hatte jetzt aufgehört, unentwegt die Axt zu schwingen. Er atmete schwer und sparte seine Kräfte. Mit eisigem Blick fixierte er Jesse, die Axt drohend in den Händen, und folgte ihm Schritt auf Schritt. Mit einem Mal spürte Jesse ebenen Boden unter seinen Füßen. Links und rechts waren weder Bäume noch Büsche, nur freie Fläche und Schnee auf glattem Eis. Jesse riskierte einen kurzen Blick zur Seite. Er befand sich auf dem zugefrorenen Seebensee. Wind fegte ihm in den Rücken und trieb weiße Schlieren vor sich her.

Raphael lachte plötzlich und blieb stehen. »Hast du Angst? Du magst keine zugefrorenen Seen, oder?«

Jesse biss sich auf die Lippen, wich weiter zurück. Unter seinen Füßen knackte es.

»Weißt du, was das Schöne an diesem See ist? Ich kenne ihn. Ich kenne jeden Winkel und jede Untiefe. Ich bin hier Schlittschuh gefahren, jeden Winter. Und weißt du, wofür der Unterschied zwischen flachem und tiefem Wasser entscheidend ist?«

Eine kalte Faust schloss sich um Jesses Herz. Mit einem Mal wusste er, warum Raphael stehen geblieben war.

»Für die Eisdicke.« Raphael hob die Axt und schlug sie vor sich ins Eis. Der Boden unter Jesses Füßen knirschte bedrohlich.

»Und hier, wo ich stehe, ist der See flach und das Eis

trägt. Aber da, wo du stehst ...« Ein weiterer Hieb schlug ins Eis. »... fällt der See steil ab ...«

Jesse sah zum Ufer, das nach links vielleicht gerade einmal zehn Meter entfernt war, und setzte sich in Bewegung, langsam genug, um das Eis nicht zu erschüttern, aber schnell genug, um das rettende Ufer zu erreichen. Ein weiterer Axthieb erschütterte den Boden. Es knackte unheilschwanger. Dann brach das Eis. Er ließ das Gewehr los, fasste nach vorn, nach irgendeinem Halt, den es nicht gab, und fiel in die Tiefe, als hätte jemand eine Falltür geöffnet.

Das Wasser war schwarz und lähmend, schlug klatschend über seinem Kopf zusammen. Einen Moment lang war da nichts außer einem sanften Gurgeln in den Ohren und dem Kälteschock. Dann kam die Panik, das Bewusstsein, nicht schwimmen zu können. Er ruderte wild mit Armen und Beinen. Gegen die lähmende Kälte, gegen das Wasser. Bekam den Kopf aus dem Wasser gestreckt und schnappte nach Luft. Um seine Brust zog sich ein eisernes Band zusammen. Er griff nach dem rettenden Rand des Eises. Raphael ragte in sicherem Abstand vor ihm in den blau werdenden Himmel, mit *seiner* Jacke, *seinen* Boots, die Axt in beiden Händen.

Der Rand des Eises brach unter Jesses Griff. Das Gewehr, das er hatte fallen lassen und das noch auf dem Eis gelegen hatte, rutschte ins Wasser. Der Kolben aus Holz trieb noch einen Moment an der Oberfläche, setzte sich zur Wehr, bis der doppelte Metalllauf ihn nach unten zog. *Zwillingsläufe*, dachte Jesse noch. Die Sonne brach hervor und stach ihm in die Augen. Zwischen seinen Wimpern zitterten Wassertropfen wie tausend kleine Lupen.

»Kein Wilbert, der kommt, um dich zu retten«, sagte Raphael.

Kapitel 60

Artur zuckte zusammen, als der erste Knall die Stille zerriss. Nur die Fesseln hielten ihn noch aufrecht sitzend am Pfosten. Seine Hände waren straff über Kreuz gebunden, klemmten zwischen Steißbein und Pfosten und waren längst gefühllos, so wie seine ganze linke Gesichtshälfte. Nur seine Beine waren nicht gefesselt und lagen lang ausgestreckt am Boden. Dort, wo die Schraube ins Bein gedrungen war, hatte sich die Hose rot verfärbt. Er war froh, mit Isa Rücken an Rücken zu sitzen, mit dem Pfosten dazwischen, so dass ihr der Anblick des Blutes erspart blieb.

»Was war das?«, flüsterte Isa.

Der zweite Knall kam wie eine rasche Antwort und hallte von den Bergen wider.

»Schüsse«, murmelte Artur schwerfällig.

»Ist das Papa?«

»Das hoffe ich«, stöhnte Artur. Aber er glaubte nicht wirklich daran, wenn er ehrlich war. Dabei hatte er sich vorgenommen, ab jetzt ehrlich zu sein. Doch wie sollte er Isa seine Sorge erklären, dass ihr Entführer der Schütze war?

»Meinst du, das war dieser ... Raphael?«

Sofort schämte er sich. Es half ja nichts. Die Wahrheit kam ja doch ans Licht. »Dein Papa ist ein ganz schön zäher Kerl. Den erwischt man nicht so leicht.«

Isa schluchzte auf. »Wie heißt Papa jetzt eigentlich? Jesse oder Raphael? Was soll ich denn zu ihm sagen?«

»Na, Papa, oder?«

Sie schniefte geräuschvoll. »Ja, aber der Name?«

»Ich finde«, nuschelte Artur, »er heißt Jesse. Warum sollte jemand anderer heißen dürfen wie dein Papa.«

»Niemand darf heißen wie mein Papa.« Sie schwieg einen Moment. »Du, Artur. Wann hast du es eigentlich gemerkt?«

»Was gemerkt?«, fragte er, um sich etwas Zeit zu verschaffen. Dabei wusste er nur zu gut, wie die Frage gemeint war.

»Das mit dem Tausch.«

Er stöhnte, versuchte, beim Sprechen die Lippen so wenig wie möglich zu bewegen. »Das kam erst später. Dante, unser Koch, hat Jesse im Morgengrauen bewusstlos an der Hintertür der Küche gefunden.« Artur schwieg einen Moment. Es fiel ihm schwer, die Bilder auf Abstand zu halten. Jesse war in einem grauenvollen Zustand gewesen. Nackt, beschmiert mit Erde und Blut aus der Wunde in seinem Rücken, mit abgebrochenen Fingernägeln, einem verdrehten, gebrochenen Bein und einer Schwellung am Kopf. Bis heute begriff er nicht, wie Jesse es, von wo auch immer, bis zur Tür des Heims geschafft hatte. »Wir haben ihn sofort ins Krankenhaus gebracht. Ich konnte erst zwei Wochen später die ersten paar Worte mit ihm wechseln. Aber er hat sich an nichts erinnert. Auch später nicht.« Artur sah hinab auf sein blutiges Hosenbein. Herrgott, eigentlich hatte er es von Anfang an geahnt. Der Jesse, der da vor ihm gelegen hatte im Krankenbett, hatte eine viel schmalere Statur gehabt. Den anderen war es später nicht aufgefallen. Kein Wunder, nach dem längeren Krankenhausaufenthalt.

»Aber wann hast du es denn gemerkt?«, fragte Isa.

»Vielleicht habe ich es eher gespürt, weißt du. Die beiden sind sich sehr ähnlich, aber auch sehr ... also die Art zum Beispiel, wie die beiden sind, wenn sie ihren Willen durchsetzen ...« Er verstummte. Plötzlich wurde ihm bewusst, wie absurd es war, dass sie hier saßen und redeten, während dort draußen geschossen wurde. Aber Isa schien es gutzutun, es lenkte sie ab, also fuhr er fort. »Raphael hat es leider nicht gut erwischt damals. Jesse dagegen schon. Irgendwie war er immer ein bisschen ein Glückskind. Das mit dem Unfall, der Tausch, das hätte es umdrehen können. Hat es aber nicht. Raphael war immer …«, er suchte nach Worten, »… Raphael wollte immer durch die gleiche Tür wie Jesse. Aber jeder hat irgendwie seine eigene Tür, verstehst du? Jesse hat seine gefunden und ist durch. Raphael auch, aber dann hat er sich immer umgedreht und gedacht, hinter den Türen der anderen ist es viel besser. Er hatte immer diesen Gesichtsausdruck von einem, der dauernd denkt, dass er beim Kartenverteilen betrogen wird. Vielleicht war's sogar so. Manchmal tat er mir richtig leid. Aber er war ziemlich schlau und hat angefangen, den Spieß umzudrehen. Nur dass er dabei kein Ende gefunden hat. Das kam nicht gut an. Aber keiner hat was gesagt, weil alle Angst vor ihm hatten.«

»Du etwa auch?«

Artur dachte daran, wie er ihn damals ins Loch gesperrt hatte. Noch nie hatte er so einen Blick gesehen, so hart, so voller Hass. ›Eines Tages bringe ich dich um, alter Mann‹, und in seinen Augen hatte er lesen können, dass jedes Wort so gemeint war. Noch heute bekam er eine Gänsehaut, wenn er daran dachte. »Vielleicht«, murmelte Artur.

»Warum hast du nichts gesagt, als du es gemerkt hast?«

»Ich weiß«, murmelte Artur. »Ich hätte etwas sagen müssen.« Aber das Gegenteil hatte er getan. Auch als Wolle zu ihm gekommen war und ihm von der Brandnarbe in Form eines Bügeleisens auf Jesses Brust erzählt hatte und dass die Narbe jetzt plötzlich verschwunden sei – auch da hatte er alles getan, um Wolle zum Schweigen zu zwingen. Wolle hatte gewusst, dass etwas nicht stimmte. All die Jahre lang. Und es war ihn verflucht teuer zu stehen gekommen. Wer hätte damals ahnen können, dass es ihn eine ganze Wirtschaft kosten würde, den erwachsenen Wolle zufriedenzustellen.

In der Rückschau sah alles so anders aus. So unverzeihlich. Was war wirklich der Grund für sein Schweigen gewesen? Feigheit? Die Erleichterung, ihn los zu sein? Vielleicht sogar die verrückte Idee, dass es eine ausgleichende Gerechtigkeit geben könnte. Ein bisschen Wiedergutmachung für die Hölle, in der Raphael bei seinem Vater hatte schmoren müssen. Und so schlecht hatte Jesse es am Ende doch im Heim gar nicht getroffen.

So sehr heute alles, was er getan hatte, falsch war, so richtig war es ihm damals erschienen. Was es nicht besser machte. Besonders wenn man es mit Isas Augen sah. »Es tut mir leid«, sagte er leise. »Furchtbar leid. Aber jetzt müssen wir etwas planen.«

»Planen? Aber was denn?«

»Was wir machen, wenn dein Vater hier hereinkommt.«

»Er kommt bestimmt«, sagte Isa mit Nachdruck.

»Aber woher wissen wir, dass es *wirklich* dein Vater ist?«

Isa schwieg einen Moment. Man hätte eine Stecknadel fallen hören können.

»Ich erkenne doch Papa.«

»Vielleicht. Aber wie gesagt, Raphael ist schlau. Und er hat es schon einmal geschafft, alle glauben zu lassen, er wäre sein Bruder. Zumindest eine Zeitlang.«

Isa fing an zu weinen.

»Wir müssen uns darauf vorbereiten, dass er uns täuschen will. Wenn er glaubt, dass er gewonnen hat, ist er am schwächsten.« Artur sah zur Luke, die nicht weit von seinen Füßen entfernt war. »Das ist der Moment, den wir nutzen müssen.«

Kapitel 61

Jesse war kaum eine halbe Minute im Wasser. Die Kälte hielt ihn eisern gepackt. Erneut klammerte er sich an die Abbruchkante, strampelte verzweifelt mit den Beinen und war, nach dem ersten Schock, erstaunt, wie viel Auftrieb ihm das gab. Einen Meter entfernt stand Raphael, unerreichbar und breitbeinig, auf scheinbar sicherem Grund, die Axt in einer archaischen, machttrunkenen Haltung vor der Brust. Das Gewehr mit dem verbogenen Doppellauf sank zusehends dem dunklen Seegrund entgegen. Der Kolben schimmerte hell unter der Oberfläche. Jesse überwand seine Panik, ließ mit einer Hand vom Eis ab, griff nach dem Holz der Waffe und geriet dabei mit Mund und Nase unter Wasser. Er bekam das Gewehr zu fassen, musste husten und strampelte noch wilder, um nicht unterzugehen. Das Gewehr hielt er mit der Rechten nach vorn, so dass es für Raphael unter der Abbruchkante unsichtbar blieb.

Jesse wusste, dass er nur eine Chance hatte – und dass er zu langsam sein würde. Das Wasser hemmte seine Bewegungen, und die Kälte lähmte seine Muskulatur. Er sah zu Raphael hoch. Ihre Blicke trafen sich. Er hätte gedacht, Triumph in seinem Gesicht zu finden, Hohn oder Verachtung. Doch da war nichts von alledem. Raphaels Blick war plötzlich still und beherrscht. Eine bedrohliche, alles beherrschende Müdigkeit überkam Jesse, und er zwang sich, zu handeln. Sein Blick ging an Raphael vorbei zum Haus, und er riss die Augen auf. »Isa!«

Raphael fuhr herum.

Jesse stieß das Gewehr aus dem Wasser, schräg nach oben auf Raphael zu, und rammte die Mündung des Doppellaufs in seinen Schritt.

Sein Bruder stieß einen erstickten Schrei aus, fiel auf die Knie und sackte zu Boden. Das Eis unter ihm knackte, barst jedoch nicht. Wasser leckte über die Oberfläche. Raphael krümmte sich stöhnend, schaffte es jedoch, die Axt wie einen Stößel übers Eis in Jesses Richtung zu rammen. Schnee und Eispartikel stoben wie Funken. Jesse warf den Kopf beiseite und tauchte unfreiwillig unter. Strampelte. Reckte den Kopf wieder über Wasser und sog panisch Luft ein. Der Bart der Axt hatte sich an der Abbruchkante verhakt. Raphael zog am Stiel, bekam die Axt jedoch nicht frei.

Rasch griff Jesse nach dem anderen Ende des Stiels direkt über dem eisernen Kopf der Axt und hängte sich mit seinem ganzen Gewicht daran, während Raphael verbissen in die andere Richtung zog und dabei versuchte, wieder auf die Beine zu kommen. Sein Gesicht war bleich und zornig. Das Eis ächzte unter seinem Gewicht, weigerte sich aber zu brechen.

Jesses Muskeln waren so zäh von der Kälte, als wären Sehnen, Gelenke und Blut verklumpt. Die Kraft reichte nicht. Und so sehr er wusste, dass es nur der lähmenden Kälte geschuldet war, er sehnte sich nach Ruhe. Nach Loslassen. Nach einem Ende. Etwas in ihm beschwor das Bild von Sandra herauf. Blutend, mit leerem Blick in ihrer Wohnung. Und Isa, die mit diesem Ungeheuer aufwachsen würde, wenn er jetzt aufgab.

Das ließ ihn alle Kraft zusammennehmen, er zog sich am Stiel der Axt hoch, bekam die Schultern aus dem Wasser, hob die rechte Hand, die sich um das Gewehr klammerte wie um eine Harpune, und stieß den Gewehrlauf mitten in Raphaels Gesicht. Die Mündung traf seinen Bruder in die Augenhöhle.

Der Schrei war markerschütternd.

Raphael ließ die Axt los, und Jesse fiel zurück in den See. Das Wasser schlug glucksend über ihm zusammen. Erneut überkam ihn Panik, er ruderte mit den Armen. Viel zu langsam. Die Axt glitt ihm aus der Hand, das Gewehr, das er krampfhaft festhielt, schabte dumpf am Eis über ihm. Plötzlich berührten seine Füße den Grund. Er konnte stehen! Ging unter Wasser in die Knie. Hart stieß er sich ab, schnellte nach oben, schlug mit dem Kopf an die geschlossene Eisdecke und bekam erneut einen Panikschub. Rudernd erwischte er mit einer Hand die Abbruchkante, zog sich unter dem Eis hervor. Bekam prustend den Kopf über Wasser. Japsend klammerte er sich an die Kante, die vom schwappenden Wasser glattgewaschen war. Viel zu glatt, um sich darauf nach oben zu stemmen.

Er nahm das Gewehr, die Mündung voran, holte aus, so gut es ging, und hieb den Lauf in die Eisfläche, doch er wollte nicht stecken bleiben. Raphael hielt sich das Gesicht und robbte zum Ufer des Sees. Jesse versuchte ein weiteres Mal, den Lauf ins Eis zu rammen, an der gleichen Stelle. Und wieder. Und wieder. Bis die Mündung knirschend durchs Eis brach.

Er steckte das Gewehr so tief ins Loch, dass es sich verkeilte. Dann packte er mit beiden Händen den Kolben, der aus dem Eis ragte wie ein Pfahl, und zog sich aus dem Wasser. Zitternd kam er auf dem Eis zu liegen.

Als Raphael ihn sah, drang etwas aus seiner Kehle, das sonst nur ein Tier von sich hätte geben können; ein wütendes Fauchen und Brüllen zugleich. Er nahm die Hände vom Gesicht, und Jesse erschrak. Da, wo früher das Auge gewesen war, war jetzt nur noch eine blutende Wunde. Mit bebenden Fingern schob Raphael seine Jacke hoch und fingerte am Gürtel. Das Metall einer Messerklinge blitzte, reflektierte die weiße Gebirgsidylle um sie herum. Rasend vor Zorn und Schmerz wankte Raphael auf ihn zu, in der Faust ein Jagdmesser.

Jesse versuchte, auf die Beine zu kommen, stützte sich auf den Gewehrkolben. Er schwankte, stand, sah Raphael näher kommen und rüttelte verzweifelt am Gewehr, das sich im Eis verkeilt hatte. Gott! Warum bewegte sich das Teil nicht? Er riss den Kolben nach links, dann nach rechts.

Raphael war nicht mehr als fünf Schritte von ihm entfernt.

Drehen, vielleicht drehen!

Er riss den Kolben im Uhrzeigersinn herum. Das Eis knirschte, und mit einem Ruck kam das Gewehr frei.

Jesse zog es aus dem Loch. Sah Raphael ausholen. Nach ihm stoßen – und wich aus. Der Stich ging ins Nichts, doch Raphael drehte das Messer geschickt in der Hand und attackierte mit ausladenden Schwüngen Jesses Hals. Jesse wich zur Seite, fasste den Lauf des Gewehrs und schwang es wie einen Knüppel waagerecht durch die Luft. Die Wassertropfen vom Kolben beschrieben einen Bogen. Dann traf das Hartholz Raphaels Kopf. Der Schlag ließ Jesses Arme zittern bis in die Brust hinein.

Raphael fiel, ohne jede Gegenwehr.

Das Eis bebte kurz, als hätte ein weit entferntes Flugzeug die Schallmauer durchbrochen.

Jesse sank in die Knie, stützte sich am Gewehr ab.

Plötzlich war es still. Ein leichter Wind fegte übers Eis. Das gerade erst zutage getretene Blau wich einem Violett. Lange, in den Spitzen zerfasernde Schatten streckten sich über den See. Raphaels unversehrtes Auge blickte leer in die Ferne. Er war tot.

Jesses Zähne begannen zu klappern.

Seine Hände wollten ihm nicht gehorchen. Er zwang sich, die eiskalte nasse Kleidung auszuziehen bis zum letzten Stück Stoff. Es dauerte viel zu lange, bis er Raphael entkleidet hatte. Schlotternd hüllte er sich in die trockene Kleidung. Sah zum Haus. Er tastete die Jackentasche ab und fand einen Schlüssel.

Schwankend stapfte er auf das Gebäude zu. Hier war er also einmal zu Hause gewesen. Er betete inständig, im Innern Isa zu finden. Im tiefen Schnee die Füße zu heben, raubte ihm die letzten Kräfte. Das Bild von Raphaels unbekleideter Leiche am Seeufer verfolgte ihn bei jedem Schritt.

Kapitel 62

Richard Messner war als Erster in den Flur vor Arturs Zimmer getreten und hatte sich vergewissert, dass niemand in der Nähe war. Dann hatte er Jule aus dem Zimmer gewinkt und ihr mit vorgehaltenem Gewehr, das immer noch im Futteral steckte, zu verstehen gegeben, dass sie vorangehen sollte. Ella Wisselsmeier lief hinter ihnen her und stieß ihren Gehstock im Rhythmus ihrer schwerfälligen Schritte hart auf den Boden.

Jules Gedanken überschlugen sich. Sie bekam die Zusammenhänge nicht mehr sortiert. Sie begriff nur so viel: Die Wisselsmeier hatte beschlossen, Charly und sie verschwinden zu lassen.

Mit jedem Schritt wuchs Jules Furcht. Als sie den Fuß auf die Flurtreppe setzte, drückte Richard Messner ihr die Waffe ins Kreuz. »Nicht hier. Rüber zur Tür am anderen Ende. Wir nehmen die Wendeltreppe.«

Jule gehorchte. An der Tür angekommen, öffnete Richard mit seinem Generalschlüssel. Offenbar wurde die Wendeltreppe selten benutzt. Die Wände waren rundgehauen und nackt; es gab nicht einmal einen Handlauf, nur alle paar Meter eine verstaubte Lampe in einer Nische. Auf den eng gewendelten Stufen knirschten Steinkrümel unter Jules Sohlen. Über ihr schnaufte Ella Wisselsmeier. Sie schien mit der Treppe die größten Schwierigkeiten zu haben, allein schon wegen ihrer Körperfülle.

Jule wusste, dass sie mit jeder Stufe ihrem Ende näher kam. Doch die Enge der Wendeltreppe erschien ihr alles andere als geeignet für einen Fluchtversuch. Sie erinnerte sich an eine Burgbesichtigung mit ihrer Mutter, und daran, wie fasziniert ihr Bruder von den Schwertkämpfen in alten Burgen gewesen war. Wendeltreppen, so hatte der Führer ihnen damals erklärt, seien immer im Uhrzeigersinn nach oben gewendelt, damit die Angreifer, die von unten kamen, ihre Schwerter schlechter aufwärts führen konnten. Die Verteidiger konnten mit der rechten Schwerthand dagegen von oben wirkungsvoll um die Kurve stechen.

Sie warf einen Blick über die Schulter. Richard Messners Gewehr pendelte im Rhythmus der Stufen. Doch erst jetzt fiel ihr auf, dass Messner offenbar kein Rechtshänder war. Er hielt die Flinte in der linken Hand. Die Waffe war viel zu lang und zu unhandlich, um sie in der Enge der Treppenwindung wirkungsvoll auf Jule zu richten. Dafür würde er das Gewehr in der rechten Hand halten müssen.

Das Herz schlug Jule bis zum Hals.

Ella Wisselsmeiers Schnaufen hallte von den Steinen wider. Die nächste Lampe schüttete ihr Licht über Jule aus. Kaum ging sie vorüber, wuchs ihr Schatten, und es wurde für einen Moment dunkler. Sie traf die Entscheidung in einem Sekundenbruchteil. Mit ein paar hastigen Schritten nahm sie mehrere Stufen auf einmal, betete, nicht zu stolpern.

Messner stieß einen überraschten Fluch aus, aber sie war schon außerhalb der Schusslinie.

»Halt!«, brüllte Messner. Seine Schritte wurden schnell.

»Schieß, verdammt«, rief Ella Wisselsmeier.

Jule blieb abrupt stehen, wandte sich nach oben und drückte sich an die Innenseite der Treppe. Messner eilte ihr entgegen, das Futteral mit dem Gewehrlauf erschien hinter der Biegung. Jule griff mit beiden Händen danach und zog mit aller Kraft daran. Mit einem überraschten Schrei stürzte Messner vornüber die Stufen hinunter und landete vor Jules Füßen. Gedämpft von der Hülle schlug das Gewehr auf die Stufen.

Ella Wisselsmeier brüllte vor Wut und hastete treppabwärts auf sie zu, mit einer Geschwindigkeit, die Jule einer so schweren und ältlichen Frau niemals zugetraut hätte. Jule stieg über Richard Messner hinweg, der stöhnend versuchte, sich aufzurichten. Er bekam Jules Hosenbein zu fassen, doch sie trat nach ihm, und er ließ los.

Jule bückte sich, wollte das Gewehr an sich nehmen, aber Messner hatte sich den Tragegurt des Futterals geangelt und zog daran. Im selben Moment stampfte Ella Wisselsmeier um die Biegung, holte aus und schlug mit dem Stock nach ihr. Jule duckte sich in letzter Sekunde. Krachend prallte das Hartholz gegen die Steinspindel der Treppe.

Jule ließ vom Gewehr ab und flüchtete, so schnell es ging, die Stufen hinab. Auf der engen Treppe war sie im Vorteil.

»Steh auf, du Idiot«, schimpfte die Wisselsmeier atemlos. Messner schien nur schwer auf die Beine zu kommen und stöhnte. Jule brach der Schweiß aus. Die Drehung der Treppe machte ihrem Gleichgewichtssinn zu schaffen. Über ihr ertönten jetzt entfernte Schritte. Die beiden hatten wieder die Verfolgung aufgenommen.

Als Jule das untere Ende der Treppe erreichte, stand sie vor einer Tür. Sie drückte die Klinke, warf sich dagegen und wäre beinah gestürzt, als die Tür weit aufschwang. Hier unten war es finster und roch nach Keller. Nur das spärliche Licht der Wendeltreppe fiel ein paar Meter weit in den Gang. War das der neue Teil des Kellers oder der alte Teil jenseits der Tür, die Jesse aufgebrochen hatte?

Jedenfalls ging es nur nach rechts weiter. Links schien eine Sackgasse zu sein. Sie warf die Tür hinter sich zu und tastete sich mit schnellen Schritten an der Wand entlang. »Charly«, rief sie leise.

Doch Charly antwortete nicht.

An der nächsten Kreuzung eilte sie nach links um die Ecke. »Charly, wo bist du?«

Im Gang hinter ihr flog die Tür auf. »Oh, verdammt, ist das dunkel hier«, fluchte die Wisselsmeier.

»Komm raus«, rief Messner, »sonst erwischt's dich.«

»Was soll die Warnerei, jetzt mach!«

Ohrenbetäubend laut peitschte ein Schuss durch den Gang. Schrotkugeln prallten von den Wänden ab. Jule war heilfroh, dass sie nicht geradeaus, sondern nach links gelaufen war.

»Bild dir ja nicht ein, ich hätte nicht genug Munition.«

Jule eilte verzweifelt weiter. Hinter ihr knirschten Schritte. Messner kam durch den Gang. Ihr traten Tränen in die Augen. Früher oder später würde er sie mit einer Schrotladung erwischen. Im selben Moment fasste eine Hand nach ihr. »Nicht da lang!«, flüsterte eine Kinderstimme.

»Charly!«, hauchte Jule.

»Pssst.« Das Mädchen zog sie am Ärmel, zwei Schritte zurück und dann nach rechts.

Ein weiterer Schuss krachte. Das Schrot flog durch den Gang, in dem Jule eben noch gestanden hatte. Messner fluchte, und sie hörte einen Metallverschluss klicken. Offenbar lud er nach.

Charly zog sie in atemberaubender Schnelligkeit durch den finsteren Gang. Dann stieß sie eine Tür auf, trat mit Jule ein und drückte die Tür leise hinter ihnen zu. Licht flammte auf. Charly steckte rasch einen Schlüssel ins Türschloss und drehte ihn um.

»Gott sei Dank!«, stöhnte Jule. Sie blinzelte ins Licht. Das Mädchen sah aus wie ein blonder Derwisch. »Charly, du hast echt was gut bei mir.«

Charly grinste schief und zog sie von der Tür weg. Erst jetzt registrierte Jule, dass sie in dem Gang waren, der zum

Torhaus führte. Sie tastete nach dem Autoschlüssel in ihrer Hosentasche und seufzte erleichtert, als sie den buckeligen Volvo-Schlüssel fühlte.

»Charly, wir müssen hier weg. Die wollen nicht nur mich, die suchen auch nach dir.«

In Charlys Gesicht war nicht die geringste Überraschung, nur Furcht. Gemeinsam hasteten sie los. Im Torhaus zog Jule Charly sofort in die Küche, zur Hintertür hinaus, unter den Carport. Mit klopfendem Herzen sah sie um die Ecke in Richtung Haupthaus.

»Siehst du den kleinen Wald da drüben?« Jule zeigte auf den Parkplatz. »Da steht mein Auto.«

Charly nickte.

Ein letzter Blick, dann liefen sie durch den Schnee. Ängstlich sah Jule immer wieder zum Haupthaus, erwartete, dass sich jeden Moment die Tür öffnete. Würde Messner es wagen, hier draußen auf sie zu schießen?

Der Parkplatz war tief verschneit. Der Volvo ebenfalls.

»Komm, hilf mit.« Sie begann mit Händen und Armen den Schnee vom Wagen zu schaufeln. Charly ging in die Knie und grub direkt hinter den Reifen.

»Was machst du da?«, fragte Jule.

»Das machen die Männer immer, wenn ein Wagen eingeschneit ist.«

Als der Wagen halbwegs frei war, stiegen sie ein, zogen die Türen leise zu. Jule wusste, dass das Geräusch des startenden Motors sie verraten konnte. Sie betete, dass der Wagen direkt ansprang.

Was er tat.

Knirschend lösten sich die Räder. Die Ketten klimperten, und der Cross Country holperte durch den Neuschnee. Jule bog auf die kleine Hauptstraße ab. Im Rückspiegel tauchte die Steinfassade von Adlershof auf. Rauch stieg aus einem der Schornsteine. Von Messner war nichts zu sehen, auch nicht, als Jule über die Kuppe fuhr und den Hang erreichte.

Sie atmete auf und steuerte den Wagen konzentriert durch die Serpentinen. Die Heizung lief auf Hochtouren. Ihre Hände zitterten. »Danke, Charly. Du hast mir wirklich das Leben gerettet, weißt du das?«

Charly nickte. Ihre Ärmel waren wie Jules weiß vom Schnee. »Muss ich wieder dahin zurück?«

»Nein. Bestimmt nicht. Aber verrätst du mir, warum du dich eigentlich versteckt hast?«

»Wegen dem Messner und der vom Jugendamt.«

»Das habe ich jetzt verstanden«, meinte Jule. »Aber *warum*?«

»Die verkaufen mich sonst.«

»Verkaufen?«, fragte Jule entsetzt. »Wie meinst du das?«

»Na ja. Die geben einen weg, zu neuen Eltern. Aber manchmal sind das keine guten Eltern. Oder auch gar keine Eltern. Wie bei Tinkerbell.«

Jule erinnerte sich an das dickliche Mädchen in der Küche und bekam eine Gänsehaut. »Was war denn mit Tinkerbell?«

»Tinker ist wieder zurückgekommen. Die waren nicht zufrieden mit ihr, hat sie gesagt, sie hätte immer zu viel gegessen und wäre zu dick. Dann haben sie ihnen Thea mitgegeben. Das war letztes Jahr.«

Jules Hände krampften sich ums Lenkrad. Sie musste sich zusammenreißen, um nicht den Wagen gegen einen Baum zu setzen.

»Tinker war echt schlau«, sagte Charly. »Die anderen sind nie zurückgekommen. Aber ich hatte keine Lust, so viel zu essen wie Tinker, damit die mich in Ruhe lassen.«

»Charly, du bist ganz schön clever!«

Das Mädchen sah sie an, grinste und begann plötzlich zu weinen.

»Hey, ist schon gut«, flüsterte Jule. »Ich bin doch bei dir.«
Sie hätte sie gerne in den Arm genommen, doch sie brauchte beide Hände am Steuer. »Sag mal, weißt du, wo in Garmisch ein Polizeirevier ist?«

Charly schniefte und nickte. »Klar. Ich bin doch vorher schon ausgerissen. Da bringen sie einen immer hin. Und dann kommt die Dicke vom Jugendamt.«

»Ich verspreche dir«, sagte Jule grimmig, »die kommt dieses Mal auch.«

»Aber du hilfst mir dann?«

»Und wie ich dir helfe!«

Kapitel 63

»Artur«, flüsterte Isa.

Sie bekam keine Antwort. Jetzt bloß nicht weinen, dachte sie. Wenn sie einmal damit anfing, dann würde sie vielleicht nicht mehr damit aufhören können.

»Ar-tur!«

Sie horchte in die Stille. War da nicht ein leises Atmen? Wenn er noch atmete, konnte er doch nicht tot sein! Sie hätte sich gerne zu ihm umgedreht, nach ihm gesehen und sich an ihn gekuschelt, aber egal, wie sehr sie sich wand, der Pfahl und die strammen Fesseln ließen es nicht zu. Dort, wo ihr das Seil in den Hals geschnitten hatte, tat es immer noch weh, als trüge sie eine unsichtbare und zu enge Halskette.

Wie lange war es jetzt her, dass sie die Schüsse gehört hatten? Eine halbe Stunde? Eine ganze? Sie war schon immer schlecht darin gewesen, die Zeit zu schätzen. Zeit hatte die blöde Angewohnheit, nicht zuverlässig zu sein. Mal war sie lang, mal kurz. Jetzt war sie endlos.

Auf der Treppe hörte sie ein Knarzen. Die Angst schoss ihr in die Glieder. Noch nicht einmal die Luke konnte sie von hier aus sehen. Nur Artur konnte das. »Artur, er kommt.«

Die Schritte auf den Stufen waren schleppend und leise. Was das wohl hieß? Der Insektenmann – oder Raphael, wie Artur ihn nannte – war immer die Treppe heraufgepoltert. War er verletzt?

Die ganze Zeit musste sie darüber nachdenken, was Artur ihr eingeschärft hatte: »Raphael hat eine Verbrennung von einem Bügeleisen auf seiner Brust. Dein Vater hat eine Narbe am Rücken. Nur so kannst du die beiden unterscheiden.«

Das hatte ihr eingeleuchtet, aber jetzt, wo die Schritte auf der Treppe höherstiegen, fragte sie sich, wie sie das eigentlich genau kontrollieren sollte. Dieser Raphael war doch bestimmt schlau genug, sich nicht zu verraten. Sie konnte ja schlecht zu ihm sagen, zieh doch bitte mal deinen Pullover aus. Und wenn sie es tat, würde Raphael doch sofort kapieren, dass sie ihm misstraute.

Nein, sie musste es anders herausfinden. Ihn irgendetwas fragen, was nur Papa wissen konnte.

Die Riegel unter der Klappe wurden zurückgeschoben, langsam und schabend.

Bitte, bitte, lass es Papa sein!

Sie hörte, wie die Luke hinter ihr geöffnet wurde. Jemand schnaufte, als würde er unter der Last der Tür zusammenbrechen.

»Isa?«

Das war Papas Stimme! Sie musste sich Mühe geben, nicht loszuweinen. Es war alles genau, wie Artur es ihr gesagt hatte. »Ich bin hier, Papa«, rief sie beklommen.

Die Tür der Luke schwang quietschend auf und krachte auf den Boden.

»O Gott, Isa!« Die Schritte wurden schnell. Ihr Herz raste und hüpfte, als sie ihn sah. Ja, das war Papa. Aber Artur hatte sie ja gewarnt, dass es so kommen würde. Er kniete sich vor sie. Tränen liefen über sein Gesicht. Er trug seine Jacke und seine Boots, wie immer. Im Gesicht hatte er Bartstoppeln, seine Haare waren nass, und er war so bleich, als würde er jeden Moment umfallen.

Vorsichtig legte er seine beiden großen Hände auf ihre

Wangen und hielt ihren Kopf wie in einer Schale. Jetzt musste sie doch weinen.

»Geht's dir gut, mein Schatz?«

Sie nickte.

Seine Hände zitterten und waren eisig. Ihr Vater hatte doch sonst nie so kalte Hände! »Brrr. Papa. Du bist ja ein richtiger Kaltmann.«

»Ein was?«, lachte der Mann unter Tränen. Isas Herz schlug bis zum Hals. Bitte, bitte, sag es!

»Ein Kaltmann«, wiederholte Isa. Hing an den bleichen Lippen des Mannes.

»Ich dachte, ich bin dein Blaumann.«

In diesem Moment brachen in Isa alle Dämme. »Papa«, schluchzte sie. »Ich hab dich so vermisst.« Sie drückte ihre Wangen in seine eiskalten Hände.

»Ich hab dich auch vermisst, mein Herz.« Er umarmte sie lange, und sie spürte, wie kalt er wirklich war. Sein ganzer Körper zitterte.

Dann nahm Jesse seine Hände von ihr. »Warte eben.« Aus der Jacke zog er ein Messer und schnitt sie los. Sofort als das letzte Seil fiel, umarmte Isa ihn so fest sie konnte. Jesse stöhnte auf, und sie erschrak. »Geht's dir nicht gut?«

»Hör bloß nicht auf, mich zu umarmen.«

Sie drückte ihn erneut fest an sich. Ihre Hand stahl sich unter seinen Pullover, nur für alle Fälle, dachte sie. Die Narbe auf dem Rücken war genau da, wo sie sein sollte. »Hast du mit Raphael gekämpft?«, fragte sie.

»Du weißt von Raphael?«

»Artur hat's mir erzählt.«

»Du musst keine Angst mehr vor ihm haben. Er ist tot.«

Sie schniefte und nickte. »Wir müssen Artur helfen. Ich weiß nicht, was mit ihm ist.« Plötzlich war die Angst wieder da. Trotz aller Freude und Erleichterung – die Vorstellung, Artur könnte etwas zugestoßen sein, war schrecklich.

Jesse ließ sie los und fühlte Arturs Puls.

»Ist er tot?«, fragte sie bange.

Er schüttelte den Kopf und lächelte ermutigend. »Besonders gut geht's ihm nicht. Aber er lebt.«

Isa blies erleichtert Luft aus ihren Wangen.

Jesse schnitt Artur von der anderen Seite des Pfahls los, kontrollierte die Wunde am Bein und schob seine Glieder zur stabilen Seitenlage zurecht. Dann tastete er seine Jacke mit der flachen Hand ab und zog ein Telefon aus der Brusttasche.

»Das ist aber nicht deins, oder?«

Er schüttelte den Kopf, sagte aber nichts. Rasch tippte er eine Nummer ein und sprach mit seiner Arztstimme ins Telefon, nicht ganz so sicher und schnell, wie sie es von ihm kannte. Seine Lippen bebten, und die Hand mit dem Telefon zitterte stark.

»Ist dir immer noch so kalt?«, fragte Isa, als er aufgelegt hatte.

Er nickte.

»Da hinten ist eine Heizung. Komm.«

Jesse schaffte es nicht mehr, sich aufzurichten, also kroch er hinüber zum Heizkörper. Stöhnend lehnte er sich mit dem Rücken an die warme Heizung. Isa setzte sich daneben und drückte sich an ihn. Ihr schmaler Schulterknochen lag spitz an seinem Oberarm.

Er wischte sich matt über das Gesicht und lächelte. »Weißt du was? Ist gar nicht lange her, da haben wir schon mal so mit dem Rücken an einer Heizung gesessen.«

»Du meinst nachts in der Küche, als ich Zähne putzen sollte?«

Er hob die Brauen. »Das hast du mitbekommen? Ich dachte, du hast geschlafen.«

»Ich hatte Angst, ich krieg Ärger. Wegen dem Nutella«, sagte Isa und drückte sich noch fester an ihn.

Epilog

Die Straße war noch nass vom Regen, der Himmel wurde blau, wo er nur konnte. Jesse hielt nahe der Schule und stieg aus. Ein Vater mit einem voll besetzten VW-Bus hupte ärgerlich. Jesse übersah ihn einfach, ging zur hinteren Tür, hielt sie auf und wollte eine Verbeugung andeuten.

»Och, Papa. Ich bin doch kein Kind mehr.«

»Nicht?«

Jule, die ebenfalls ausgestiegen war, wandte sich ab und verkniff sich ihr Grinsen.

Isa reckte das Kinn zwischen den Spitzen ihres marineblauen Mantelkragens vor. Ihr Gesicht war blass und gestreckter als vor einigen Monaten, ihre Haare waren straff nach hinten zu einem wippenden Pferdeschwanz gebunden. Es sollte ihr erster Tag in der Schule werden, seit sie wieder zurück in Berlin waren. In den letzten Wochen hatten die Uhren anders getickt. Langsamer. Trauriger.

Sandras Beerdigung war ein Alptraum gewesen. Isa hatte vor Schmerz geschrien, als sie vom Tod ihrer Mutter erfuhr. Die erste Woche fiel es ihr schwer, Jesse überhaupt irgendwohin gehen zu lassen, selbst ins Nebenzimmer. Das Alleinsein während Jesses Aussagen bei den Polizeibehörden von Garmisch und auch später in Berlin war für sie eine Bestandsprobe, die sie nur aushielt, weil Jule bei ihr blieb. In der zweiten Woche hatte Isa darauf bestanden, ihren Opi zu sehen. Jesse brauchte eine Weile, um zu verdauen, dass sie Artur damit meinte.

Der alte Heimdirektor lag im Klinikum Garmisch-Parten-kirchen, einem Haus mit fast fünfhundert Betten, in einem Einzelzimmer.

Jesse hatte Isa den Vortritt gelassen, er hatte Artur bereits mehrfach besucht. Immer wenn er an seinem Bett gestanden hatte, war es ihm vorgekommen, als seien die Rollen von damals, nach dem Unfall, vertauscht. Artur war häufig schlecht beieinander. Zwischen kurzen klaren Momenten gab es die, in denen er sich schlicht nicht erinnerte. Doch im Gegensatz zu Jesses eigener Amnesie waren es vor allem die Dinge der jüngeren Vergangenheit, die er durcheinanderbrachte. Ansonsten erholte er sich ›den Umständen entsprechend‹ gut.

Als Isa ins Zimmer stürmte, fuhr Artur gerade das Rückenteil des Krankenhausbettes in eine halb aufrechte Position. Er hatte sich offenbar frisch rasiert, die Haut in seinem erschöpften Gesicht war voller gereizter Stellen. Isa hielt sich nicht damit auf zu warten, bis der Motor stillstand, sie schlang ihre Arme um ihn. Jesse sah vom Türrahmen aus zu und spürte einen Kloß im Hals. Er konnte sich nicht erinnern, Artur je so glücklich gesehen zu haben.

»Für dich«, sagte Isa und hielt dem alten Mann eine Rolle aus Papier hin.

Artur machte ein überraschtes Gesicht, löste die rote Schleife und zog das Papier glatt. »Ui«, sagte er und grinste. »Der hat aber wenig Haare.«

»Klar«, meinte Isa. »Ist ja auch ein Opalöwe.«

»Bin ich das etwa?«

»Siehst du hier noch einen Opa?«

Er schüttelte den Kopf. Sah sie an. »So was Schönes hab ich bisher noch nicht bekommen. Deswegen frag ich.«

Isa schwang sich zu ihm auf die Bettkante. »Was machst du hier den ganzen Tag?«

»Schlafen«, sagte Artur. »Ganz viel schlafen. Vor allem nachts.«

Jesse ließ die beiden noch eine Weile reden. Erst als er spürte, dass Artur wirklich müde wurde, leitete er den Abschied ein.

»Hast du eigentlich etwas über Sebi und Renate herausgefunden?«, wollte Artur zum Schluss noch wissen.

»Nicht viel«, sagte Jesse bedrückt. »Beide sind längst gestorben.«

»Doch nicht etwa wegen ihm, oder?«

»Renate Kochl ist schon 1992 gestorben, an Magenkrebs. Dein Freund Sebastian Kochl acht Jahre später an Herzversagen.«

»Ach«, sagte Artur leise. Sein Blick ging zum Fenster hinaus. Es taute, Schnee tropfte vom Dach. »Jetzt erinnere ich mich. Ich hatte eine Einladung zur Beerdigung. Bin nicht hin.«

Jesse biss sich auf die Lippen. Es fiel ihm schwer zu akzeptieren, dass es zehn Jahre seines Lebens gab, die er offenbar recht behütet bei den Kochls verbracht hatte, ohne sich an sie erinnern zu können. Artur hatte ihm inzwischen einiges über sie erzählt. Aber er hätte es gern von ihnen selbst gehört. »Hast du eigentlich meine Mutter gekannt?«, fragte er.

»Deine Mutter«, seufzte Artur. Das Sprechen strengte ihn sichtlich an, dennoch fühlte er sich in der Pflicht. »Nein. Aber Wilbert hat früher viel von ihr geschwärmt. Er war furchtbar verliebt in sie. Herman, Gudrun und er waren damals zu dritt auf der Helgoland in Vietnam. Wilbert als Erster Offizier, Herman als Kapitän und Gudrun als Ärztin. Auf Herman flogen damals die Frauen. Nicht nur wegen der Uniform. Irgendwie hatte er immer das charmanteste Lächeln. Das war schon in der Schule so. Wilbert hatte keine Chance, und es dauerte nicht lange, und Gudrun war von Herman schwanger. Da vor Ort immer noch Krieg herrschte, musste Gudrun bald von Bord. Sie ist zurück nach Kiel gegangen.«

»Und mein Vater?«

»Herman wollte bleiben.«

»Er ist erst zur Geburt zurück nach Deutschland?«

»Er hätte damals zur Geburt sicher Urlaub bekommen, aber er ist in Da Nang geblieben.«

Jesse schluckte. Er wechselte einen Blick mit Isa, die die Stirn krauszog. »Du warst zu meiner Geburt da, oder?«

»Ja«, sagte Jesse. »Natürlich.«

»Herman hat sich lieber in den Hafenvierteln herumgetrieben. Die vietnamesischen Mädchen hatten es ihm angetan.« Er warf einen raschen Blick zu Isa, dann wieder zu Jesse. »Die Geschichten über deinen Vater und Frauen, die kennst du ja. Er war brutal, und keine hat sich dagegen gewehrt. Als deutscher Kapitän besaß er Immunität. Es gab da einen Vertrag zwischen den Regierungen. Eine Schande, wenn du mich fragst. Wilbert hat es irgendwann nicht mehr ausgehalten, er ist von Bord gegangen und nach Deutschland zurückgereist.«

»Nach Kiel, soweit ich weiß.«

»Ja. Ich weiß nicht, wie viel er Gudrun damals von Hermans Eskapaden erzählt hat und wie Gudrun über Herman dachte. Aber die ersten drei Jahre nach eurer Geburt hat Wilbert bei euch gelebt. Er war glücklich damals. Ein anderer Mensch, nicht mehr so schwermütig. Deine Mutter, hat er immer gesagt, sei zu gut für ihn. Viel zu schön und zu klug. Dass sie ihn seinem Bruder vorgezogen hat, hat einen anderen Menschen aus ihm gemacht.«

»Warum hat er sie dann erschossen?«, fragte Jesse.

»Das hat er gar nicht.« Artur wurde von einem plötzlichen Hustenanfall geschüttelt. Jesse reichte ihm ein Glas Wasser, und Artur fuhr die Lehne seines Bettes noch ein wenig nach oben. Beim Trinken sah er aus wie eine durstige alte Eule.

Jesse warf einen Seitenblick auf Isa. »Vielleicht sollten wir ein anderes Mal darüber reden«, sagte er.

»Was denn?«, brummte Artur. »Wegen Isa?«

»Sie hat schon genug durchgemacht.«

»Papperlapapp«, knurrte Artur. »Sie hat ein Anrecht drauf. Sind doch ihre Großeltern.«

»Du hast mir doch sowieso schon so viel erzählt, auf dem Dachboden«, warf Isa ein.

»So? Hm. Kann mich gar nicht mehr richtig erinnern, was alles.« Sein Blick ging von Isa zu Jesse zurück. »Außerdem: Deine Tochter ist mutiger als du und ich zusammen.«

Das Leuchten in Isas Gesicht war Jesse Antwort genug.

»Es gab damals einen Vorfall in Da Nang«, fuhr Artur fort. »Herman war verwickelt in den Tod eines ...«, er sah zu Isa und korrigierte sich hastig, »... einer jungen Frau. Keinerlei Beweise, aber die Wellen schlugen hoch. Die deutsche Regierung hat Herman vom Schiff abberufen. Als er dagegen gewettert hat, haben sie ihm das Kapitänspatent aberkannt. Kurz darauf ist er in Kiel bei Gudrun aufgetaucht. Herman war es gewohnt, alles zu bekommen. Dass jetzt Gudrun Wilbert ihm vorzog, das hat ihn rasend gemacht. Es hat keine Woche gedauert, und die Dinge haben sich so aufgeschaukelt, dass Herman Gudrun vor Wilberts Augen erschossen hat.«

»O Gott«, murmelte Jesse. Das alles kam ihm vor wie ein fremder dunkler Tunnel, dabei war es sein eigenes Leben.

»Wilbert bekam es mit der Angst zu tun und ist abgehauen. Er hat erzählt, dass er euch beide mitnehmen wollte. Aber in der Eile konnte er nur dich packen und ist raus aus der Wohnung. Dein Bruder ist dortgeblieben.«

»Warum hat er mich nicht bei sich behalten?«

»Wie denn? Ohne Ausweise? Er war ja nicht dein Vater. Und Herman hat es so gedreht, dass man glaubte, Wilbert hätte Gudrun erschossen. Also ist er zu mir gekommen.

Er wusste ja, dass ich inzwischen die Leitung in Adlershof übernommen hatte.« Artur räusperte sich. Seine Stimme war heiser, und er tastete nach der Fernbedienung für das Bett. Die Lehne surrte tiefer, und Artur kam zur Ruhe. »Na ja. Den Rest der Geschichte kennst du ja.«

Jesse nickte. Er hatte immer noch unzählige Fragen, aber für heute war es genug.

»Jesse«, Arturs Stimme war plötzlich ein Wispern, »komm noch mal her.« Er griff nach Jesses Hand, schluckte. »Ich …«, er musste sich räuspern. »Meinst du, du kannst mir das irgendwann …«

»Verzeihen?«

Artur nickte. Schaffte es nur mit Mühe, den Blickkontakt zu halten.

»Dem Mann, der mich einfach so behalten hat? Und der mir meine zweiten Eltern vorenthalten hat? Nein, ich glaube nicht. Aber dem Mann, der auf meine Tochter aufgepasst hat, dem ganz sicher.«

Artur sank erleichtert in sein Kissen zurück. Eine Schwester, die das Zimmer betrat, machte den Abschied durch ihre burschikose Art einfacher, unkompliziert. Zumindest für Artur und Jesse. Für Isa schien sowieso alles klar zu sein. Sie gab Artur einen Kuss auf die faltige Wange und strich noch einmal darüber.

»Hallo. Erde an Papa!«

»Hm?« Jesse schreckte aus seinen Gedanken auf.

Isa stand vor ihm. Schülergruppen lärmten beim Betreten des Geländes durch das Haupttor.

»Ich will jetzt los.«

Jesse nickte. Ihm saß ein Kloß im Hals.

Sie umarmten sich, und Isa murmelte: »Tschüs, Blaumann.«

»Tschüs, Prinzessin«, rutschte es ihm heraus. Doch statt eines strafenden Blicks erntete er so etwas wie ein Strahlen.

Isa umarmte noch schnell Jule, dann war sie weg.

Sie stiegen beide ins Auto, schlugen die Türen zu. Der Lärm verebbte.

»Schön, dass du mitgekommen bist«, sagte Jesse.

»Sie ist ganz schön blass«, meinte Jule.

»Ja. Ist sie.«

Eine Weile saßen sie still im Wagen vor der Schule. »Du«, sagte Jule. »Warum hast du mir eigentlich das mit Wolle verschwiegen?«

Jesse seufzte. »Ich weiß, das war idiotisch.«

»Ganz schön idiotisch, ja.«

»War es das, was du hören wolltest?«

Jule überlegte einen Moment. »Ich glaube ja.«

»Gut«, nickte Jesse.

»Hast du Artur jetzt eigentlich noch mal nach Wolle gefragt?«

»Gefragt schon. Das mit der Antwort ist so eine Sache.«

»Er schämt sich?«

»Tut er. Ja. Wolle war wohl neben Artur der Einzige, der von Raphaels Verbrennung mit dem Bügeleisen wusste. Raphael hat sich ja nie ohne T-Shirt gezeigt. Wolle muss es irgendwann durch Zufall gesehen haben. Und als er dann mich gesehen hat, ohne Verbrennung, hat er eins und eins zusammengezählt.«

»Und weil Sandra und Wolle jetzt beide über den Tausch Bescheid wussten, hat Raphael sie umgebracht. Aber warum Markus?«

»Er hat ja Raphael in Adlershof gesehen und den Stein bei Sandra erst ins Rollen gebracht. Die Sache mit der Mädchentoilette hat ihn vermutlich besonders alarmiert, vielleicht weil Markus mitbekommen hat, dass es in Adlershof irgendwelche Machenschaften mit Kindern gab.«

»Weißt du, was Raphael dort oben gemacht hat?«

»Ich habe nicht die geringste Ahnung.« Jesse schwieg

einen Moment. »Aber sag mal, was ist jetzt eigentlich mit Charly?«

»Dass sie die Befragungen bei der Polizei ganz gut überstanden hat, hab ich dir erzählt, oder?«

»Hast du. Ja.«

»Es gibt eine neue Betreuerin beim Jugendamt. Sehr jung und sehr nett. Eigentlich fast ein bisschen zu jung, hab ich gedacht. Aber Charly mag sie. Als wir das letzte Mal telefoniert haben, klang sie sehr fröhlich.«

»Und das Verfahren gegen die Wisselsmeier und Richard?«, fragte Jesse.

»Du meinst das Verfahren wegen Kinderhandel?«

»Der versuchte Mord ist ja unstrittig.«

»Bei meiner letzten Zeugenaussage hat sich herausgestellt, dass im Moment offenbar auch noch wegen eines alten Falls ermittelt wird. Kristina, weißt du noch? Die Frau, in deren Zimmer wir gewohnt haben. Sie war eine Zeitlang Lehrerin in Adlershof und ist im Rissersee ins Eis eingebrochen. Es gab wohl einen anonymen Anruf bei der Polizei, dass Richard angeblich seine Finger dabei im Spiel hatte. Vielleicht hat sie etwas geahnt.«

Jesse schüttelte betroffen den Kopf. »Und der Kinderhandel?«

»Das ist wohl zäh. Da sind alle ziemlich zugeknöpft. Bisher geht es um sechs Fälle, bei denen die Wisselsmeier und Richard die Mädchen mit gefälschten Adoptionsunterlagen verkauft haben. Zum Teil sogar an Leute mit eindeutig zweifelhaften Vorlieben. Tinkerbell ist wohl zurückgegeben worden, wobei sie noch Glück hatte. Unter etwas anderen Umständen wäre sie vielleicht sogar verschwunden. Nur wirklich beweisen lässt sich im Moment immer noch nichts.«

»Was für eine unglaubliche Schweinerei.«

»Gewissermaßen hat Artur ja damit angefangen«, meinte Jule.

»Ja, nur aus ganz anderen Gründen. Es war vielleicht nicht richtig, aber Artur hat damals die Kinder nur an Menschen abgegeben, bei denen er sicher war, dass die Kinder gut aufgehoben sind. Außerdem waren es Eltern, die sonst kaum eine Chance auf eine legale Adoption gehabt hätten.«

»Ich kann kaum glauben, dass ausgerechnet du das verteidigst. Woher will er denn gewusst haben, dass diese Eltern wirklich gut für die Kinder waren? Und bei dem, was er und die Wisselsmeier vermutlich damals dafür eingestrichen haben, unterstelle ich jetzt mal nicht nur moralisch-ethische Prioritäten.«

»Nein. Wohl kaum. Was Artur bei mir noch gut gemeint hat, ist dann spätestens bei Richard und der Wisselsmeier wirklich verbrecherisch geworden.«

Auf Jules Seite klopfte es hart an die Scheibe, und beide schreckten zusammen. Auf dem Gehsteig stand Isa und winkte ihnen zu.

Jesse ließ auf Jules Seite die Scheibe herunter. »Hey. Alles klar?«

»Jaja. Alles klar«, beeilte sich Isa zu versichern. »Ich wollte nur schnell fragen, gehen wir dieses Wochenende in den Wald?«

»Äh, ja gerne«, sagte Jesse. »Aber hat der Unterricht nicht schon angefangen?«

»Och. Das ist schon in Ordnung. Die wissen ja, dass es mir nicht gutgeht. Kommst du mit, Jule? In den Wald, meine ich, am Wochenende?«

»Klar. Mache ich«, sagte Jule.

»Schön«, meinte Isa und grinste. »Jetzt geht's mir besser.« Dann machte sie auf dem Absatz kehrt und rannte ins Schulgebäude.

Danke.

Zuerst einmal vielen Dank an meine wunderbaren Test-leser. Wenn meine Geschichte bei Euch ankommt, weiß ich, ich kann sie loslassen.

Meike, wie oft hast Du mit rauchendem Kopf meine Ide-en geteilt, sie weitergesponnen, immer bereichert und psychologisch beleuchtet. Ein einfaches Danke dafür ist nicht genug. Und sollte die Psychologie jetzt nicht stimmen, dann geht das auf mein Konto. Clara, Du hast so viele Varianten gelesen, nie die Begeisterung verloren und hast immer eine Meinung gehabt, die mich hat schlauer werden lassen. Verena, Dein »Boa, das kauf ich nicht« und Dein »Ich sag dir auch genau, warum« ist eine wunderbare Mischung. Wilfried, Deine Ehrlichkeit war ein Kompliment, auch dann, wenn sie weh getan hat. Norik, wenn's weh tut, dann retten mich Deine Komplimente – und verleihen Flügel. Barbara, Peter, Judith, Astrid, Henrik und noch einige mehr, danke! Euer Feedback ist mein Kompass.

Ulrika, Du bist dazugestoßen, als vieles schon gelaufen war. Und hast trotzdem noch den Lauf verbessert. Julia, Du warst von Anfang an begeistert dabei – am Ende hab ich Dich vermisst. Aber Du hast den besten Grund der Welt, nicht da zu sein. Ein herzliches Danke an Euch alle bei der Agentur Graf.

Und dann, liebe ›Ullsteins‹: Es soll ja Menschen geben, die nicht verstehen, warum es einen ganzen Verlag mit vielen tollen Mitarbeitern braucht, um das Beste aus einem Buch zu machen. Ich verstehe es sehr wohl und danke Euch von Herzen!

Insbesondere Dir, Katrin. Lektorat kann viele Gesichter haben. Deins ist mir das liebste – und Deine ›Fragen an den Text‹ sind die besten. Mein letzter Dank gilt den Stilblüten der neuen Rechtschreibung, die *Esssaal* mit drei s schreibt – und noch mal Dir, Katrin, dafür, dass ich es schreiben kann, wie ich es schöner finde: Eßsaal ;-).

Marc Raabe

SCHNITT

Psychothriller

»Alptraum-

Gefahr!«

Sebastian Fitzek

ISBN 978-3-548-28435-4

Ein kleiner Junge beobachtet einen grausamen Mord. Und er vergisst. Dreißig Jahre lang. Bis seine Freundin in die Hände eines gefährlichen Psychopathen gerät. Nur wenn er sich erinnert, kann er sie retten. Doch das bringt ihn in tödliche Gefahr.

»Marc Raabe hat mit diesem fulminanten Psychothriller seinen beachtenswerten ersten Roman vorgelegt.« *krimi-couch.de*

Auch als ebook erhältlich
ebook

»Marc Raabes erstaunliches Debüt besticht durch eine verblüffende Sicherheit in der Charakterisierung.« *Denis Scheck*

ullstein

www.ullstein-buchverlage.de

UB698

Marc Raabe

Der Schock

Psychothriller.
Taschenbuch.
Auch als E-Book erhältlich.
www.ullstein-buchverlage.de

Garantiert schlaflose Nachte!

Bei einem Unwetter an der Côte d'Azur begegnet Laura
Bjely ihrem schlimmsten Alptraum. Ihr Freund Jan
findet später nur noch ihr Smartphone – mit einem ver-
störenden Film im Speicher. Kurz darauf wird in Berlin
die Leiche von Jans Nachbarin entdeckt. Auf ihrer Stirn
steht eine blutige Nachricht. Allen Warnungen zum
Trotz sucht Jan nach Laura. Dabei stößt er auf einen Abgrund aus Wahnsinn und Bösartigkeit.

Vom Autor des *Spiegel*-Bestsellers *Schnitt*

ullstein